# Ernst Toller
# Gesammelte Werke

*Band 2*

Dramen und Gedichte aus
dem Gefängnis
(1918-1924)

Carl Hanser Verlag

Herausgegeben von
John M. Spalek und Wolfgang Frühwald

ISBN 3-446-12518-3

3. Auflage 1995
Umschlag: Klaus Detjen
Umschlagfoto: Ernst Toller im Festungsgefängnis
Niederschönenfeld 1919 – 1924. Aus dem Besitz
von Wolfgang Frühwald
Gesamtherstellung: Appl, Wemding
Printed in Germany

# Inhalt

# Die Wandlung

*Das Ringen eines Menschen*

Ihr seid der Weg.

.... revolution = rebirth of humanity — freedom
love frees people.

Friedrich wurzelt in keinem Vaterland sondern
in sich selbst

Friedrich als Christfigur.
rest of notes on plot.          type of
  Tolle's Idealism (gegen Kommunist)

Diese Arbeit entstand als erste Niederschrift 1917, im dritten
Jahr des Erdgemetzels. Die endgültige Form wurde in der
Haft des Militärgefängnisses im Februar und März 1918 voll-
endet

# Aufrüttelung

Zerbrich den Kelch aus blitzenden Kristallen,
Von dem die Wunder perlentauend fallen,
Wie Blütenstaub aus dunkelroten Tulpen.

Wir schritten durch die Dämmerwelt der Wunder,
Verträumte pflückten Märchen wir mit weichen Händen,
Aus Sonnenstrahlen formte Glaube Kathedralen,
Von hochgewölbten Toren fielen Rosenspenden.

*Da! mordend krochen ekle Tiere*
*Flammenspritzend auf der Erde!*

Wir blickten traumschwer blinzelnd auf
Und hörten neben uns den Menschen schreien!

Wir sahen die Gemeinheit Orgien feiern,
Europa troff, entblößt, von Sudel,
Aus Gruben quoll der Lüge Strudel,
Rauch schlang Spiralen beizend über unserm Haupt,
Zu unsern Füßen gurgelte Verzweiflung.
Es schrie ein Mensch.

Ein Bruder, der das große Wissen in sich trug
Um alles Leid und alle Freude,
Um Schein und quälende Verachtung,
Ein Bruder, der den großen Willen in sich trug,
Verzückte Tempel hoher Freude zu erbauen
Und hohem Leid die Tore weit zu öffnen,
Bereit zur Tat.
Der ballte lodernd harten Ruf:
Den Weg!
Den Weg! –

Du Dichter weise.

- lots of gruesome imagery:
    skulls, bodies, maggots
  - Ekel. des Krieges.

p44 „Wir sind vereint im Leiden"

•• Am Anfang - Friedrich = Fremde, thinks
that joining army will make him 'belong'.
  - his loyalty to 'Vaterland' - sometimes more
loyal than 'natives', bleibt noch de Fremde

• Skeletons - all equal, no judgements. Mädchen do.

• Tänzen                    Zweifel:
• After being tapfer in Krieg, Friedrich's told he
has achieved civil right - he belongs but sinnlos -
take 10,000 deaths for him to belong.
• Demasculinisation of war.
• Arbitrary nature of war + enemies p35
idea of stg higher growing from Vaterland.
• How can religion/God leave people so miserable
• Fried. asks if all suffering etc fur Vaterland n Gott lohnt.
shameful language; Fried. prefers to 'wandern';
nicht 'gehören'.
• Idea of Individuality within Gemeinschaft.
• "Lerne sehen!" Große Fabrik = Gefängnis
  - prisoners suffering, children born into suffering
• Crucifixion - gibt höhe Freiheit; Christ-like.
• Richter = Angeklagter
• Representation of diff. professions.
• Man as machine needs Love! - stops misery
war & hate, you can dance! No fear

# Personen

FRIEDRICH

VOLK

FRIEDRICHS SCHWESTER

MUTTER

ONKEL

JUGENDFREUND

GABRIELE, DES FREUNDES SCHWESTER

ERSTER SOLDAT

ZWEITER SOLDAT

VERWUNDETER

IRRER

KORPORAL

ROTE KREUZSCHWESTER

ARZT

OFFIZIER

KRIEGSINVALIDE

KRIEGSINVALIDIN

VORSITZENDER

ALTER HERR MIT DEM ABZEICHEN

UNIVERSITÄTSPROFESSOR

PFARRER

KOMMIS DES TAGES

ARBEITER

STUDENT

STUDENTIN

MANN MIT DEM HOCHGESCHLAGENEN MANTELKRAGEN

KRANKER

DAME

DER TOD ALS FEIND DES GEISTES IN GESTALT EINES SOLDATEN,
    DES PROFESSORS, DES RICHTERS, DES NÄCHTLICHEN BE-
    SUCHERS

SOLDATEN

KRÜPPEL

SCHWESTERN
SANITÄTSSOLDATEN
SKELETTE
GEFANGENE


Die Bilder »Transportzüge«, »Zwischen den Drahtverhauen«, »Die Krüppel«, »Der Schlafbursche«, »Tod und Auferstehung«, »Der Wanderer«, »Die Bergsteiger«, sind schattenhaft wirklich, in innerlicher Traumferne gespielt zu denken


Die Handlung spielt in Europa vor Anbruch der Wiederge-
burt

# Die Totenkaserne

### Ein Vorspiel, das auch als Nachspiel gedacht werden kann

Personen des Vorspiels: Der Kriegstod  /
Der Friedenstod / Skelette

*(Nacht. Weites Grabfeld. In Anordnung von Kompagnien Soldatengräber. Jede Kompagnie hat gleiche, einfache, graue, eiserne Grabkreuze. Die einen Grabkreuze mit einer gemalten Rose an den Schnittflächen, andere Grabkreuze mit einem flammenden Herz, dritte mit einem kleinen Kranz von Feldblumen. Auf jedem Kreuz steht nichts als der Name und Truppenteil des Gefallenen. Seitlich von jeder Kompagnie befinden sich die Offiziersgräber. Sie schmücken größere, prächtigere Kreuze mit flammenden Sonnen umlegt. Außerdem auf dem Kreuz angegeben Geburtstag und Zivilstand des Toten. Es kommen der* Friedenstod, *Zylinder auf seinem Schädel und buntkariertes Taschentuch in der Hand, und der* Kriegstod, *Stahlhelm auf seinem Schädel, in der Hand einen Beinknochen – den Feldherrnstab. Seine Brust zieren viele Orden.)*

KRIEGSTOD: Gleich sind wir angelangt, Herr Kamerad. / Hätt' ich gewußt, daß Sie so schlecht bei Atem sind . . . / Auf meine Ehre, mir tut's aufrichtig leid . . . / Ich wünschte, daß Sie's nicht bereun. / So, bitte sehr . . . / Anordnung ist ganz einfach. / In Kompagnien liegen sie begraben, / Am Flügel sind die untern Chargen. / Ganz wie im Leben schlichte Nummern, / Unsere tapfren Helden. / Die Namen wären überflüssig . . . / Man tat es wohl aus <u>Pietät</u>, / Es hätten Nummern auch genügt. / Und seitlich ruhn die Herren Offiziere . . . / Wenn Sie Interesse, wen sie dargestellt / Als Zivilisten . . . Ich bitt' gehorsamst, / Wenn Sie sich bemühen wollen . . . FRIEDENSTOD: Hm, hm, hm, hm! / Großartig, lieber Herr Kollege. / Großartig – alle Anerkennung. / Mich überkommt fast

13

Neid. KRIEGSTOD: Zuviel des Lobs, Herr Kamerad. / Ihr Mißtraun schien mir unerklärlich, / Ich bin's in Bürgerkreisen zwar gewohnt. / Drum möchte ich von Herzen gern Sie überzeugen. / Wenn Sie gestatten, laß ich aufmarschieren. FRIEDENSTOD: Ich bitte Sie darum. KRIEGSTOD: In Kompagniefront aufmarschiert. / Marsch!

*(Aus den Gräbern steigen die Soldaten- und Offiziersskelette, alle mit Stahlhelmen bedeckt. Sie stellen sich in strammer Haltung vor ihre Gräber.)*

KRIEGSTOD: An die Gewehre! *(Jedes Skelett eilt an sein Grabkreuz, reißt es aus der Erde und stellt es neben sich. Die Offiziere handhaben ihre Kreuze wie Degen.)* KRIEGSTOD: Stillgestanden! / Die Herren Offiziere wollen bitte / Ihren Platz einnehmen! *(Die Offiziere eilen an den rechten Flügel und verteilen sich als Zugführer.)*

KRIEGSTOD: Richt euch! / Augen gerade aus! / Parademarsch! / Auf der Stelle getreten! / Frei weg! FRIEDENSTOD: Mein Kompliment! Mein Kompliment / Ich denk' mit Wehmut und voll Schauder / Wenn ich die gleichen Dinge unternehmen wollte / Mit meinen Fraun und Kindern – / Als Chargen krumme Veteranen etwa . . . / Gestützt auf Regenschirme. / Ja, Herr Kollege. / Ich fühle mich geschlagen – / Sie sind das ordnende Prinzip. / Bei mir herrscht Chaos. KRIEGSTOD: Ach bitt', Herr Kamerad, / Ich fühle mich geschmeichelt – / Bei einiger Disziplin und Übung / Gelingt es auch bei Ihnen. / – Also Achtung. / In Gruppen rechts schwenkt . . . / Marsch! / Stillgestanden! / Rührt euch. / Ich bitt', wer ist doch gleich / Der Älteste im Rang? *(Ein Oberst legt die Hand an den Helm und nähert sich in Knickschritten.)* KRIEGSTOD: Danke sehr, Herr Oberst. / Achtung! / Gewehr ab! *(Die Offiziere und Soldaten stecken ihre Grabkreuze wieder in die Erde.)* KRIEGSTOD: Achtung! / Kopfrollen! / Als Selbstübung . . . / Anfangen! – / Herr Oberst, bitte, wollen Sie / Die Aufsicht übernehmen. *(Die Soldaten, Arme in Hüften gestemmt, rollen ihre Schädel. Der Oberst beaufsichtigt die Truppe. Die Offiziere ihre Kompagnien.)* FRIEDENSTOD: Das alles haben Sie erdacht, Kollege, / Ist sozusagen eigene Idee. KRIEGSTOD: Wie meinen Sie, Herr Kamerad? FRIEDENSTOD: Ich meine, ward der Plan / In Ihrer Schädelhöhle frisch geboren? / Ich mein' nur so . . . KRIEGSTOD: Nicht ganz zwar . . . / Aber doch, wie soll ich's sagen . . . / – Sie verstehen mich. FRIEDENSTOD: Ich glaube bald, Sie zu verstehen. / Doch brauch' ich Zeit zur Überlegung. KRIEGSTOD: Aufhören! / Achtung! / Ganzes Regiment . . . kehrt! / In die Gräberrrr! *(Soldaten steigen in ihre Gräber.)*

KRIEGSTOD: Ich danke, meine Herren . . . / Die Kritik das nächste Mal. *(Die Offiziere steigen in ihre Gräber. Schweigen. Nach einigen Minuten bricht der Friedenstod in schallendes Gelächter aus, das sich in stoßweises Wiehern verflüchtigt.)*

KRIEGSTOD: Ich bin bestürzt, Herr Kamerad. / Sind Fehler vorgekommen, / Oder war'n die Kerle schlapp? *(Friedenstod wiehert und fächelt sich mit seinem Taschentuch zu.)* KRIEGSTOD: Herr Kamerad, ich muß schon bitten. / Gelächter duldet meine Ehre nicht. FRIEDENSTOD: Und meine Ehre duldet keine Heuchelei. / Mein Mißtraun war berechtigt. – / Tor, der ich mich übertölpeln ließ / Mein Reich – ich nannt' es Chaos. / Ich hab mich allzu schlecht gemacht / Vor mir ist jeder gleich. / Verschiedenheiten gibt's zwar auch – / Zudringlich ist der Geldvampir und ohne Takt, / Doch Ihr Prinzip ist nicht von unsrer Welt – / Sie spielen sich als Sieger auf / Und sind geschlagen – / Der Krieg hat Sie geschlagen, lieber Herr. / Und Sie gezwungen, / Sein System hier fortzuführen, / Mit Chargen, Rang und Vorurteilen. / Gleichsam Kaserne zu verwalten. / Feldwebel wurden Sie! / Ein Tod, der sich der deutschen Kriegsmaschine unterwirft / Wer hätt' das je gedacht! / Sie sind ertappt, mein Lieber! / Ich rate Ihnen, sei'n Sie auf der Hut. KRIEGSTOD: Infamie, Beleidigung. / Nutzlos die Antwort . . . FRIEDENSTOD: Ich möcht' mit einem Paradox / Die Unterhaltung rasch beenden. / Sie sind ein Tod von heute – / Ihr Gebaren gleicht dem Leben, / Das unter Zirkusflittern längst verfault. / Sie kleiner Tod! / Sie Heu chelprotz mit militärisch aufgestutzten Phrasen. / Empfehlen Sie mich Ihrem Herrn, dem Kriegssystem. / Haha! Haha! Hahahahaa! *(Friedenstod geht wiehernd davon.)*

KRIEGSTOD *(steht verdutzt: Reißt aus der Erde einen Grasbüschel. Wischt sich den Knochenschweiß aus seinem Antlitz.)*

KRIEGSTOD: Verflucht! Ich glaub', ich hab' verspielt!

*(Die Bühne schließt sich.)*

# Erste Station

## Erstes Bild

*(Vordere Bühne. Städtisch verunstaltetes Zimmer. Dämmerung weht Formen und Töne verwischend. In den Häusern jenseits der Straße werden die Lichter an Weihnachtsbäumen angezündet. Am Fenster lehnt Friedrich.)*

FRIEDRICH: Sie zünden drüben Lichter an. Kerzen der Liebe. Mysterien offenbaren sich. Lichtmeer der Liebe ... Ausgestoßner taumle ich von einem Ufer zum andern. Denen drüben Fremder, den andern fern. Ekler Zwitter. War nicht Hauch des Mitleids in ihrer Stube, da sie bat, kommen Sie zu uns? Ich danke Ihnen, Fräulein – gehorsamer Diener – werde pünktlich da sein. Auf Stichwort künstliches Lächeln. Tragikomisches Figürchen. Approbierter Zuschauer ... nein ... Stehaufclown ... Länger schleppe ich nicht diese Zerrissenheit mit mir umher. Was sind mir die! Daß ihr Blut in mir strömt, was will das bedeuten? Zu denen drüben gehöre ich. Einfacher Mensch, bereit zu beweisen. Fort mit aller Zersplitterung. Nicht mehr länger stolz schützen, die ich verachte. Aufrecht. *(Mutter tritt ein.)*

MUTTER: Bist du endlich zurückgekommen, Friedrich. Wo warst du den ganzen Tag? FRIEDRICH: Auf der Wanderschaft, Mutter. Auf der Wanderschaft ... Wie immer. Schau mich nicht so an, Mutter ... ich sagte es doch, auf der Wanderschaft. Wie Er, Ahasver, dessen Schatten zwischen geketteten Straßen kriecht, der sich in pestigen Kellerhöhlen verbirgt und nächtens draußen auf frierenden Feldern verfaulte Kartoffeln sammelt ... Ja, ich suchte Ihn, meinen großen Bruder, Ihn, den ewig Heimatlosen ... MUTTER: Du versündigst dich, Friedrich. Bist du heimatlos? FRIEDRICH: Wo habe ich denn eine Heimat, Mutter. Die drüben haben eine Heimat, in der sie wurzeln. Die drüben sind eins mit sich und ihrem Boden ... frei von jener Zerrissenheit, die gleich eiternden Schwären

17

Denken und Fühlen zerfrißt . . . Sie können lachen und frohen Herzens Tat tun. Sie haben ihr Land, in dem sie wurzeln . . . dem sie sich darbringen können . . . MUTTER: Du fieberst, Friedrich. FRIEDRICH: Ja, ich fiebere, Mutter! Willst du mir nicht ein Beruhigungsmittel geben? Daß Ihr auch fiebertet wie ich! Nun bist du traurig, Mutter. Grämst dich, daß ich nicht der gute Sohn bin . . . der stets liebevoll lächelt . . . wie die Söhne all deiner Bekannten. Ach, sie sehen so rührend aus, diese wohlarrangierten Familienbilder aus gesitteten Häusern!

MUTTER: Ich höre nicht auf deine Worte, Friedrich. Du bist unlustig und gehst törichten Gedanken nach, weil . . . weil du keinen Beruf hast. Ich will dich nicht hindern, werde Bildhauer. Aber zuerst schaffe dir ein Fundament, ergreife einen bürgerlichen Brotberuf. Auch der Onkel Richard rät es. FRIEDRICH: So, rät es der Onkel?! Erzählte er nicht als Beispiel die Historie von Strindberg, der in seinen letzten zehn Jahren »verbummelt« sei? Träufelte er nicht einige Tropfen Bedauern hinein, daß er . . . es verabsäumte, durch Strindberg unsterblich zu werden . . .? »Ein Mann der Literaturgeschichte«, wie er so schön sagt. Ja, hätte er ihm nur das Geld gegeben, um das ihn Strindberg anging! Hätte er es nur getan, dieser edle Bürger! Aber begegnete ihm ein zweiter Strindberg, er stellte sein dilettantisches Epigonentum fest, ließe ihn verhungern und beruhigte sein aufgeregtes Gemüt an steigenden Aktienkursen. Dieser gute Geschäftsmann! MUTTER: Auch dein Vater war ein guter Geschäftsmann. FRIEDRICH: Ich weiß es, Mutter. O ja, er war gütig. Er ließ dich arbeiten . . . und machte indessen aus seinem Leben Aufeinanderfolgen glänzender Jagdpicknicks . . . Der gute Vater. Zu mir aber sprach er von wohlanständigem Leben und gefestigtem Wandel . . . Damals als ich fort wollte . . . hinaus . . . zwang er mich, hierzubleiben . . . Er hat mir meine Jugend versperrt! MUTTER: Schweig, Friedrich . . . ich dulde nicht, daß du so vom Vater sprichst. – – Friedrich, ich weiß, du tust nur dir allein weh mit deinen Worten . . . Ich will dich heute nicht

18

quälen . . . Ich will später mit dir sprechen, wenn du ruhig bist. Jetzt . . . Friedrich, ich komme mit einer Bitte, einer winzigen Bitte . . . Erfüll sie deiner alten Mutter. Friedrich, geh zum Gottesdienst. Die Leute würden . . . FRIEDRICH: Die Leute! Oh, sag doch lieber zum Dienst der Leute, und nicht zum Dienst Gottes, aus dem Ihr einen verknöcherten, engherzigen Richter machtet, der ein einziges Gesetzbuch schrieb, nach dem er Menschen richtet. Immer mit denselben toten Gesetzesparagraphen. Und dem Engherzige dienen. Sie ekeln mich an, Eure Leutedienste, denn ich kann sie nicht Gottesdienste nennen. Seid Ihr freier, wenn Ihr das Gotteshaus verlaßt? Nein – nein. – Und die Enge in Euren weiten Gotteshallen – an der erstick ich. MUTTER: Als dein Vater starb, waren wir in notdürftigen Verhältnissen. Ich habe gespart, um dich zu ernähren, um dich in die Schule gehen zu lassen, damit du es leichter hast als wir. Um dir dein wirtschaftliches Fortkommen auf alle erdenkliche Art zu erleichtern. Du mußt doch verstehen, daß ich mich als Mutter sorge. Alles gab ich meinen Kindern. Nie gönnte ich etwas mir. FRIEDRICH: Ach Mutter, ich weiß es ja. Ich möchte weinen, wenn ich daran denke. Bin ich undankbarer, mißratener Sohn? Nein, Mutter, nein. Du hast für mich gesorgt mit Geld, willst mir meine Wege ebnen um Geld zu erwerben . . . ja, mein wirtschaftliches Fortkommen ist gesichert. Was aber tatest du für meine Seele? Lehrtest mich Haß gegen die Fremden. Warum? MUTTER: Sie dulden uns nur. Sie verachten uns. FRIEDRICH: Das tun sie nicht. Milde und Güte und Liebe wächst bei ihnen, allumfassende Liebe. Siehst du drüben die Lichter? Strahlen gütigen Umarmens. – Mutter nannte ich dich, weil du mich gebarst. Kann ich dich heute noch Mutter heißen, da du meine Seele aussetztest, wie törichte Mütter ihr nacktes Kind?

*(Mutter geht schweigend hinaus.)*

FRIEDRICH: Nun ist etwas entzwei . . . Oder war es nicht schon längst zerbrochen . . . Es mußte wohl zerbrechen . . . Mutter! . . . *(Stille.)* Nein, ich gehe nicht zu ihr . . . nun teilen sie Geschenke aus. Die Kinder singen. Wann habe ich als Kind hier je gesungen, wirklich gesungen?

*(Freund tritt ein.)*

FREUND: Guten Abend, Friedrich! Gabriele schickt mich und außerdem wollte ich ... FRIEDRICH: Sag ihr, ich kann nicht kommen. Ich sei krank, wälzte mich im Fieber. FREUND: Ich möchte dich nicht allein lassen. FRIEDRICH: Nicht? Ich danke vielmals, sehr liebenswürdig, geht auch leicht, das Nichtalleinlassen. Bitte nimm Platz, dort drüben. Wollen wir irgend etwas tauschen? Ein gutes Taschenmesser gegen einen Zeichenkasten? Der Zirkel ist zwar schadhaft, aber man merkt es nicht leicht, ich habe ihn so gelegt, daß man es nicht merken kann. FREUND: Friedrich! warum quälst du mich und dich?

*(Friedrich umarmt den Freund und schluchzt auf.)* FREUND: Armer Freund! FRIEDRICH: Ich bin nicht arm, ich will nicht dein Mitleid. Ich verbitte mir dein Mitleid, ich brauche es nicht. Auch nicht das deiner Schwester, bestell' das ihr. Ich erlasse ihr die Peinlichkeit, an meiner Seite in den Straßen gesehen zu werden. Ich habe Weiber genug, drüben in der engen Straße ... mein Taschengeld reicht aus. Ich will Euch nicht. Ich bin allein stark genug, ganz allein. Ich brauche niemand, die nicht und Euch nicht. FREUND: Dann muß ich also gehen, Friedrich, aber du kannst mich ja rufen. FRIEDRICH: Ich rufen? Dich vielleicht zu Hilfe rufen? Nie ... FREUND: Nun, so meine ich es nicht. Aber ehe ich gehe – weshalb ich eigentlich gekommen ... Heute abend kamen Extrablätter. Der Kampf gegen die Wilden hat begonnen, drüben in den Kolonien. Es steht angeschlagen, Freiwillige können sich melden. Wie gern möchte ich es, aber meine Eltern erlauben es nicht.

FRIEDRICH *(als ob er aufwachte)*: Erlauben es nicht? – Und damit begnügst du dich? Das kann doch dein Ernst nicht sein ... Drüben brauchen sie Freiwillige ... Verzeih' mir, lieber Freund, daß ich hart war gegen dich, verzeih' mir alle bösen Worte. Drüben brauchen sie Freiwillige. Nun kommt Befreiung aus dumpfer quälender Enge. Oh, der Kampf wird uns

*nothing like a common enemy to bring people together + make them forget petty things.*

alle einen . . . Die große Zeit wird uns alle zu Großen gebären
. . . Auferstehen wird der Geist, alle Kleinlichkeit wird er zerstören, alle lächerlichen, künstlichen Schranken niederreißen
. . . sich wieder offenbaren in seiner unendlichen Schönheit
. . . Und mir – mir gibt diese Stunde besonderes Geschenk . . .
Drüben brauchen sie Freiwillige. Die Nachricht bringst du
mir am Abend der Liebe, du lieber Freund. Drüben brauchen
sie Freiwillige. Warum zagte ich? Ich fühle mich ja so stark!
Nun kann ich meine Pflicht tun. Nun kann ich beweisen, daß
ich zu ihnen gehöre. – Du, wo kann man sich melden? Auf
dem Rathaus? FREUND *(nickt.)* FRIEDRICH: Lieber Freund, ich
bin ja so froh, so froh. Entschuldige mich bei Gabriele. Nun
beschenkt mich das Vaterland. Sag, ich sei beschert worden,
auch ich am Abend der Liebe. Siehst du die Weihnachts-
bäume? In jeder Ecke strahlt einer. Sag Gabriele, ich ließe ihr
danken und grüße sie. Sie wird mich verstehen, warum ich
nicht komme und sich freuen. *(Hinausstürzend.) Nun kann
ich es beweisen, beweisen!*

*(Dunkel.)*


## Zweites Bild

*(Hintere Bühne. Transportzüge. Vergittertes Holzabteil eines
fahrenden Zuges. Ölfunzel tränt flackerndes Licht. Zusam-
mengepfercht hocken schlafende Soldaten. Ein stummer Soldat [Antlitz Friedrichs]. Zweiter stummer Soldat mit Totenschädel. Beide schattenhaft wirklich.)*
ERSTER SOLDAT: Wie lange rattert schon der Zug. / O dieses
ewige knirschende Stampfen / Gepeitschter Maschine. ZWEI-
TER SOLDAT: Wir irren durch endlose Räume. / Tage, Wochen, ich weiß es kaum mehr. / Wollt', ich schlief im Schoß
meiner Mutter. DRITTER SOLDAT: Wollt', das Haus wär zu-
sammengestürzt / Als der Vater die Frau umarmte. VIERTER
SOLDAT: Wollt', vom Himmel wärn feurige Dolche ge

21

schnellt / Die den fremden Mann erschlagen / Da er die Mutter im Walde sich nahm. FÜNFTER SOLDAT: Unnütze Worte. Lange schon / Klemmt uns verruchter Sarg. / Lange schon modern wir. / Stinkend verfaulendes Menschenfleisch ... SECHSTER SOLDAT: Ziellos irren wir, furchtsame Kinder / Preisgegeben sinnloser Willkür / Morden, hungern, vollbringen gewaltige Taten. / Bleiben doch furchtsame Kinder / Schrecküberfallen von lichtloser Nacht. SIEBENTER SOLDAT: Könnt' ich noch beten. / Alle die süßen kosenden Worte, / Die meine Mutter mir milde verhieß, / Zerspellen zu irrem gebrochenem Lallen. ERSTER SOLDAT: Ewig fahren wir. ZWEITER SOLDAT: Ewig stampft die Maschine. DRITTER SOLDAT: Ewig gatten sich Menschen. / Aus gieriger Lust wächst ewig Fluch. VIERTER SOLDAT: Ewig gebiert Urschoß Gestirne. / Ewig zerstört sich der göttliche Schoß. FÜNFTER SOLDAT: Ewig verwesen wir. SECHSTER SOLDAT: Ewig Kinder vom Vater geängstigt. SIEBENTER SOLDAT: Von Müttern geopfert / Frierender Not.

ALLE: Ewig fahren wir / Ewig ...

*(Die Bühne schließt sich.)*

# Zweite Station

## Drittes Bild

*(Vordere Bühne. Eine Stunde nach Sonnenuntergang. Wüste am Wasserloch.)*

ERSTER SOLDAT: Abend neigt sich, aber Hitze lagert wie schwelende Kruste – Schläft der Leutnant? ZWEITER SOLDAT: Warum soll er nicht schlafen? Zelt wird gespannt – Moskitonetz ausgebreitet – er selbst steht dabei als Herr, Hände in den Taschen – da läßt es sich schlafen. ERSTER SOLDAT: Die Herren, die mögen Lieder brüllen, ich hab's satt.

VERWUNDETER: Wasser! ERSTER SOLDAT: Gib ihm! *(Friedrich reicht ihm Wasser.)* VERWUNDETER: Nimm den Toten fort. Immer stößt mein Fuß an Tote. – Ob sie mir meine Beine absägen werden? Schmerzen mich. – Aber ich wollte doch Tanzlehrer werden, eins, zwei, drei . . . eins, zwei, drei, soll ein Walzer sein. FRIEDRICH: Schlaf Bruder! VERWUNDETER: Aber nehmt die Toten fort. Ich mag sie nicht tanzen lehren . . . sie . . . quälen . . . mich . . . nun muß ich es doch . . . Will keiner aufspielen . . . *(singt.)* eins . . . zwei, drei, eins . . . zwei, drei, soll ein Walzer sein . . . FRIEDRICH: Schlaf Bruder, gib mir deine Hand. Tu dir nichts. Will mit kalten Tüchern deine Stirn netzen. Werden Träume dich zum Tanz auffordern . . . bekränzte Träume . . . Tanzen mit dir über die Heide, an deinem Haus vorbei. VERWUNDETER *(singt)*: eins . . . zwei, drei, . . . eins . . . zwei, drei . . . FRIEDRICH: O Gott!

ERSTER SOLDAT: Wofür? Für die Herren. Den Wilden die wahre Religion bringen? Mit Morden und Sengen. Ich bin der Erlöser, juchhe! Laß dir den Schädel zertrümmern, und die Seligkeit erwartet dich. FRIEDRICH: Es muß sein, es muß sein! ZWEITER SOLDAT: Was muß sein? Morden und Sengen? Irrenhaus und Siechstätten? FRIEDRICH: Um des Vaterlandes willen! ERSTER SOLDAT: Vaterland! Kenne kein Vaterland. Kenne

*Friedrich is more loyal to his country than 'natives'*

Herren, die prassen und Arbeiter, die sich schinden. FRIED-
RICH: Wie könnt ihr denn leben ohne Vaterland? Wahnsinn
würde mich packen in all dem Grauen . . . wenn ich nicht die
Zähne zusammenbiß, um des Vaterlandes willen. ZWEITER
SOLDAT: Das sagst *du?* FRIEDRICH: Wie du es auch sagen
müßtest. ERSTER SOLDAT: Haha, du als Fremder? FRIEDRICH:
Bin kein Fremder, gehöre zu euch. ZWEITER SOLDAT: Und
wenn du tausendmal in unseren Reihen kämpfst, darum
bleibst du doch der Fremde. ERSTER SOLDAT *(ohne jede Beto-
nung)*: Fluch hängt an dir, Vaterlandsloser. VERWUNDETER:
Va..ter..lands..lo..ser . . . eins . . . zwei, drei . . . eins . . .
zwei, drei . . . soll . . . ein Walzer sein . . .
FRIEDRICH: Wagt mir das Wort wie faule Jauche an den Kopf
zu spritzen und ich vergeß' mich. Habe ich es nicht bewiesen
in Gefechten und Schlachten auf Patrouillen und Wachen –
Trieb mich feige Hast zurück? Kroch ich in Höhlen, mich zu
verstecken? ZWEITER SOLDAT: Bleibst doch der Vaterlands-
lose. FRIEDRICH: So will ich denn für mein Vaterland kämpfen trotz euch. Denn wer kann's mir scheel entreißen, trag
ich's doch in mir. ERSTER SOLDAT *(gutmütig):* Mußt dich
schon dran gewöhnen. Wir sind ja schließlich alle ohne Vaterland. Wie die Dirnen.
*(Die beiden Soldaten legen sich hin und schlafen.)*
FRIEDRICH: Wankt nicht zerwühlter Boden unter mir? Bäume
verdorren – Wüste wächst – wohin soll ich wandern? Ich trat
in ein Haus, da brannten sie's über mir ab *(auflachend.)* hei,
wie die Sparren knisternd flogen.
*(Der Irre hat sich inzwischen kriechend herangeschlichen.)*
IRRER: Brüderchen . . . FRIEDRICH: Wer da? IRRER: Brüderchen . . . FRIEDRICH: Was willst? IRRER: Brauchst dich nicht
zu fürchten. FRIEDRICH: Von wo kommst du? IRRER: Wüstenflugsand trieb mich her. FRIEDRICH: Du lebst dort? IRRER:
Leben? Ich starb dort . . . hu, sterben viele dort und lassen
sich treiben. – FRIEDRICH: Vom Wüstenflugsand? IRRER:
Mich dürstet! FRIEDRICH: Hier nimm Wasser. IRRER: Sauf
mein eignes Blut, brauch nicht deines . . . Tor . . . Narr . . .

24

blökendes Kamel . . . Brüderchen . . . FRIEDRICH: Du blutest!
IRRER: Scher' dich nicht drum, ich sauf es aus.
ZWEITER SOLDAT: Was für ein Lärm? FRIEDRICH: Ich glaube –
– *(Zweiter Soldat bemerkt den Irren.)* ZWEITER SOLDAT: Der
ist ja krank! IRRER *(beginnt zu lallen.)* ERSTER SOLDAT: Ein
Wahnsinniger. Wird von der andern Kompagnie herüberge-
laufen sein. IRRER *(beginnt zu weinen)*: Nach Haus . . . nach
Haus . . . ZWEITER SOLDAT: Führ' ihn zum Mann des Roten
Kreuzes. FRIEDRICH: Mein Gott! ERSTER SOLDAT: Ich bin der
Erlöser, juchhe! Jetzt gehe ich zum Roten Kreuz. Rot bedeu-
tet, daß Blut abgewaschen werden soll. FRIEDRICH: Nein, es
muß sein, um des Vaterlandes willen.
*(Der Korporal kommt.)*
KORPORAL: Es fehlt noch ein Mann. Wir müssen auskund-
schaften, wie stark die feindlichen Reserven über die feindli-
che Front hinausstoßen. Einer soll zurückkommen, darum
gehen fünf. Wer meldet sich hier bei euch? FRIEDRICH: Ich.
*Ich will, trotz euch.*

*(Dunkel.)*

## Viertes Bild

*(Hintere Bühne.* Zwischen den Drahtverhauen. *Wolken peitschen dunkel um den Mond. Rechts und links Drahtverhaue,
in denen kalkbespritzte Skelette hängen. – Zwischen den
Drahtverhauen von Granattrichtern aufgewühlte Erde.)*
ERSTES SKELETT: Wie bin ich doch allein. / Die andern schlafen alle. / Jedoch . . . mich friert nicht mehr, / Wie damals,
als ich zwischen Freund und Feind verenden mußte. / Der
Kalk ätzt gut, die Fetzen / Blut'ger Haut sind schnell ge-
schrumpft. / Haha, nun kann ich mit den Händen klappern.
*(Zweites Skelett im rechten Drahtverhau richtet sich em-
por.)*

ZWEITES SKELETT: Schon wieder regt sich rüben der Halunke! / Daß ich mich mich immer ducken muß. / Jedoch . . . Mich hungert nicht. – / Wer packt mich? Kalte Knochenhand . . . / Laß los, sag' ich dir, / Laß mich los. / Sonst . . . Ich vergeß' mich . . . – / Es war die eigne Hand, die sich / Der Schwester kalt verkrampfte. ERSTES SKELETT: Spiel' weiter nur Komödie, alter Freund, / Ich klappere mit schlottrigen Gelenken / Dazu erlesnen Niggertanz. / Nun sind wir nicht mehr Freund und Feind. / Nun sind wir nicht mehr weiß und schwarz. / Nun sind wir alle gleich. / Die bunten Fetzen fraßen Würmer / Nun sind wir alle gleich. / Mein Herr . . . Wir wollen tanzen. *(Skelette zwischen den Drahtverhauen, die Erde von ihren Knochen abschüttelnd.)*

SKELETTE: Nun sind wir alle gleich. / Mein Herr . . . Wir wollen tanzen. ERSTES SKELETT: Das bunte Ordenszeug ist längst verfault. / Der Titel stiert im Zeitungsinserat. / Von schwarzen Rändern eingezäunt. / Haha – wir wollen tanzen. ZWEITES SKELETT: Da drüben ihr, die ohne Beine, / Ergreift sie! Klappert! / Klappert auf zum Tanz! ALLE SKELETTE *(lachen)*: Da drüben ihr, die ohne Beine, / Ergreift sie! Klappert! / Klappert auf zum Tanz!

*(Die ohne Beine ergreifen die Beinknochen und klappern. Die andern tanzen.)*

ERSTES SKELETT: Haha, was ist denn das? / Du drüben, warum tanzt du nicht? ALLE: Mein Herr . . . wir wollen tanzen!

SKELETT *(im Winkel)*: Schäme mich so! ZWEITES SKELETT: Schämst dich? / Meine Herren . . . Scham. *(Bedeckt mit den Händen den Ort der Geschlechtsblöße.)* Ich glaub', das gab's einmal. ALLE *(bedecken sich schleunigst.)* ERSTES SKELETT: Die Wüste trieb die Scham zum Teufel. / Wer wird sich jetzt noch schämen? / Dumme Narren! / Wir sind ja alle nackt! / Und hinter nackten Knochen / Gähnt der hohle Sumpf. SKELETT *(im Winkel)*: Nein, nicht Sumpf. ERSTES SKELETT: Wer? SKELETT: Lebt Maria . . . ALLE: Hihi! Hoho! / Hihi! Hoho! ERSTES SKELETT: Mein Herr, Sie sind nicht ganz gesund. /

Mein Herr. Wir wollen tanzen! ALLE: Ja tanzen. Ja tanzen!
SKELETT *(im Winkel)*: Bin kein Herr! ZWEITES SKELETT: Was
denn? SKELETT *(im Winkel)*: Ein ... <u>Mädchen</u> ... ERSTES
SKELETT: Wie? SKELETT *(im Winkel)*: Ein ... Mädchen ...
ERSTES SKELETT: Meine Herren! Bedecken wir unsre Blöße!
SKELETT *(im Winkel)*: Dreizehn Jahre bin ich erst. / Aber ...
Warum starrt ihr mich alle so an? ZWEITES SKELETT: Mein
Fräulein, Sie stehn in meinem Schutz. SKELETT *(im Winkel)*:
So brauch' ich mich nicht zu fürchten? / Es waren nämlich
damals auch so viel. ERSTES SKELETT: Wann? SKELETT *(im
Winkel)*: In jener Nacht. / Ich weiß noch heute nicht, warum
sie's taten. / Mußt' es denn sein, mein Herr? / Kaum hatt' der
eine mich gelassen, / War schon der andere in meinem Bett.
ZWEITES SKELETT: Und dann? SKELETT *(im Winkel)*: Dann ...
ich starb daran. ERSTES SKELETT: Sie starb daran! / Ein schönes Wort! Ein feines Wort! / Sie starb daran! / Meine Herren!
Sie sind vertattert / Und haben die Hände ... hoho ... / Und
haben die Hände immer noch ... ALLE *(lassen die Hände fallen.)*
ERSTES SKELETT: Mein Fräulein, <u>aus ist's mit der Scham!</u> /
Wozu? ... Siehst du den Unterschied? / Du hast ihn, glaub'
ich, niemals recht gesehn! / Doch heut' ... Auf eines Kalkbe-
spritzten Ehre / Doch heute sind wir alle gleich. / Drum Fräulein in die Mitte / Wenn ich bitten darf! / *Sie sind geschändet
... / Gott, wir sind es auch.* / Das will so wenig sagen / Ist
kaum der Rede wert. / Recht so! Sie sind gescheit! / Dorthin
gesetzt.
*(Alle bilden einen Kreis um das Skelett im Winkel und tanzen
stürmischen Ringelreihn.)*

*(Die Bühne schließt sich.)*

tanzen - Skelett; verwundeter
(p26)            (p23)

# Dritte Station

## Fünftes Bild

*(Vordere Bühne. Morgendämmerung. Im Lazarett. Einfaches getünchtes Lazarettzimmer. Über dem Bett gekreuzigter Christus.)*

ARZT: Er schläft noch. SCHWESTER: Wälzt sich stöhnend umher, schon drei Nächte. Wähnt, er wandre Wüstenwege. Fiebert nach Wasser. Schreit, er müsse zum Gebirge, zu steinigen Gipfeln, aber Wüste dehne sich aus und lasse ihn nicht heran. ARZT: Chinin, doppeltes Quantum Chinin. Nervenchok müßte man meinen. Meinen! Meinen! Die neue Grippelin-Schule würde es diagnostizieren. Stimmt nicht, stimmt nicht, liegt ganz wo anders. Woran? An chronischer Erschlaffung der Verdauungsorgane – – drei Löffel Rhizinusöl und jeden Abend und Morgen je zwei Aspirintabletten – – uninteressantes Fällchen, ganz uninteressant. Wo liegt der Neue? Hat er bei seiner Einlieferung Rhizinus geschluckt? Nein, nicht? Schwester ich bin erzürnt. Pflichtvergessenheit dulde ich nicht. Prinzip! Prinzip! SCHWESTER: Wenn er aufwacht und fragt, soll ich ihn wissen lassen? ARZT: Natürlich. Natürlich. Kleiner Erregungszustand. Regt Muskeltätigkeit im Mastdarm an. *(Beide gehen hinaus.)*

FRIEDRICH *(im Fieber)*: Wo seid ihr andern . . . o der Wüstenflugsand . . . gekörnter Nebel . . . nicht ruhen . . . weiter . . . kenne dich nicht . . . wer bist du . . . Ahasver . . . Armseliger . . . schleich dich zurück . . . in alpkeuchende Städte, hier findest du nicht Höhlen . . . ich wandre nicht mit dir . . . nein *(schreit.)* nein *(wacht auf.)* Durst!

*(Rote Kreuzschwester kommt.)*

SCHWESTER: Hier, trinken Sie. FRIEDRICH: Bist du die Mutter Gottes? SCHWESTER: Sie müssen ganz still liegen bleiben. FRIEDRICH: Du trägst das Kreuz . . . Das Kreuz ist an dich geheftet . . . Rotes Kreuz . . . mein Gott, wird hier Blut abge

28

waschen? SCHWESTER: Man will Ihnen Genesung geben. FRIEDRICH: Ja, Genesung. Deine Hände streichen lind und fromm. Laß schauen. Wie schwielig und hart. SCHWESTER: Arbeit bröckelte daran, grub Rinnsale. FRIEDRICH: Kreuzträgerin du, Verkünderin der Liebe . . . Sie strömt nicht von Blut, deine Liebe, netzt heilend die Kranken. SCHWESTER: Alle, die hier liegen, Euch und die Wilden. FRIEDRICH: Nur die? Zu wenig, Schwester, warum nicht die draußen . . . alle . . . SCHWESTER: Sie kämpfen gegen unser Vaterland. FRIEDRICH: Ja, ich weiß, es muß sein . . . Wie lange bin ich schon hier? SCHWESTER: Seit drei Tagen, Sie tapferer junger Held! FRIEDRICH: Ich war doch gefangen? SCHWESTER: Man fand Sie an einen Baum gebunden. Der einzig Überlebende. FRIEDRICH: Nicht an ein Kreuz . . . Der einzig Überlebende . . . SCHWESTER: Fühlen Sie sich wohl genug? Der Offizier will Ihnen Lohn bringen! *(Friedrich schweigt.)*

OFFIZIER: Ich beglückwünsche Sie, junger Freund. Tapfer setzten Sie sich ein, achteten nicht hartester Marter. Das Vaterland weiß Ihre Dienste zu schätzen. Es sendet Ihnen durch mich das Kreuz. Fremder waren Sie unserm Volk, nun haben Sie sich Bürgerrechte erworben. FRIEDRICH: Das Kreuz? Gehöre ich nun zu Euch? OFFIZIER: Sie gehören . . . *(Draußen Lärm.)* OFFIZIER: Was gibts? SCHWESTER *(freudig)*: Mit Gottes Hilfe haben wir den Feind geschlagen, zehntausend Tote! OFFIZIER: Ja, junger Freund . . . Sieg stürmt ins Land, Sie gehören zu den Siegern.

*(Friedrich allein.)*

FRIEDRICH: Wie Jubel auf ihren Gesichtern tanzt. Zehntausend Tote! Durch zehntausend Tote gehöre ich zu ihnen. Warum quirlt nicht Lachen? Ist das Befreiung? Ist das die große Zeit? Sind das die großen Menschen? *(Augen starr gerade aus.)* Nun gehöre ich zu ihnen.

*(Dunkel.)*

# Sechstes Bild

*(Hintere Bühne.* Die Krüppel. *Gewaltiger, unübersehbarer Saal, dessen niedrige Decke schwer lastet. Reihenweise Betten, in denen die Krüppel, mit grauen Hemden bekleidet, liegen. Von irgendwo kommen Sanitätssoldaten.)*

DIE SANITÄTSSOLDATEN: Ausgerichtet sind die Betten – / Wie eine Schnur / Kein einziges stört die grade Linie / Wir haben unsre Pflicht getan. / Getrost – der Arzt kann kommen. / Die Visite mag beginnen.

*(Professor in weitem, geöffnetem Mantel, der eleganten, schwarzen Gehrock sehen läßt, kommt mit seinen Hörern herein. Auf seinem Hals sitzt ein Totenschädel – die Augenhöhlen glimmen durch goldeingefaßte Brille –)*

PROFESSOR: Ja, meine Herren. / Wir sind gewappnet gegen alle Schrecken. / Wir könnten uns die positive Branche nennen, / Die negative ist die Rüstungsindustrie. / Mit andern Worten: Wir Vertreter der Synthese, / Die Rüstungsindustrie geht analytisch vor – / Die Herren Chemiker und Ingenieure / Sie mögen ruhig Waffen schmieden / Und unerhörte Gase fabrizieren, / Wir halten mit. / Das Kriegsverdienst wird ihnen angerechnet / Wir aber, meine Herren, begnügen uns / Und sind bescheiden: / Dem Werk der Rettung gilt die Arztesarbeit. / Doch eh wir zu den Patienten uns begeben, / Will ich Errungenschaften Ihnen zeigen, / Die meiner Mühe, / Ich sags nicht ohne Stolz, / Gelang. / Ach bitte, führen Sie / Die sieben Musterexemplare / Vor die weiße Leinwand.

*(Sanitätssoldaten stellen eine weiße quadratische Leinwandtafel auf. Ein Sanitätssoldat winkt. Wie aufgezogene Maschinen schreiten von irgendwo sieben nackte Krüppel. Ihre Körper bestehen aus Rümpfen. Arme und Beine fehlen. Statt ihrer bemerkt man künstliche schwarze Arme und Beine, die sich automatisch schlenkernd bewegen. In Reih und Glied marschieren sie vor die Leinwand.)*

EIN SANITÄTSSOLDAT *(kommandiert)*: Halt. *(Die sieben stehen still, ein vernehmliches Knacken wird dabei hörbar.)* EIN

SANITÄTSSOLDAT *(kommandiert)*: Links – um! *(Die sieben führen die Linkswendung aus. In diesem Augenblick leuchtet eine Blendlampe auf, die weißglühende Lichtgarben auf die sieben wirft, deren Gesichter alle den gleichen stereotypen Ausdruck tragen.)*

PROFESSOR: So, meine Herren, wenn ich bitten darf. / Dies ist der richtige Platz. / Wo sie am besten schaubar werden. / Die Leute sind durch unsre Wissenschaft / Zu neuem Leben auferweckt – / Fleischrümpfe waren sie, / Nun sind sie wieder Männer. / Sahn Sie, mit welcher Freude / Und Exaktheit / Die sieben dem Befehle folgten?! / Ja, meine Herren, nun sind sie wieder / Unsrem Staate zugeführt / Und auch der Menschheit! / Wertvolle Glieder einer nützlichen Gemeinschaft! / Doch was mir jetzt gelang, / Heut will ichs Ihnen sagen. / Besondrer Mechanismus wurde konstruiert, / Die Leute können wieder ihrer höchsten Pflicht genügen. / Methode, sinnreich, ward geschaffen – / Fortpflanzungsmöglichkeit ist nun erreicht / Auch Ehefreuden warten dieser Männer.

EIN HÖRER *([Antlitz Friedrichs] wird ohnmächtig. Sanitätssoldaten reichen dem Ohnmächtigen Wasser.)* PROFESSOR *(verbindlich, aber mitleidig lächelnd)*: Ohnmächtig, junger Mann, beim Werk der Liebe, / Wie wärs denn draußen, auf dem Feld der Schlacht.

*(Der Hörer bedeckt sein Gesicht mit beiden Händen und geht davon. Unwillkürlich bewegen sich seine Füße genau so automatisch wie die künstlichen der Krüppel.*

*Die elektrische Lampe erlischt. Der Professor, die Hörer, Krüppel und Sanitätssoldaten verblassen.*

*Aus einem Bett richtet sich ein blinder Krüppel auf.)*

BLINDER: Sagt, Brüder, ward es Abend . . . / Ward es Nacht . . . / Die Nacht gibt Lindrung mir. / Die Nacht hat weiche, kühle Hände / Die streichen meine Augenhöhlen / Mit zärtlich blauenden Gebärden . . . / Der Tag ist grausam. Sonne sticht. / Ich fühle sie als Schwefelmeer. / Das mich mit Dämpfen ätzend beißt . . . ARMLOSER: Hört keiner mich . . . / Ich rufe doch / Und bitt euch, liebe Kameraden. / Nur eine kleine

*Notdurft möchte ich verrichten.* / Wer hilft mir, schnell, ich bitt euch . . . / Im eignen Kot zu liegen, ist so jämmerlich.
RÜCKENMARKSVERLETZTER: Was macht das bißchen Kot bei dir – / Bei mir ward es Gewohnheit. / Ich weiß nicht, bin ich Mensch noch / Oder lebende Latrine. / Gelähmt ist mein Gedärm . . . / Und nur mein Herz muß schlagen . . . / Ist keiner hier, der es vermag, / Mein Herz zu lähmen. / Ich steck im eignen Kot – / Verpeste, mir und euch zum Ekel. / Ich fluch dem Herzen – / Meine Seele starb vor Ekel – / Und nur mein Herz ist ohne Mitleid – / Als ich erwachte, sagte mir der Arzt: / Die Kugel hat das Rückenmark gestreift, / Ihr Leben bleibt erhalten – / Hat dieser Mann gewußt, / Was mir erwächst – / Dann war es Spott, / Sonst hätt er mir ein Mittel geben müssen, / Daß ich verrecke. / Und hat ers nicht gewußt, / So sperr man ihn ins Irrenhaus. VERWUNDETER, *(dessen Körper ständig von entsetzlichen Zuckungen gepeitscht wird)*: Ins Irrenhaus – ja sperrt ihn nur / Ins Irrenhaus. / Nein, wißt ihr . . . / Andres Mittel weiß ich. / Sperrt ihn in einen Unterstand, / Und schießt den Unterstand in Trümmer. / Ratsch – krepierte die Granate . . . / Ich sah mich um . . . kein Ausweg mehr. / Mit meinen Nägeln kratzt ich / An zerfetzten Brettern – / Mit meinem Munde fraß ich Erde / Um mir ein Loch ins Licht zu fressen. / O viele Erde habe ich gegessen – / Nie wußt ich, daß die Erde so gut schmeckt. / Dann schlief ich ein – / Erwachend lag ich hier. / Ist das die Erde, die ich aß, / Die mich so zucken läßt? / Wollt ich zu frühe Erde werden / Und muß ich dafür büßen jetzt? / Oder bin der Erde ich entflohn, / Verfolgt mich ihre Rache? / Was ich in Händen halte, das verschütt ich – / Verschütte ich doch mein Blut – GASVERGIFTETER: Mein Atem ist ein Spatz, / Macht immer Pip . . . / Meine Lunge ist ein Spatzennest . . . / Könnt ihrs mir sagen? / Auch Spatzen soll es geben, / Die hin zum Süden fliegen / Wenn der Winter kommt. / Pip . . . pip . . . ALLE: So weiß ein jeder eignes Lied. / Wir sollten einen Mischchor singen.
*(Von irgendwo kommt ein Pfarrer* [Antlitz Friedrichs]. *Seine*

*beiden erhobnen Hände umschließen ein Kruzifix, das er den Krüppeln entgegenstreckt.)*

PFARRER: Den Heiland bring ich euch, / Ihr armen Kranken. / Er weiß um euer Müh und Leiden – / O kommt zu ihm, ihr tief Bedrückten, / Er gibt euch Heilung, gibt euch Liebe. DIE KRÜPPEL: Ist Er so mächtig, warum ließ Ers zu?! / Und wenn Ers gut hieß, / Dieses große »Frag mich nicht wofür«. / Warum dann müssen wir noch leben? / Du sagst, er weiß um unser Leiden, / Dann ist er schlecht, wenn er uns nicht erlöst. PFARRER: Ihr lästert. DIE KRÜPPEL: Wags, uns Lästerer zu nennen, / Er lästerte an uns, / Wenn er uns glauben machen will, / Daß er um unser Leiden weiß! / Wags nur, uns Lästerer zu nennen, / Doch schau uns an zuvor. / Graut dich nicht deines Amtes? / Schau uns an. *(Die Krüppel erheben sich in ihren Betten.*

*Der Pfarrer hebt langsam seinen Kopf . . . Seine Augen erweitern sich . . . erstarren.*

Seine erhobenen Hände zerbrechen langsam das Kreuz. *Er sinkt in die Knie.)*

PFARRER: Wie konnt ich's wagen, Priester mich zu dünken – / Berufen wir – welch töricht Hirngespinst. / Mich packt ein Graun vor denen, die uns feierlich beriefen. / Ich seh den Abgrund, den der Priester aufbeschwört / Und möchte schrein: Befreit euch von den unberufnen Priestern. / – O Jesus, deine Lehren sind verstümmelt – / Wie gings sonst zu, daß kraftlos sie zerbröckeln. / Da ist kein Heil . . . / Ich sehe keinen lichten Weg aus dieser Nacht, / Ich sehe nirgends eine lichte Hand. / Bereit euch zu erlösen . . . / Wie könnt ich, selber trostbedürftig, den Trost euch spenden, / Nach dem mich brennender, denn euch verlangt? / Und wer sollts unternehmen, euch, vor deren Augen / Alle bloßen, schwachen Mitleidsschleier fielen, / Mit frommen Worten zu betrügen – / Ich kann es nicht. / Ich gehe euch voran . . .
*(Pfarrer verblaßt.)*

DIE KRÜPPEL: Glückauf! / Beneidenswerter!
*(In langem Zuge kommen die Schwestern.)*

DIE SCHWESTERN: Wir bringen Arzenei . . . / Ihr armen Kranken . . . / Getränke, stillend euren Durst . . . / Wir bringen kühle Tücher / Euren Schmerz zu lindern . . . / Wir bringen gütige Tabletten, / Die geben sanften Schlaf. DIE KRÜPPEL: Was nützt uns Schlaf, ihr Schwestern . . . / Morgen ächzt ein neuer Tag . . . / O brächtet Arzeneien ihr / Für eine lange, lange Nacht. Wir wollen nicht erwachen. / Wir wollen nicht erwachen! DIE SCHWESTERN: Zu viel verlangt, ihr arme Kranke, / Heilung zu bringen, ist unser Amt, / Zu töten ist uns nicht erlaubt. DIE KRÜPPEL: Zu spät, ihr Schwestern – / Arme Flickerkunst vollführt ihr da. / Warum nicht wehrtet ihr im Frieden! / Warum erst flicken, / Wenn ihr tanzen könnt / Mit Frohen und Gesunden?! DIE SCHWESTERN: Ihr tut uns Unrecht. DIE KRÜPPEL: O schaut uns an / Und sprecht noch einmal aus, / Daß wir euch Unrecht tun. / Ihr wißt nicht, wer ihr seid, ihr lieben Schwestern, / Zieht Trauerkleidung an, tragt schwarze Schleier – / Nennt euer Tun nicht Nächstenliebe, / Nennt euer Tun armselig, traurig Flickwerk. (Die Schwestern erheben ihre Köpfe. Ihren Lippen entringt sich erschütternder Schrei. Sie brechen in sich zusammen. Verblassen.
Dunkel.
Aufflammt die Blendlampe.
Vor der Leinwand stehen wieder die sieben Krüppel, davor Professor, Hörer, Sanitätssoldaten.)
PROFESSOR: Es ist ein ausnahmsweises Glück – / Daß wir die Fälle so beisammen haben. / Die Kranken sehn wir morgen an. / Ich wiederhol, was ich am Anfang sagte! / Wir sind gewappnet gegen alle Schrecken. / Wir könnten uns die positive Branche nennen, / Die negative ist die Rüstungsindustrie. / Mit andern Worten: Wir Vertreter der Synthese. / Die Rüstungsindustrie geht analytisch vor.

(Die Bühne schließt sich.)

# Vierte Station

## Siebentes Bild

*(Morgenfrühe. Atelier. Friedrich arbeitet an einer überlebensgroßen Statue, ein nackter Mensch, ganz Muskeln, der geballte Fäuste reckt. In einer Stellung, die brutal wirkt.)*

FRIEDRICH *(arbeitend)*: Noch widerstrebt der Stein. Meine Hand packt den Meißel, allein sie bringt ihn nicht zum Glühen. Der Meißel bricht Marmor . . . toten Marmor. Bin ich zu schwach, um Stein mit Blut zu füllen. Dann müßte ich einhalten . . . Ich will keinen Erinnerungsstein schaffen! . . . Glutende Wellen sollen davon ausströmen . . . Menschen aufrüttelnd . . . Daß sie nie vergessen, ihr Vaterland zu verteidigen . . . Daß sie sich recken und Trotz bieten . . . Trotz . . . bieten . . . wem? Dem Feind. Wer bestimmt, daß ein andrer Feind sei? . . . Ist da eine geistige Kraft, die zum Kampf zwingt? . . . Oder bestimmt Willkür den Feind? . . . Da klafft ein Widerspruch – – Warum nur will es mir nicht gelingen . . . Die Aufgabe bleibt sich gleich groß . . . Bin ich zu klein, sie zu gestalten? . . . Durchdringe ich nicht den ehernen Panzer? Ist der Panzer allzu starr . . .

*(Der Freund kommt.)*

FREUND: Unruhe trieb mich her. Du arbeitest. Törichte Gedanken krochen durch mein Gehirn. Aber nun will ich gehen. FRIEDRICH: Du Guter, bleib, du störst mich nicht. FREUND: Bald krönt dein Werk Vollendung. Lange währte die Arbeit. FRIEDRICH: Ein Jahr. Was tuts. Um Symbol zu schaffen des siegreichen Vaterlands, unseres Vaterlands. FREUND: Du zweifelst noch immer? FRIEDRICH: Daß wir *ein* Vaterland haben, nein – – nur . . . FREUND: Nur? FRIEDRICH: Ob nicht Höheres wächst. Und ich will's doch gar nicht wissen. Denn wüßte ich drum, ich würde mein Schicksal nicht mehr hemmen, ich würde Ahasver! FREUND: Und Gabriele? Ließ sie dich wandern? Fändest du nicht in ihr Erfüllung? FRIEDRICH:

*Die* Kämpfe weisen über das Weib hinaus. Vielleicht auch über uns selbst. FREUND: Gabriele wäre unglücklich. FRIED-RICH: Gabriele ist stark. FREUND: Ja, sie ist stark. FRIEDRICH: Wir kommen zueinander in stolzer Freude. FREUND: Ihr Starken! FRIEDRICH: Wir Starken! FREUND: Leb wohl!
*(Freund geht hinaus.*
*Friedrich arbeitet. Es klingelt, Friedrich öffnet.)*
FRIEDRICH: Du! Liebste!
*(Gabriele tritt ein, sie versucht zu lächeln.)* FRIEDRICH: Bist du traurig, Liebste? Ich möchte eine gütige Fee bitten, daß sie meine groben Fäuste in Schmetterlinge wandelt, daß sie dir deine Traurigkeit nehmen könnten, die wie schwarzer Blüten-staub auf deiner weißen Stirn Schatten dunkelt. Ich möchte mit dir draußen zu den Sandhaufen tollen, wo Kinder spielen, und mit dir über hohe Berge laufen, auf deren Gipfel wir wandern. In Nächten durch verträumte Städte schreiten, in Mohnfeldern dich haschen, um dich jubelnd zu küssen. – Aber du schweigst, Liebste? Du lächelst nicht einmal. GA-BRIELE: Weinen will aus mir brechen . . . und kann doch nicht. *(Friedrich setzt sich still zu ihr hin und nimmt ihre Hände.)* GABRIELE: Ich werde von dir gehen. FRIEDRICH *(wie-derholt, als ob er es gewußt habe)*: Du wirst von mir gehen, *(gleichsam, als ob er erwache, aufschreiend)* du . . . wirst . . . von mir . . . gehen? . . . GABRIELE: Es muß sein. FRIEDRICH: Um meinetwillen? GABRIELE: Auch um deinetwillen. FRIED-RICH: Du liebst mich noch? GABRIELE: Ich liebe dich, wie eine Frau einen Mann liebt, von dem sie wünschte, daß er in sie mündete wie ein brausender Strom, von dem sie wünschte, daß er der Vater ihres Kindes wäre . . . FRIEDRICH: Und den-noch . . .? GABRIELE: Als mein Vater mir erklärte, er würde sich von mir lossagen, wenn ich dich heiratete, wars mir, als ob mich Schneeflocken befielen, die mich kühlten und brann-ten zugleich. Ich kam zu dir und lächelte. Aber mein Vater besitzt eine Scholle. Von der will er mich verdrängen. Die soll ich nicht mehr betreten, soll sie nie mehr sehen. An der hänge ich mit meinen Kinderwünschen, in der wurzle ich mit mei-

nem Herzblut, um die kämpfte ich seit vielen Tagen und Nächten. Und heute kam Klarheit in mich. Ich kann sie nicht aufgeben. FRIEDRICH: Du Starke! GABRIELE: Vielleicht weil ich eine Starke bin. FRIEDRICH: Ich aber bleibe . . . Nein, auch ich habe ja Wurzeln geschlagen, auch ich besitze ja eine Scholle, in der ich wurzle mit meinem Herzblut. Rot ist die Scholle gefärbt davon. Meine Scholle ist unser Vaterland. Das ganze große Vaterland. Du bist klein, Gabriele, du bist klein. GABRIELE: Vielleicht . . . Leb wohl!

*(Gabriele geht hinaus.)*

FRIEDRICH: Leb wohl, du Starke! Nun ist Dämmerung über mich gekommen, ewige Dämmerung. Tag glitt golden in fernes Meer, Nacht träumt in Schluchten, über denen schwarze Falter spielen und steigt nie mehr empor. Gabriele! Ach hättest du mich unglücklich zurückgelassen. Hättest du mir den Glauben an dich genommen. Aber du rüttelst am Glauben an mich.

*(Sonnenstrahlen fallen auf die Statue.)*

FRIEDRICH: Mahnst du mich? / Der Sieg des Vaterlands, / Ich glaube an ihn, / Ich will ihn glauben, / Ich will ihn gestalten, / Mit meinem Herzblut will ich ihn gestalten.

*(Friedrich arbeitet, auf dem Hofe dudelt ein Leierkasten, Friedrich geht ans Fenster, arbeitet weiter. Es klingelt, Friedrich öffnet, Kriegsinvalidin, elend, verschlissen, tritt ein.)*

KRIEGSINVALIDIN: Eine Gabe für Kriegsinvaliden. *(Friedrich will ihr ein Geldstück geben, besinnt sich.)* FRIEDRICH: Sind Sie auch Kriegsinvalidin? *(Frau weint.)* FRAU: Muß ich Ihnen davon erzählen? *(Zeigt ihm ihre von Geschwüren zerfressenen Hände.)* FRIEDRICH: Arme Frau. FRAU: Sie haben mich umschlichen wie Schakale, die anderen und die unseren . . . Was konnten sie dafür? Man hat sie in Käfigen hinaus geführt wie Vieh. Was weiß Vieh von Euren guten Sitten? Was kann Vieh davon wissen? Und was will Vieh davon wissen? Da trafs mich – einer – krank, zerfressen, steckte mich an. Ob er schlecht war, was weiß ich. Nennt sie ja Helden. Nennt sie ja alle Helden, Euer armes Schlachtvieh. FRIEDRICH: Frau, wir mußten es doch tun für unser Vaterland. FRAU: Für Euer Vaterland! Für die paar Reichen, die prassen und prassen und uns aussaugen, die mit dem Ertrag unserer Arbeit galantes Spiel treiben. O wie ich sie hasse, diese Henkersknechte. Ich kenne sie ja, gehörte doch auch zu ihnen. Was sie tun, segnet ihr Gott, sagen sie. Was ist das für ein Gott, der uns im Elend verkommen läßt? Der uns verhöhnt, indem er sagt: Selig sind die Armen, denn ihrer wartet das Himmelreich. Der Gott der Liebe und des Mitleids und der Wohltätigkeitsfeste. Wenn ich an erleuchteten Festsälen mich vorbei schleiche, glaube ich, ihren Gott am Dirigentenpult zu sehen und mit Konfetti um sich werfen. Wir sind Vieh . . . nur Vieh . . . Wir sind immer Vieh. *(Frau ist schluchzend auf einem Stuhl zusammengebrochen.)*

FRIEDRICH *(nach einer Weile)*: Ihr Mann war draußen? FRAU: Drüben in den Kolonien. Mein hübscher Mann. FRIEDRICH: Wollen Sie ihn nicht herein führen? FRAU: Soll ich das? Ich werde Sie erschrecken. Sie werden nicht mehr arbeiten können. Er sieht nicht schön aus, mein Mann. Die Krankheit frißt weiter, von Jahr zu Jahr. Wenn Sie ihn durchaus sehen wollen, Herr. Er ist derselbe, der mich angesteckt hat.

*(Frau geht hinaus.*
*Frau führt ihren Mann hinein, der einen Leierkasten trägt, das Gesicht ist von Geschwüren zerrissen.)*

FRAU: Du mußt guten Tag sagen, Mann. MANN *(stammelnd)*: Jesus . . . sei . . . mit Euch. *(Friedrich schaut ihn eine Weile an, dann zitternd.)* FRIEDRICH: Das bist du, Kamerad? Armer Kamerad! MANN *(ängstlich):* Jesus . . . sei . . . mit . . . Euch. FRIEDRICH: Nein, du sollst nicht ängstlich sein, lieber armer Kamerad. Hier, ich bins ja, Friedrich, der mit dir in einer Kompagnie war, der mit dir durch glühende Wüsten zog, der mit dir Durst und Hunger litt. Erinnerst du dich, als gefragt wurde, wer sich meldet, um die Stärke des Feindes auszukundschaften? Wir beide. Einer war zuviel. Wir losten. Mich traf das Los. Weißt du's noch, lieber Kamerad? MANN *(fängt jämmerlich an zu weinen.)* FRAU: Herr, es hat doch keinen

Zweck, daß Sie zu ihm reden. Der erinnert sich nicht mehr. Er weint, weil er denkt, er muß weinen. Soviel kann er noch denken. Aber sonst ... Der Arzt sagt, ich werde ihn bald fortbringen müssen. Nun haben Sie ja wohl Ihr Schauspiel gehabt, Herr? Nun können wir wohl gehen?

*(Frau nimmt ihren Mann, der immer weiter jämmerlich weint und führt ihn fort.)*

FRIEDRICH: Wahnsinn befällt mich. Wohin? Wo bist du, Ahasver, daß ich dir folgen kann? Freudig will ich dir folgen. Nur fort von hier. Millionen von Armstümpfen recken sich um mich. Schmerzgebrüll von Millionen Müttern tost durch den Raum. Wohin, wohin? Dort Wimmern ungeborner Kinder, dort Weinen Irrer. O heiliges Weinen! Geschändete Sprache! Geschändete Menschen! ... Um des Vaterlandes willen ... Gott ... kann ein Vaterland das verlangen? Oder hat sich das Vaterland an den Staat verschachert? Spekuliert der Staat damit zu schmutzigen Geschäften? Ward der Staat Zuhälter und das Vaterland eine getretene Hure, die jeder brutalen Lust sich verkauft? Ausgestattet mit dem Segen der Kupplerin Kirche? Kann ein Vaterland, das das verlangt, göttlich sein? Wert seine Seele dafür zu opfern? Nein, tausendmal nein. Lieber will ich wandern, ruhelos wandern, mit dir, Ahasver!

*(Stürzt auf die Statue.)* und nicht gehören,

Ich zertrümmere dich, Sieg des Vaterlands.

*(Er greift einen Hammer und zerschmettert die Statue. Sinkt in sich zusammen, nach einer Weile richtet er sich empor.)*

Nun muß ich wandern durch Wüsten, ruhelos und ewig ... Ich kann nicht, Ekel packt mich vor mir. Gabriele läßt ihren Mann um der Scholle willen ... Ich verrate mein Vaterland, an das ich glaubte, für das ich mich einsetzte, für das ich mein Lebenswerk schaffen wollte ... um eines Vagabundenpaares willen. Nein, gewiß nicht um eines Vagabundenpaares willen ... Gewiß nicht Verrat ... Den Weg, ich will ihn nicht schreiten. Er läuft durch Regennächte, durch verpestete Straßen, mündet in Wüsten. Leb wohl, Gabriele!

*(Geht zum Schreibtisch, entnimmt ihm einen Revolver.*

*Durch die offen gebliebene Tür tritt die Schwester ein, sieht die zertrümmerte Statue und Friedrich.)*

FRIEDRICH: Du kommst zu spät. SCHWESTER: Ich komme zur rechten Zeit. FRIEDRICH: Mein Weg ist verschüttet. SCHWESTER: Dein Weg führt dich hinauf. FRIEDRICH: Zur Mutter zurück? SCHWESTER: Höher, doch auch zur Mutter. FRIEDRICH: Zum Vaterland zurück? SCHWESTER: Höher, doch auch zu deinem Land. FRIEDRICH: Ich sehe ihn nicht, ich bin geblendet. SCHWESTER: Laß mich deine Augen schützen und du wirst sehen. Dein Weg führt dich zu Gott. FRIEDRICH: Haha, Gott am Dirigentenpult, den Reichen Konfetti zuwerfend.

SCHWESTER: Zu Gott, der Geist und Liebe und Kraft ist, / Zu Gott, der in der Menschheit lebt. / Dein Weg führt dich zu den Menschen. FRIEDRICH: Zu den Menschen . . . / Ich bin ihrer nicht würdig. SCHWESTER: Noch manche Würde, die dich heute Würde dünkt, / Wirst du wie eine Maske von dir werfen. / Wer weiß, wo du einst deine wahre Würde findest, / Wer zu den Menschen gehen will, / Muß erst in sich den Menschen finden. / Der Weg, den ich dich gehen heiße, / Führt dich durch alle Tiefen, alle Höhen, / Durch nächtiges Gestrüpp mußt du den Weg dir bahnen, / Gestrüpp, von Toren wohl verbrecherisch geheißen, / Nur bist du selber Angeklagter, selber Richter.

*(Friedrich vergräbt sein Gesicht in Händen. Dann steht er auf, taumelt, reckt sich.)*

FRIEDRICH: Sonne umwogt mich, / Freiheit durchströmt mich, / Meine Augen schauen den Weg. / Ich will ihn wandern, Schwester, / Allein, und doch mit dir, / Allein, und doch mit allen, / Wissend um den Menschen.

*(Schreitet ekstatisch zur Tür hinaus.*
*Schwester lehnt am Fenster, die Augen geschlossen.)*

*(Die Bühne schließt sich.)*

Individualität; Gemeinschaft

# Fünfte Station

## Achtes Bild

*(Hintere Bühne. Der Schlafbursche. Nächtige Schlafkammer einer städtischen Mietskaserne. In den zwei Betten Frau, Kinder, Schlafbursche* [Antlitz Friedrichs].)

SCHLAFBURSCHE *(zur Tochter):* Bei dem Gestöhn soll unsereiner schlafen, / Ich halts nicht aus. / Komm, wie eine wolligweiche Kappe / Will ich dich auf mich stülpen. TOCHTER: Bleib hier ... ich laß dich nicht / Seit einst die Nachricht kam, / Der große Hammer habe ihn zermalmt, / Stöhnt sie in jeder Nacht, / Das elfte Kind, das sie noch mit sich trug, / Erbrach sie – war natürlich tot, / Ein großes Glück. / Die Windeln hätte ich alleine waschen müssen, / Als Aufwartfrau will keiner sie behalten, / Weil mitten in der Arbeit / Sie zu tanzen anfängt und zu singen, / Dann wieder fromm Choräle betet ... / Die Flasche läßt sie nicht mehr aus der Hand. / Wer hat die Kleinen zu besorgen ... / Nur ich. / Und dabei muß ich zur Fabrik – / Ach bleib doch, alles tu ich was du willst – SCHLAFBURSCHE: Ja, ich bleib. / Ich glaub, die hält mich hier / Mit ihrem Stöhnen und Gekreisch – / Ließ sie's denn zu, daß du als Hure gingst? TOCHTER: Sie nickte mit dem Kopf, / Wenn mich der frühre Schlafbursch schlug ... / Bist du mir gram deshalb? ... SCHLAFBURSCHE: Ach Torheit, gram – / Was konntest du dafür, / Wenn er dich zwang ... / Nur, weißt du, mich verfolgt das immer, / Ich halte dich in Armen / Und plötzlich kreischt sie oder stöhnt. – TOCHTER: Die Kinder könnte man beneiden, / Am Tage schlafen sie vor Hunger, / Des Nachts vor Schmutz und Müdigkeit – / Sie wärn im Waisenhause / Besser aufgehoben. SCHLAFBURSCHE: Das geht doch nicht ... TOCHTER: Na ja, ich dachte nur daran. SCHLAFBURSCHE: Sie nickt, wenn ihre Tochter schlägt ein Schuft / Und kreischt und stöhnt, / Wenn ihre Tochter

mich umfängt / Wie sagtest du . . . im Waisenhaus . . . / Im
Waisenhaus . . .

*(Die Stube versinkt im Dunkel.)*

SCHLAFBURSCHE *(träumend)*: Im Waisenhaus . . . Im Waisenhaus . . .

*(Stille.)*

SCHLAFBURSCHE *(träumend)*: Jetzt wird sie nicht mehr kreischen, nicht mehr stöhnen . . . / Bist du zufrieden . . . / Nun
kommen sie ins Waisenhaus . . . / Ins Waisenhaus . . .

*(Der nächtliche Besucher, um seinen Totenschädel einen dik-
ken Schal gebunden, tritt ein.)*

DER NÄCHTLICHE BESUCHER: Schlafbursch, steh auf. / S'ist
Zeit zur Arbeit. SCHLAFBURSCHE: Ja, ich komme schon. DER
NÄCHTLICHE BESUCHER: Beeile dich . . . SCHLAFBURSCHE:
Willst du mich führen? DER NÄCHTLICHE BESUCHER: Komm
nur. / Bei mir bist du in gutem Schutz.

*(Phosphoreszierende Büschel flackern um den nächtlichen
Besucher und den Schlafburschen, der in seinem Arbeitskittel
vorne steht. Der nächtliche Besucher hakt sich in seinen
Arm.)*

DER NÄCHTLICHE BESUCHER: Erblickst du schon das Haus . . .
SCHLAFBURSCHE: Dort drüben glimmt es auf – / Wie komisch
– führst du mich den rechten Weg –. DER NÄCHTLICHE BESU-
CHER: Ich führe dich den rechten Weg – / Den krummen
Weg! Den rechten Weg! SCHLAFBURSCHE: Nein, das ist nicht
die Fabrik. DER NÄCHTLICHE BESUCHER: Streng deine Augen
an. / Was ist es denn? SCHLAFBURSCHE: Gefängnis scheints zu
sein . . . / Wie glänzt sein Dach! / Ich glaub, mit goldnen
Talern ist's gepflastert. DER NÄCHTLICHE BESUCHER: Stimmt!
Stimmt! / Was siehst du weiter? SCHLAFBURSCHE: Hohe
Mauern, auf denen Eisenspieße zacken / Und Löcher – stab-
vergittert. DER NÄCHTLICHE BESUCHER: Stimmt, Stimmt.
SCHLAFBURSCHE: Nein, das ist nicht die Fabrik – / Hier wu-
chert ein Gefängnis – / Laß los – ich will zur Arbeit –.
DER NÄCHTLICHE BESUCHER *(packt ihn fest)*: Zur Arbeit führ
ich dich – / Die du und deinesgleichen schaffen müssen. / Tu

deine Alltagsbrille ab / Und lerne sehen: / Man tat dem
Hause ein Ballettkleid an, / Weil es sich nicht getraute und
sich schämt – / Beim ersten Anblick wähnst mit Freude du /
Oho – hier blüht ja ein Gefängnis – / Streng deine Augen
an! / Schon sind wir angekommen! / Siehst du das Schild? /
Du zitterst – laß mich lesen – / Ich betrüg dich nicht: / *Die*
*große Fabrik!*
*(Finsternis.*
*Minutenlang Dröhnen hämmernder Kolben, Sausen wirbeln-*
*der Räder, Zischen glühendflüssiger Metallströme . . .)*

"Die große Fabrik" aka. ein Gefängnis

## Neuntes Bild

*(Hintere Bühne.* Tod und Auferstehung. *Erdgeschoß eines*
*Gefängnisses. [Der großen Fabrik.] In den Gängen dreifach*
*verriegelte Zellentüren. Die gewundenen Treppen, die zu den*
*Obergeschoßen führen, haben einen quadratischen Schacht,*
*um übersichtliche Beobachtungen zu ermöglichen. Auf dem*
*Zementboden unterhalb des Schachtes liegt ein Gefangener*
*[Antlitz Friedrichs], den Kopf zurückgebeugt, die Arme ge-*
*streckt, als ob er gekreuzigt wäre. Die unberufenen Richter in*
*schwarzen Mänteln mit Totenschädeln eilen vorüber.)*
DIE RICHTER *(drohend):* Der Tatbestand! / Der Tatbestand! /
*(Gefangener zischt . . . schrille Töne . . . röchelt. Ein Wärter*
*kommt mit einem Aufseher die Treppe hinunter.)*
WÄRTER: Mich trifft nicht Schuld – / Ich wollte ihn hinunter-
führen, / Wie Sie geheißen, / Zu seiner Frau, die Sprech-
erlaubnis hat. *(Wärter und Aufseher eilen auf den Menschen*
*zu, bemühen sich um ihn, reißen ihm den Knopf auf.)* AUFSE-
HER: Er atmet noch. WÄRTER: Ich wußt es, daß er gottlos ist. /
Er wünschte einen unbequemen Menschen tot. / In jenem
Traume hat die Alte er gemordet. / Nun mordet er sich
selbst. / Der Kirche christliches Gebot / Hat zweimal er in
Sünde übertreten. AUFSEHER: Den, der hinunterstürzen will, /
Soll man noch stoßen.

*(Die unberufenen Richter eilen vorüber.)*
RICHTER *(höhnisch)*: Der Tatbestand! / Der Tatbestand!
GEFANGENER *(wimmert, klagend.)* . . . WÄRTER: Gott steh mir
bei . . . / Schreit so ein Mensch. AUFSEHER: Der Teufel schrie!
GEFANGENER *(stößt Schreie aus. Anklagen. Die bohren sich in
die Zellentüren, sprengen sie.*
*Alle Zellentüren springen auf . . .*
*An den Eingängen stehen mit schlaffen, herabfallenden Ar-
men die Gefangenen. Ihre Augen starren verzückt nach oben.)*
GEFANGENER *(beginnt leise, dann immer lauter zu sprechen)*:
Die Zellenwände bergen Grauen – / Wohin ich blickte – ufer-
lose Sümpfe / Nur graue Sümpfe – immer graue Sümpfe, / In
langen Dämmerstunden / Krochen Maden aus den Eisengit-
tern. / Ich wehrte mich – doch dann – was konnt ich tun . . . /
An meinem Leibe zehrten graue Maden. DIE GEFANGENEN AN
DEN ZELLENTÜREN: Hört zu! Wir sind vereint im Leiden. /
Die Zellenwände bergen Grauen – / Uferlose Sümpfe –. GE-
FANGENER: Einmal sah ich rote Blumen / Ich griff danach – /
Da war's mein eigen Herz – / Und als ich's stumm in Händen
hielt / Zerfressen war's von grauen Maden. / Da fraß ich mit.
DIE GEFANGENEN: Hört . . . / Vereint sind wir im Leiden. /
Einmal sahn wir rote Blumen / Wie schien sie süß – die rote
Blume, / Es war das eigne Herz – / Und als wir's stumm in
Händen hielten / Zerfressen war's von grauen Maden – / Wir
fraßen mit. GEFANGENER: Ich blickte in den Treppenschacht /
Da sah ich Grund – / Da sah ich Ufer –.
AUFSEHER: Und drinnen wartet Ihre Frau – GEFANGENER:
Wartet meine Frau . . . WÄRTER: Du übertratest christliches
Gebot. / Bereue, eh du stirbst. GEFANGENER: Was weißt denn,
Bruder, du . . . / Das liegt so fern von Gut und Schlecht / Von
Pflichten und Gebot . . . / Von Reu und himmlischer Vergel-
tung. / Ich hörte eine Stimme sprechen: / Ihr lerntet Irr-
wahn. / Nicht Römer schlugen ihn ans Kreuz / Er kreuzigte
sich selbst. DIE GEFANGENEN: Wir wissen drum . . . / Wir
wissen's längst . . . / Er kreuzigte sich selbst . . . AUFSEHER:
Denken Sie an Ihre Frau! / Ich soll es ihr berichten . . . / Ich

*children being born into a world of misery etc.*

beneide mich nicht drum! / Was hab ich für ein Amt, / Ich Menschenhüter! GEFANGENER: Ich denk an meine Frau, / Ich denk auch an das Kind, / Das sie in ihrem schmerzensvollen / Leibe entgegenträgt der Helle / Das Kind von mir ... / Dies ist die einz'ge Schuld, / Die ewig sich erneut: / Wir selber gingen schmerzende Stationen / Und schicken Kinder aus / Zur eignen Kreuzigung ...

*(Aus einer Tür im Hintergrund stürzt eine schwangere Frau, schreit auf ... wirft sich über den Mann ...)*

FRAU: O, warum tatest du's! / Ich wartete auf dich ... GEFANGENER: Das ist ein tiefes Leid. / Es warten Menschen unserer – / Wir aber brechen letzte Brücken, / Wir stoßen Nacht auf jeden Pfad / Der gütig hin zu ihnen führt. / Wir wandern weiter ... / Wissen, daß sie warten / Und wandern weiter ... / Ja, wandern höhnisch weiter ... / Wenn wir selber auf uns warten. FRAU: Das Kind ... / Galt dir dein Kind so wenig? GEFANGENER: Es galt mir viel ... / Doch meine Schuld an ihm / Sie warf mich in verdorrten Abgrund, / Verdorrt seit jener Zeit, da Menschen / Taumelnd sich erhoben / Und sich hassend mordeten. / Dem Kind am wenigsten / Erwachsen wir als Retter ... / Hilflose schaun wir dem Passionsweg zu ...

WÄRTER: Er lästert ... / Heilige Mutter Gottes, vergib ihm. GEFANGENER: Auch sie ist hilflos. / Lügt ein zitterndes Vergeben. / Wird ewig ihren Sohn beweinen, / Und daß sie's tut, / Nur darum ist sie rein und unbefleckt. FRAU: Was ist mir Leben jetzt ... / Ich töt mich ... und das Kind ... / Wozu denn noch? / Wozu? GEFANGENER: Wozu: / Komm näher, daß ich's sage. / Vielleicht gekreuzigt, kann es sich befrein, / Aus seinen Malen wachsen lichte Kräfte. / Vielleicht, gekreuzigt kann es sich erlösen, / Zu hoher Freiheit auferstehn. DIE GEFANGENEN: Bruder, deine Worte künden Wege. / Gekreuzigt wolln wir uns befrein. / Gekreuzigt wolln wir uns erlösen / Zu hoher Freiheit auferstehn.

*release/save.*

GEFANGENER: Frau ... Mutter ...

*(Gefangener stirbt.)*

45

AUFSEHER: Kommen Sie. Er ist erlöst. WÄRTER: Mit Sünde hat er sich beladen. – DIE GEFANGENEN: Von Sünde hat er sich befreit. / Zu schwach, sich zu erlösen. –

FRAU *(schreit auf)*: Mann . . . *(Frau windet sich in Wehen.)*

AUFSEHER: Kommen Sie.

FRAU: Ich kann nicht . . . / Das Kind . . . / Das Kind . . .

*(Schweigen . . .*

*Ein sanftes Tönen schwingt . . .*

*Die Gefangenen treten aus ihren Zellen – bilden einen Halbkreis um die Frau, von Sonnenlicht umleuchtet.)*

GEFANGENE: Ein Kind. / Wie lange ist es her . . . / Daß wir ein Kinderlachen hörten . . . / Wie lange ist es her . . . / Daß wir mit Kindern spielten.

*(Die Gefangenen schauen voll Ehrfurcht auf die Frau, die das Kind ihnen entgegenhält. Mit schmerzverzerrtem Gesicht, umspielt von frohen Lichtern.*

*Die Decke wölbt sich zum unendlichen Himmel.)*

*(Dunkel.)*


## Zehntes Bild


*(Hintere Bühne. Der Wanderer. Dichter Nebel. Eine Landstraße ist zu erkennen. Aus dem Straßengraben erhebt sich der Wanderer* [Antlitz Friedrichs].)

DER WANDERER: Mir ist, als ob ich heut / Zum erstenmal erwache, / Als ob ich eine schwere Grabesplatte fortgewälzt / Und auferstehe. / Das erdgefesselte Gefäß zerbricht. / Der Richter ward zum Angeklagten, / Der Angeklagte ward zum Richter. / Und beide reichen sich verzeihend blutbefleckte Hände. / Und beide tuen ihre Würde, ihre Schmach / Wie Dornenkronen von sich ab. / Anbricht der Morgen, / Der Nebel teilt sich. / Ich weiß den Weg zur Arbeitsstätte, / Nun weiß ich ihn.

*(Dunkel.)*

46

*diff. professions represented*

# Elftes Bild

*(Vordere Bühne. Abend. Volksversammlung. Saal nach Krie-
gervereinsmanier mit verlogenen Kriegsbildern und bunten
Papierblumen geschmückt.)*

VORSITZENDER: Der alte Herr mit dem Abzeichen haben das
Wort. *(Alter Herr besteigt die Rednertribüne.)*

ALTER HERR: Ja, damals, als unsere sieggekrönten Brüder von
Sieg zu Sieg stampften, als die Wilden wie feige Hunde vor
uns herliefen, als ein Ruf durch das Land fieberte: Nieder mit
dem Gesindel! *(Friedrich tritt in den Saal.)* ALTER HERR *(fort-
fahrend)*: Das war die große, die herrliche Zeit. Aber heute,
da jammert ihr um Brot. Was will das bißchen Brot bedeuten.
Wenn ihr arbeiten wollt, findet ihr Arbeit, und ob ihr Kartoffeln oder Braten eßt, ist schließlich doch gleich.

*(Volk murrt.)*

Habt ihr's denn schon vergessen, die Taten für unser Vaterland und das Blut der Helden? EINER RUFT: Sind wir denn
weniger Helden, weil wir leben? *(Der alte Herr verläßt die
Rednertribüne.)*

VORSITZENDER: Der Herr Universitätsprofessor haben das
Wort. *(Universitätsprofessor besteigt die Rednertribüne.)*

UNIVERSITÄTSPROFESSOR: Ich aber, bescheidener Vertreter jener Wissenschaft, die einst eine hohe Kirche ancilla ecclesiae,
Dienerin der Kirche nannte, und die heute stolz ist, Dienerin
unseres Staates zu sein, der die Wahrheit ist und letzte Erkenntnis, denn darin findet sie ihren konkreten und abstrak-
ten Lohn. Nun ich, bescheidener Diener der Wissenschaft, ich
möchte mich meinem verehrten Vorredner anschließen. Nicht
das Brot ist es, was uns not tut, die Wissenschaft, die Bildung.
Geht, lernt, was es heißt, kausale Zusammenhänge, die Asso-
ziationen verschiedener Erscheinungen zu begreifen! . . . Die
Wissenschaft, die ich verkünde, ist voll von heiligem Ernst. Sie
dient der Erhaltung des Staates, sie ist eine Apologie dieses
vollkommensten ethischen Organismus. *(Starkes Murren im
Volk. Der Universitätsprofessor verläßt die Rednertribüne.)*

VORSITZENDER: Seine Ehrwürden, der Herr Pfarrer haben das Wort. *(Pfarrer betritt die Rednertribüne.)*

PFARRER: Brüder in Christo. Laßt mich sprechen zu euch, den Christenmenschen. Da unser Heiland einst sprach: »Ich bin nicht gekommen, um euch den Frieden zu bringen, sondern das Schwert,« so will ich auch sprechen, ich bin nicht gekommen, um euch laue Reden zu bringen, sondern die *eiserne* Wahrheit. Da ihr die Wilden bekämpftet, da predigte ich euch: Schlagt den Feind mit allen euren Waffen, mit giftigen Gasen und Flammenwerfern, mit Unterseebooten und der Gewalt des Hungers, . . . und ihr seid gottgefällig, denn der Herr der Heerscharen war mit unsern Waffen und hat den Engel gesandt, der voranschritt mit blutigen Sensen und die Reihen der Feinde niedermähte. Gedenket der glorreichen Tage und vergeßt eure kleinen Sorgen, denkt an jenen, der am Kreuz starb. VOLK: Herunter mit dem Pfaffen! / Hinaus mit den Reichen! / Wir hungern, wir hungern.

VORSITZENDER *(schellt)*: Der Herr Doktor hat das Wort. *(Kommis des Tages besteigt die Rednertribüne.)*

KOMMIS: Recht habt ihr Brüder! Was sollen uns die Vereinler? Was sollen uns die Universitätsprofessoren? Was sollen uns die Pfaffen? Jesus ist der Familiengott der Reichen geworden. Wir brauchen ihn nicht mehr. Was wir brauchen, ist Brot. Was wir brauchen, ist Geld. Wir müssen die Dummheit bekämpfen und an seine Stelle den Verstand, d. h. euch die Masse setzen. Wir wollen einmal zerlegen, was die Kerle sagten: »*Staat*« ist ein neuer Ausdruck für Vaterland. Das ist eine Lüge. Das ist ein Begriff, der hat als Unterlage etliche tausend Quadratkilometer. Ein paar Sprachen, von denen die eine erlaubt, die andere unterdrückt ist. Und viele Tafeln, auf denen steht: Verboten. Will sagen: Erlaubt für die Reichen, verboten für die Armen. Und Steuern soll heißen: Eingeschränkt für die Reichen, unbegrenzt für die Armen. Wenn die Reichen noch nicht genug Paläste haben und raffinierte Lustvillen wünschen, sagen sie: Verdammt. Wir machen Krieg. Setzen sich hin, telephonieren ein paar Lügen in die Welt, lassen Krieg

48

erklären. Gründen Vereine zugunsten der armen Verwunde-
ten – ein paar mehr oder weniger macht gar nichts – damit
also den Toten ein Denkmal gesetzt wird. »Spende des Herrn
Geheimrats.« Das wäre Staat. Nummer zwei. »*Wissenschaft.*« Etwas kürzer abzumachen. Im Jahre soundso war
dies, im Jahre soundso war das, usw. Ein paar Floskeln,
darum wäre ein Spezies. Eine andere: Lehre vom Verdrehen
des Einfachen, Lexikon dazu nötig, das man auswendig lernt.
Lexikon von einigen tausend Fremdwörtern, in Sätze gebracht und das Einfache, Natürliche, Richtige ist kompliziert
geworden, der gesunde Menschenverstand, das seid ihr, betrogen. Kommt dazu: Dienerin des Staates. Des Staates, den
ich euch schilderte. Die Dienerin habe ich auch beschrieben,
den Staat habe ich auch beschrieben, Mischung von beiden
ergibt Nummer zwei »Wissenschaft«. Bleibt Nummer drei
»*Kirche und Pfaffen*«. Soll ich auch die noch zerlegen?
VOLK: Nieder mit den Pfaffen!
KOMMIS: Ich wußte es. Also was bleibt uns? Den gesunden
Menschenverstand repräsentiert durch die Masse auf den
Thron setzen. So erhaltet ihr Brot und Wohlhabenheit und
Arbeit und Rechte. Was müssen wir? Die Dummheit vom
Thron stoßen und darum predige ich euch: Zertrümmert die
Paläste! O, ich sehe euch, alle aufgespeicherten Kräfte frei,
grandiose Bilder des Kampfes. Männer die Fahne der Freiheit
schwingen! Frauen euch umfangen in heißer Umarmung!
Massen wogen! Schüsse fallen! Verse und Pamphlete will ich
euch dazu schreiben, die blutige Taten sind. Meine Zeitschrif-
ten sollen euch begleiten mit schmetternden Trompetenklän-
gen! Blut fließt! Blut der Freiheit! Ich sage: *Marschiert, marschiert!*
VOLK: Ja, wir wollen marschieren! / Wir hungern, wir hungern. / Wir wollen marschieren! / Brot! Brot! Brot!
VORSITZENDER *(schellt heftig mit der Glocke)*: Ein gewisser
Friedrich hat das Wort. *(Friedrich drängt sich durch das Volk
auf die Rednertribüne.)* FRIEDRICH: Haltet ein, Brüder! Ich
weiß, daß ihr Brot braucht. Ich weiß, daß Not an euren Lei-

bern frißt. Ich weiß um euer Elend, weiß um eure armseligen, stinkenden Kammern. Weiß um eure Bedrücktheit und den Blick des Ausgestoßenen. Weiß auch um euren Haß. – Aber trotzdem rufe ich: Haltet ein, denn ich liebe euch. VOLK: Bleibt, hört auf ihn. / Er hat recht. / Er liebt uns. FRIEDRICH: Euren tiefen Widerwillen gegen die Schänder am Göttlichen, ich verstehe ihn. Aber ich warne euch vor den Worten des Mannes, der euch zurief: Marschiert! Warne euch vor den Halbwahrheiten, die in seinen Worten gleißen. Er wollte euch die Mittler und die Philosophen erklären und erklärte doch nur diese, die hier sprachen. Diese aber waren Drehorgelspieler, die ihren Beruf wie Zuhälter verkauften. Kennt ihr ihn? Gestern, da schrie er: Absonderung vom Volk! Heute ruft er: Das Volk ist Gott! Und morgen wird er verkünden: Gott ist eine Maschine. Darum ist das Volk eine Maschine. Er wird sich trotzdem freuen an den schwingenden Hebeln, wirbelnden Rädern, hämmernden Kolben. Volk aber ist für ihn Masse. Denn er weiß nichts vom Volk. Glaubt ihm nicht, denn ihm fehlt der Glaube an sich, an den Menschen. Ich aber will, daß ihr den Glauben an den Menschen habt, ehe ihr marschiert. Ich aber will, daß ihr Not leidet, so ihr ihn nicht besitzt.

VOLK: Er will, daß wir Not leiden! / Nieder mit ihm! / Herunter! / Wir werden marschieren! / Wir haben Hunger! / Hört ihn doch an! / Hört ihn doch an!

FRIEDRICH: Nicht spreche ich von der Not des Körpers, ihr Brüder. Nicht länger sollt ihr Hunger leiden. Aber wissen sollt ihr, daß es nicht damit getan ist, sich satt zu essen. Ich wünschte euch Sattheit und wünschte euch seelische Not. – Um der Liebe willen, die uns alle verbindet. Ich will nicht, daß ihr Darbende seid, die ihren Hunger stillen, Gierige, Geile. Ich will, daß ihr reich seid, Lebenserfüllte. Ich will mit euch gegen Armut und Elend kämpfen, noch morgen ... aber wartet, einen Tag, *wartet bis zum Mittag*. Kommt auf den Marktplatz, dort will ich zu euch sprechen.

*(Erregter Tumult im Volk.)*

ARBEITER: Ich glaube, wir haben so lange gehungert, nun können wir auch noch bis morgen hungern. VOLK: Jawohl warten! / Nein, nicht warten! / Wir haben Hunger! / Wir haben Hunger! / Doch warten! / Warten! / Wir werden warten!
*(Volk geht hinaus.*
*Zurück bleiben junge Menschen. Ein Student tritt zu Friedrich.)*
STUDENT: Was soll uns Bildung, da der Geist gemartert wird? Was soll uns unser Verstand, da wir an ihm leiden? Du sei uns Führer. FRIEDRICH: Mitsammen wollen wir schreiten!
*(Studentin tritt auf Friedrich zu.)*
STUDENTIN: Um der Liebe willen, sei uns Führer. Die Liebe soll wieder durch die Menschen strömen. Wir wollen kein Kind mehr gebären, ehe die Liebe nicht mit Strahlenhänden uns umschließt. Du sei uns Führer!
FRIEDRICH: Nun öffnet sich, aus Weltenschoß geboren / Das hochgewölbte Tor der Menschheitskathedrale. / Die Jugend aller Völker schreitet flammend / Zum nachtgeahnten Schrein aus leuchtendem Kristall. / Gewaltig schau ich strahlende Visionen. / Kein Elend mehr, nicht Krieg, nicht Haß, / Die Mütter kränzen ihre lichten Knaben / Zum frohen Spiel und fruchtgeweihten Tanz. / Du Jugend schreite, ewig dich gebärend, / Erstarrtes ewig du zerstörend, / So schaffe Leben gluterfüllt vom Geist.
*(Die jungen Menschen fassen sich an den Händen, zu zweien oder dreien verlassen sie den Saal, der nun im Halbdunkel liegt.*
*Da Friedrich gehen will, tritt aus einer Ecke die Studentin.)*
STUDENTIN: Du, meine Lippen wölben sich zu Wünschen. Mein Herz jagt Glutenströme . . . Du . . . Ich will dir dienen . . . Laß die andern, du vergewaltigst sie nur . . . vergewaltigst sie zum Guten . . . Ich will dir dienen. FRIEDRICH: Diene dem Geist, diene deinem Gott. STUDENTIN: Mich schaudert vor ihm, Kühle strahlt er aus. FRIEDRICH: *Flammenmeere!* STUDENTIN: Sie versengen mich. Aber du – – dich liebe ich . . . Dir will ich mich bringen, umarme mich. Nimm . . . meine heißen

Brüste . . . Mein Schoß stöhnt . . . Ich sehne mich nach deinen Umarmungen . . . Gib mir ein Kind . . . FRIEDRICH: Ich will nicht deine Umarmung. Gab ich jedem Recht auf meinen Körper?

*(Studentin geht langsam, den Kopf gesenkt, hinaus.)*

FRIEDRICH: Armes Weib! Ungelöste.

*(Ein Mann mit hochgeschlagenem Mantelkragen stürzt eilig hinein.)*

MANN: Ich hasse Sie. FRIEDRICH: Ich aber nenne dich Bruder. MANN: Ich hasse Sie, ich weiß, wer Sie sind, glauben Sie nicht, daß ich Sie verkenne. Ich schaue Sie. Sie sind der, den ich in meiner Kammer erblickte, in einsamen Nächten. Warum werden Sie nicht Mönch? Lassen Sie die Menschen in Ruhe. Warum gehen Sie zu dem Pöbel? Sie schänden Gott. FRIEDRICH: Ich heilige ihn.

*(Mann eilt hinaus.)* MANN: Ich hasse Sie!

FRIEDRICH: *Bruder, du betrügst dich.*

*(Die Bühne schließt sich.)*

# Sechste Station

## Zwölftes Bild

*(Hintere Bühne. Die Bergsteiger. Schroffe Felswand, die zu schmalem Grat hinaufführt. An der Felswand klettern zwei Menschen.)*

ZWEITER BERGSTEIGER *(Antlitz des Freundes)*: Halt ein, mich schwindelt. ERSTER BERGSTEIGER *(Antlitz Friedrichs)*: Ermanne dich, bald sind wir oben. ZWEITER BERGSTEIGER: Der Grat ist schmal. / Wir stürzen wieder in den Abgrund. ERSTER BERGSTEIGER: Mag sein, wohl noch in tiefern, / Was macht's! Der neue Grat, / Den wir erklettern, / Liegt höher noch und lichtbestrahlter. ZWEITER BERGSTEIGER: Ich bitt dich, Freund, halt ein, / Denn oben wehet eis'ge Kühle. ERSTER BERGSTEIGER: Dafür umtanzt uns Gletscherlicht. ZWEITER BERGSTEIGER: Die Stille dort tönt Klagelaute. ERSTER BERGSTEIGER: Du hörst Gespenster. / Nimm dein Seil und bind sie fest. ZWEITER BERGSTEIGER: Soll ich dir danken, / Weil du mich aus Felsengespalt befreist, / Nun führst du mich in neue Schrecken. ERSTER BERGSTEIGER: Nicht jeder, der befreit ward, / Ist drum frei. ZWEITER BERGSTEIGER: Sie werden dich nicht hören droben. ERSTER BERGSTEIGER: Nur ohne Sorgen – / Die Felsenwände lieben starke Stimmen / Und geben sie als Echo freudig weiter. ZWEITER BERGSTEIGER: Ich will nicht weiter – ERSTER BERGSTEIGER: Ich aber will. ZWEITER BERGSTEIGER: Du läßt mich liegen, / Mich, den alten Weggenossen. ERSTER BERGSTEIGER: Du läßt dich selber liegen. ZWEITER BERGSTEIGER: Um unsrer Freundschaft willen / Bleib!
ERSTER BERGSTEIGER: Um unsrer Freundschaft willen *(klettert nach oben.)* / Geh ich weiter. ZWEITER BERGSTEIGER: Hörst du noch meine Stimme? / Denk an unsre Jugend! ERSTER BERGSTEIGER: Deine Stimme wird Geröll / Das sich nicht halten kann und abrollt. – / Die Jugend wandert vor mir her, /

wie behend sie klettert! ZWEITER BERGSTEIGER: Zu weit schon
gingst du / Denk an dich – / Ich habe Furcht um dich.
ERSTER BERGSTEIGER: Weil ich mich nicht verlassen will *(fast
oben.)* Verlaß ich dich ... / Leb wohl! ...

*(Dunkel.)*

## Dreizehntes Bild

*(Vordere Bühne. Mittag. Platz vor der Kirche. Friedrich
kommt, lehnt am Portal der Kirche.)*
FRIEDRICH: Sonne leuchtet auf den Dächern, streichelt die
erblindenden Fenster enger Mansarden. Meine Brust weitet
sich.
*(Die Mutter kommt in Trauerkleidung über den Platz.)*
Mutter!
MUTTER *(kaum aufblickend)*: Du hast mich die Jahre nicht
gekannt, da fing ich an zu glauben, ich trüge dich wieder
unterm Herzen wie einst. FRIEDRICH: Alle meine Liebe bring
ich dir, möchte dich gütig umfassen, deine müden Runzeln
küssen. MUTTER: Du lebst noch nicht! Du hast deine Familie
verlassen, bist deinem Volk entfremdet. FRIEDRICH: Ich stehe
ihm näher, als damals zu Haus. MUTTER: Zu den Fremden
gehörst du. FRIEDRICH: Zu den Fremden, doch auch zu dir.
MUTTER: Wer zu den Fremden hält, gehört nicht zu unserem
Volk. Unser Volk ist ein stolzes Volk. FRIEDRICH: Mutter!
Fühlst du es nicht, wie die Erde gärt. Wie die Erde ein einziger
gewaltiger Schoß ward, der zuckt in Wehen. Denk an die
Qual, da du mich gebären solltest, so wälzt sich heute die
Erde ... Zerrissener, blutiger Schoß, um neu zu gebären die
Menschheit. MUTTER: Ich bin zu alt, mein Lebensmut erlosch.
Ich verstehe dich nicht. FRIEDRICH *(birgt seinen Kopf in Hän-
den)*: Mutter!
*(Mutter geht davon.
Der Onkel kommt.)*

FRIEDRICH: Lieber Onkel! ONKEL: Was soll das! Hast du kein Geld mehr? Rechne nicht auf mich. Ich kenne dich nicht mehr. FRIEDRICH: Ich brauche dein Geld nicht, Onkel, aber ich will, daß du mich kennst. ONKEL: Laß das, wozu? Erkläre mir, hast du so viel verdient, daß du dich ernähren kannst? Nein, denn dein Anzug ist schäbig. FRIEDRICH: Onkel, du belügst dich. ONKEL: Belügen? Lügen mußte ich, du zwangst mich dazu. Mein Geschäft war durch dich beinah ruiniert. »Ihr Neffe ist ein Staatsfeind«, hieß es. Du brachtest Unglück über deine Familie. FRIEDRICH: Tat ich das, dann mußte ich es wohl. ONKEL: Du belästigst mich. Du hast kein Distanzgefühl. FRIEDRICH: Onkel, ich werde gegen dich kämpfen, weil ich muß. Aber ich kämpfe ja nicht gegen dich, ich kämpfe gegen die Dünkelmauer und Sperren, die um dich gebaut sind. ONKEL: Ich sah es voraus, du Verräter. Schamlos willst du dein eignes Blut überfallen. FRIEDRICH: Längst überfiel ich es, Onkel. ONKEL: Du wirst mich gewappnet finden.
*(Geht weiter.*
*Arzt kommt.)*
FRIEDRICH: Guten Tag, Herr Doktor, erinnern Sie sich noch meiner? ARZT: Ach ... Sie ... äh, ja, jenes uninteressante Fällchen damals. Erschlaffung des Mastdarms. Nun geht's wieder? Alles in Ordnung? ... Verdauung ungestört? FRIEDRICH: Herr Doktor, glauben Sie an den Menschen? ARZT: Dumme Frage. Höchst einfältige Frage. Ich glaube, daß die meisten Menschen eine gute Verdauung haben. Denjenigen, bei denen sie schlecht ist, muß man Rhizinus geben, einen großen Löffel für Erwachsene, einen kleinen Löffel für Kinder. Dumme Frage. Höchst einfältige Frage. Muß mir den Fragesteller mal genau ansehen. – Bleiben Sie still. – Sagen Sie a – Schließen Sie die Augen – – – Psychose in hohem Stadium. FRIEDRICH: Nicht durch Ihre Medizin gesundet der Mensch. Er von den Abfallgruben verpesteter Städte befreit, schreitet aufrecht durch erlöste Welt. ARZT: Melden Sie sich bei mir. Noch heute. Ich habe eine Heilanstalt gekauft. Vielleicht macht es noch eine Wasserkur. Bilden Sie sich aber nichts ein.

*love frees ~~people~~.*

Typischer, ganz alltäglicher Fall. Heute nachmittag kommen Sie, Zimmer 17, melden Sie sich beim Wärter.
*(Geht eilig fort.*
*Der Kranke mit dem unruhigen Blick schiebt sich heran.)*
KRANKER: Ja, Sie scheinen also wirklich daran zu glauben! FRIEDRICH: An wen? KRANKER: An Sie und überhaupt an den Menschen. – FRIEDRICH: Ich glaube an ihn! KRANKER: Hähähä – und an die Liebe. FRIEDRICH: Ich will sie leben. KRANKER: Und das alles . . . FRIEDRICH: Um die Menschen zu befreien. KRANKER: Also nicht nur, um hygienische Orte zu erbauen. Denn wozu sonst? Ich will Ihnen etwas verraten, lieber Herr. – Eine Zeitlang versuchte ich es auch mit Liebe. Ich werde Ihnen gleich sagen wozu. – Um hygienische Orte einzurichten. Die Orte, die unsere Größe zeigen, liegen noch zu dunkel und versteckt. Zu welchem Endziel wollen Sie wissen. Um die Menschheit zu lehren, daß das wahre Heilmittel für sie allgemeiner Selbstmord ist. Ich habe eingesehen, durch die Liebe erreiche ich es nicht. Die verschleiert nur. Nun versuche ich es mit hygienischen Orten. FRIEDRICH: Wollen Sie nicht einmal dem Arzt Ihren Vorschlag machen? KRANKER: Bei dem war ich ein paarmal. Er braucht meine Pläne nicht, sagt er, denn er hat sie schon ausgeführt. Sonst wäre ich ganz gesund, hätte die beste Verdauung. FRIEDRICH: Sie wollen also, daß alle Menschen sich töten? KRANKER: Ja! FRIEDRICH: Warum predigen Sie dann nicht den Krieg? KRANKER: Nein, so nicht. So sollen sie sich nicht töten. Freiwillig sollen sie es tun. Also, wie wär's? Ich rate Ihnen, überlegen Sie es sich noch einmal. Bau von hygienischen Orten zum Zweck der Selbstvernichtung. FRIEDRICH: Armer Mensch! KRANKER: Sie haben Mitleid mit mir! Sie . . . haben . . . Mitleid . . . mit . . . FRIEDRICH: Du bist krank. Dein Inneres gähnt tote Höhlen. KRANKER *(als ob er erwache, schreiend)*: Ich kann ja an die Liebe nicht glauben, immer nur Dirnen . . . immer nur Dirnen . . . Nie hat mich jemand geliebt. *(Läuft ständig den Kopf schüttelnd davon.)* FRIEDRICH: Ich werde ihn suchen müssen, noch heute – meine Mutter will ich bitten, ihn zu pflegen . . . nein . . . die Studentin.

*(Dame, die während der letzten Szene gekommen ist, nähert sich, ihren Leib in den Hüften wiegend, Friedrich.)*
DAME: Mann, was tun Sie ... Sehen Sie wirklich nicht, daß Liebe durch zerklüfteten Abgrund von Güte getrennt schweißzittert, daß Liebe wie dämonischer Rothund mit Zungen lüstern spielt und sprungbereit lauert ... Daß sich Liebe und Güte wie Todfeinde anstarren ... haha ... Sie scheitern doch. Antworten Sie mir nicht. Ich verzichte auf Ihre Antwort. Ich verzichte auf Ihre Güte ... Liebe peitscht Leiber. Laß mich mit meinen Zähnen deine Brust blutig reißen, laß mich deine Schenkel küssen ... Deine Güte ... hah ... Du bist ein Narr. Ein gequälter Narr. An deiner Güte würde ich ersticken. FRIEDRICH: Und du? DAME: Weib!
*(Dame geht davon.*
*Friedrich lehnt schweigend am Portal der Kirche.*
*Die Schwester kommt.)*
SCHWESTER: Dein Auge ward licht, Friedrich. FRIEDRICH: Freundin. SCHWESTER: Wirst du jetzt den Sieg der Menschheit gestalten, Friedrich? FRIEDRICH: Was braucht es dafür besonderen Symbols? Was braucht es eines Beweises? Die Menschen haben ihn in sich geschaut. Die Menschen sollen ihn schauen in allen meinen Werken. SCHWESTER: Du bleibst hier? FRIEDRICH: Ich bleibe hier und werde doch meinen Weg weiter wandern. Durch verpestete Straßen und über Mohnfelder, auf sonnigen, schneeigen Gipfeln und durch Wüsten, wissend, daß ich nicht Entwurzelter bin, wissend, daß ich wurzle in mir. SCHWESTER: So muß man sich töten und gebären, um seine Wurzeln zu finden. FRIEDRICH: Dieses Wissen ist nur ein Anfang. SCHWESTER: Und wohin weist es? FRIEDRICH: Zum Menschen! SCHWESTER: Und weiter!
FRIEDRICH: Weiter ...? Ich sorg mich nicht drum. Mir ist's, als wäre ich in einem unendlichen Meer verwurzelt. Es ist so schön, zu wissen, daß man Wurzeln hat und sich doch treiben lassen kann. SCHWESTER: Leb wohl, Friedrich, ich will deinen Weg achten.
*(Schwester geht davon.*

*Volk strömt aus der Kirche und aus den Straßen.)*
VOLK: Dort steht er, der mit uns sprechen will. / Er sagt, daß wir bis zum Mittag warten sollen. / Nun muß er doch sprechen. / Wir haben ja gewartet.

FRIEDRICH: Ihr Brüder und Schwestern: Keinen von euch kenne ich und doch weiß ich um euch alle.

Du Kind gehst in die Schule und Angst befällt dich auf dem Weg. Das Schulzimmer sieht aus, als ob es Regentag wäre und dabei scheint doch die Sonne. Der Lehrer sitzt auf dem Katheder wie der böse Geist aus einem Märchen, das du heimlich lasest. Er blickt dich zornig an und schilt dich, weil du deine Aufgabe nicht behalten konntest. Und doch ist dein Herz so voll von seltsam Erlebten. Du möchtest ihn so gerne fragen, er aber herrscht dich an, und behauptet, du hättest keine Religionsgeschichte gelernt und wärest kein guter Christ.

Ich kenne dich, Mädchen, feinknochig und märzzart . . . Vor ein paar Wochen verließest du die Schule froh, da du glaubtest, Jugend und Freiheit läuteten mit himmlischen Glocken . . . Aber nun stehst du in der Fabrik. Von morgens bis abends schlägst du immer wieder einen Hebel zurück. Immer wieder denselben Hebel. Und dein Atem wird schwer in der stickigen Luft und deine Augen füllen sich mit Tränen, wenn du durch die verstaubten Fenster das Licht ahnst, und die Freiheit und Blumen und Jugend.

Ich kenne dich, Frau, verarbeitet und vergrämt, die du in enger Kammer mit deinen hungernden, frierenden Kindern hausest und mit dumpfer Seele und müden Händen deinem Manne die abendliche Türe öffnest.

Ich weiß auch um dich Mann, daß dich Grauen packt, nach Haus zu gehen, in die Stube, wo es übel riecht, und Elend hockt und Krankheit eitert. Weiß um deinen Haß gegen jene, die sich satt essen können und lachen, daß du ins Wirtshaus gehst und dich betrinkst sinnlos, sinnlos um nichts mehr zu denken und zu sehen. –

Ich weiß um dich, du Mädchen, um deine wünscheheißen Nächte.

Ich weiß um euch junge Menschen, um euer Suchen nach Gott.

Um dich, du Reicher, der du Geld anhäufst, und alle verachtest, die andern und dich selbst.

Ich kenne dich Frau, fruchtbeladner Baum, den keiner kommt zu stützen, und der bricht und dorrt ob seiner Fülle.

Und du Soldat, eingezwängt in künstlichen Rock, der alles freudige Leben erstarren macht. Ich weiß um deinen erstaunten Blick, wenn du schreitenden Jüngling sahst, den ein Künstler geschaffen. –

Warum konnte der ihn gestalten? / Weil er da ist, wirklich da ist!

Und so seid ihr alle verzerrte Bilder des wirklichen Menschen! / Ihr Eingemauerte, ihr Verschüttete, ihr Gekoppelte und Atemkeuchende, ihr Lustlose und Verbitterte / Denn ihr habt den Geist vergraben ... / Gewaltige Maschinen donnern Tage und Nächte / Tausende von Spaten sind in immerwährender Bewegung, um immer mehr Schutt auf den Geist zu schaufeln.

Eure eignen Herzen sind auf Schusterleisten gespannt. Die Herzen eurer Mitmenschen sind für euch Klingelzüge an denen ihr nach Belieben ziehen könnt. Ihr werft glitzernde Goldstücke euch zu und redet euch ein, es wären Frühlingsvögel, die durch die Luft flögen und jubilierten.

Ihr pflastert eure Wege mit Goldstücken und redet euch ein, ihr ginget über Wiesen von bunten Blumen überwachsen.

Eure Lippen murmeln erstarrte Gesetze, Eisenhäuser von Rost zerfressen.

Eure Hände bauen Mauern um euch auf, und ihr sagt, jenseits wären die Wilden.

Ihr pflanzt Haß in eure Kinder, denn ihr wißt nicht mehr um die Liebe.

Ihr habt Jesus Christus in Holz geschnitzt und auf ein hölzernes Kreuz genagelt, weil ihr selbst den Kreuzweg nicht gehen wolltet, der ihn zur Erlösung führte ...

Ihr baut Zwingburgen und setzt Zwingherren ein, die nicht

Gott, nicht der Menschheit dienen, sondern einem Phantom, einem unheilvollen Phantom.

Und was wißt ihr von den geahnten Tempeln?

Für die Gebärerinnen und ihre Kinder baut ihr raffinierte Pranger, – denn ihr versteht euch auf die Mechanik des Folterns.

Ihr Frauen, die ihr Kinder gebärt und sie gleichgültig oder aus falschem Stolz und eitlen Lügen Scheingebilden opfert – ihr seid nicht mehr Mütter.

Ihr seid alle keine Menschen mehr, seid Zerrbilder euer selbst. Und ihr könntet doch Menschen sein, wenn ihr den Glauben an euch und den Menschen hättet, wenn ihr Erfüllte wäret im Geist. –

Aufrecht schrittet ihr durch die Straßen und heute kriecht ihr gebückt. –

Froh leuchteten eure Augen und heute sind sie halb erblindet.

Beschwingt wären eure Schritte und heute schleppt ihr Eisenklötze hinter euch her. – O, wenn ihr Menschen wäret, – unbedingte, freie Menschen.

*(Im Volk ist während der Rede immer stärker werdende Bewegung eingetreten.*

*Einige sind hingekniet. Andere vergraben weinend ihren Kopf in Händen. Einige liegen gebrochen am Boden. – Die recken sich freudig empor. Andere breiten die Hände zum Himmel.*

*Ein Jüngling stürzt vor.)*

JÜNGLING: Daß wir es vergaßen! Wir sind doch Menschen!

EIN PAAR FRAUEN UND MÄDCHEN *(halblaut)*: Wir sind doch Menschen!

ALLE *(aufschreiend)*: Wir sind doch Menschen! ALLE *(leis, als ob sie lächelten)*: Wir sind doch Menschen!

*(Stille.)*

FRIEDRICH: Nun, ihr Brüder, rufe ich euch zu: Marschiert! Marschiert am lichten Tag! Nun geht hin zu den Machthabern und kündet ihnen mit brausenden Orgelstimmen, daß ihre Macht ein Truggebilde sei. Geht hin zu den Soldaten, sie

sollen ihre Schwerter zu Pflugscharen schmieden. Geht hin zu den Reichen und zeigt ihnen ihr Herz, das ein Schutthaufen ward. Doch seid gütig zu ihnen, denn auch sie sind Arme, Verirrte. Aber zertrümmert die Burgen, zertrümmert lachend die falschen Burgen, gebaut aus Schlacke, aus ausgedörrter Schlacke. Marschiert – marschiert am lichten Tag. Brüder, recket zermarterte Hand / Flammender freudiger Ton! / Schreite durch unser freies Land / Revolution! Revolution!
*(Alle stehen nun aufrecht, die Hände gereckt.*
*Dann fassen sie sich an den Händen und schreiten davon.)*
ALLE: Brüder recket zermarterte Hand,
        Flammender freudiger Ton!
        Schreite durch unser freies Land
        Revolution! Revolution!

*(Die Bühne schließt sich.)*

freedom – freedom of soul = spirit /
                    freedom of person

he encourages revolution –
works people into this state of
mind. Reverse psychology.
"you're not real people"
        "oh yes we are! + we'll
prove it!"

61

# Masse Mensch

*Ein Stück aus der sozialen Revolution
des 20. Jahrhunderts*

Die erste Niederschrift entstand im Oktober 1919,
im ersten Jahr der deutschen Revolution.
Festungsgefängnis Niederschönenfeld.

Weltrevolution.
Gebärerin des neuen Schwingens.
Gebärerin der neuen Völkerkreise.
Rot leuchtet das Jahrhundert
Blutige Schuldfanale.
Die Erde kreuzigt sich.

Den Proletariern

# Erstes Bild

*(Hinterzimmer einer Arbeiterschenke.*
*An getünchten Wänden Kriegervereinsbilder und Porträts*
*von Heroen der Masse. In der Mitte ein klotziger Tisch, um*
*den* eine Frau *und* die Arbeiter *sitzen.)*
ERSTER ARBEITER: Flugblätter sind verteilt,
Im großen Saal Zusammenkunft. –
Frühzeitig schließen morgen die Fabriken.
Die Massen gären.
Morgen wird Entscheidung.
Bist du bereit, Genossin?
DIE FRAU: Ich bins.
Mit jedem Atem wächst mir Kraft –
Wie sehnt ich diese Stunde,
Da Herzblut Wort und Wort zur Tat wird.
Lähmung befiel mich oft – zusammen krallt ich
Meine Hände vor Zorn und Scham und Qual.
Gröhlen die verruchten Blätter Sieg –
Packen Millionen Fäuste mich . . .
Und gellen: Du bist schuldig, daß wir sterben!
Ja, jedes Pferd, deß Flanken zitternd schäumen,
Klagt stumm mich an – klagt an. –
Daß morgen ich Fanfare jüngsten Tages gellte,
Da mein Gewissen brandet in den Saal –
Bin *ich* es noch, die Streik verkünden wird?
Mensch ruft Streik, Natur ruft Streik!
Mir ists, als bellts der Hund, der an mir aufspringt,
Betrete ich mein Haus . . .
Als gischtet Streik der Strom!
Mein Wissen ist so stark. Die Massen
Auferstanden frei vom Paragraphenband
Der feisten Herrn am grünen Tisch,
Armeen der Menschheit werden sie mit wuchtender Gebärde
Das Friedenswerk zum unsichtbaren Dome türmen.

Die rote Fahne, . . . Fahne des Anbruchs,
Wer trägt sie voran?
ZWEITER ARBEITER: Du! Dir folgen sie.
*(Stille flackert.)*
DIE FRAU: Daß nur die Mittler schweigen!
Du glaubst, die Polizei ist ohne Kunde?
Wenn Militär den Saal mit Ketten fesselt?
ERSTER ARBEITER: Die Polizei ist ohne Kunde. Und wenn sies
weiß,
So weiß sie nicht den wahren Zweck. –
Umfängt die Massen erst der Saal,
Sind sie gewaltige Flut, die keine Polizei
Zu Parkfontänen ruhig plätschernd formt.
Und dann: die Polizei wagt nicht mehr vollen Einsatz,
Zersetzung fraß den Rausch des Machtgefühls
Die Regimenter aber stehn zu uns –
Soldatenräte überall!
Morgen wird Entscheidung, Genossin.
*(Es klopft.)*
ERSTER ARBEITER: Verraten!
ZWEITER ARBEITER: Sie dürfen dich nicht fangen.
ERSTER ARBEITER: Nur eine Tür.
ZWEITER ARBEITER: Durchs Fenster!
ERSTER ARBEITER: Das Fenster stürzt in einen Lichtschacht.
DIE FRAU: So nah dem Kampf . . .
*(Es klopft stärker. Die Tür öffnet sich. Der Mann, Mantel-
kragen hoch aufgeschlagen, kommt hinein, blickt sich schnell
um, hebt den Hut aus steifem Filz.)*
DIE FRAU: Ein . . . Freund und nichts zu fürchten . . .
Du kommst zu mir,
Du findest mich.
DER MANN: Ich wünsche guten Abend.
*(Leise.)*
Ich bitte mich nicht vorzustellen.
Kann ich dich sprechen?
DIE FRAU: Genossen . . .

68

DIE ARBEITER: Gute Nacht.

Auf Morgen.

DIE FRAU: Gute Nacht, auf Morgen.

DER MANN: Klar wird dir sein,
Ich komm nicht her als Helfer.

DIE FRAU: Verzeih den Traum der blühenden Sekunden.

DER MANN: Bedrohte Ehre zwang den Schritt hierher.

DIE FRAU: Bin ich der Anlaß? Seltsam.
Ists Ehre bürgerlichen Standes?
Ward abgestimmt? Droht Mehrheit
Dich aus ihren Reihen auszuschließen?

DER MANN: Ich bitte, laß das Scherzen.
Die Rücksichtnahme, die dir fremd, ist mir Gebot.
Für mich besteht die sachlich strenge Ehrensatzung . . .

DIE FRAU: Die euch zu Formeln prägt.

DER MANN: Die Unterordnung, Selbstzucht heischt . . .
Du nimmst nicht teil an meinen Worten . . .

DIE FRAU: Ich sehe deine Augen.

DER MANN: Verwirr mich nicht.

DIE FRAU: Du . . . du . . .

DER MANN: Um kurz zu sein,
Ich setze Riegel vor dein Wirken.

DIE FRAU: Du . . .

DER MANN: Drang nach sozialer Tätigkeit
Kann auch Befriedigung in unserm Kreise finden.
Ich nenne: Heim unehelich geborner Kinder.
Gedanke liegt dem Arbeitsfeld zugrunde,
Der Zeuge ist für die Kultur, von dir verspottet.
Selbst deine sogenannten Arbeitergenossen
Verachten Mütter ohne Ehe.

DIE FRAU: Nur weiter . . . weiter . . .

DER MANN: Du bist nicht frei in deinem Handeln.

DIE FRAU: Ich bin frei . . .

DER MANN: Annehmen darf ich ein gewisses Maß von Rücksicht,
Wenn nicht von deiner Einsicht, so von deinem Takt.

DIE FRAU: Ich kenne Rücksicht nur aufs Werk,
Dem diene ich, dem, hörst du, muß ich dienen.
DER MANN: Zergliedern will ich:
Wunsch nach äußerer Tätigkeit bestimmt dein Tun –
Wunsch, geboren aus verschiedenen Motiven.
Es liegt mir der Gedanke fern,
Daß diese Wünsche unedler Natur.
DIE FRAU: Wie du mir wehe tust mit jedem Wort ...
Kennst du die Bilder der Madonnen
In bäuerlichen Häusern?
Durchbohrt von Schwertern blutet Herz in dunklen Tränen.
Ihr häßlichen, ihr rührend frommen Drucke ...
So einfältig und groß ...
Du ... Du ...
Sprachst du von Wünschen?
Ich weiß ... Schlucht gräbt sich zwischen uns ...
Nicht Wunsch hat mein Geschick gewendet,
Not wars ... Not aus Menschsein,
Not aus meiner tiefsten Fülle.
Not wendet, höre, Not wendet!
Nicht Laune, Spiel der Langeweile,
Not aus Menschsein wendet.
DER MANN: Not? Hast du ein Recht
Von Not zu sprechen?
DIE FRAU: Mann ... du ... laß mich ...
Nun halt ich deinen Kopf ...
Nun küß ich deine Augen ...
Du ...
Sprich nicht weiter ...
DER MANN: Fern liegt mir dich zu quälen ...
Der Ort ... Man kann uns nicht belauschen?
DIE FRAU: Und hört uns ein Genosse,
Sie haben Taktgefühl auch ohne Ehrensatzung.
Oh, wenn du sie verstündest, Hauch nur spürtest ihrer Not.
Not ... die unsre ist ... sein muß!
Erniedrigt habt ihr sie ...

70

Erniedrigend euch selbst geschändet,
Zu eignen Henkern wurdet ihr . . .
Sperr das Mitleid deiner Augen!
Ich bin nicht nervenkrank,
Bin nicht sentimental.
Weil ichs nicht bin, gehöre ich zu ihnen.
O eure jämmerlichen Stunden für soziales Tun bestimmt,
Beschwichtigung aus Eitelkeit und Schwäche.
Kameraden sind, die schämen sich für euch,
Wenn sie nicht . . . hell auflachen . . .
Siehst du, wie ich jetzt lache.
DER MANN: So magst du alle Wahrheit wissen.
Man weiß . . . Behörde weiß von dir.
Ich leistete den Staatseid . . . Frau.
Der Referent für Personalia ist unterrichtet,
Fortkommen im Beruf wär ausgeschlossen.
DIE FRAU: Und . . .?
DER MANN: Ich sag dir rücksichtslos,
Ich zieh die Konsequenzen,
Die . . . sei versichert,
Auch mein Gefühl berühren würden . . .
Zumal du neben dem Beruf des Gatten
Das Staatswohl schädigst . . .
Du unterstützt den innren Feind.
Damit ist Scheidungs-Tatbestand gegeben.
DIE FRAU: Dann freilich . . . wenn ich dich schädige,
Dir im Wege hemmend stehe . . .
DER MANN: Noch wäre Zeit.
DIE FRAU: Dann freilich . . .
Dann . . . bin ich bereit . . .
Ich trag die Schuld . . .
Hab keine Angst, Prozeß wird dich nicht schädigen
Du . . .
Du . . . meine Arme weiten sich dir
In großer Not.
Du, mein Blut blüht dir . . .

Sieh, ich werde welkes Blatt ohne dich.
Du bist der Tau, der mich entfaltet.
Du bist der Sturm, deß märzne Kraft
Brandfackeln wirft in dürstendes Geäder . . .
Nächte waren, Rufe schwellender Knaben,
Die sich bäumen in ihres Blutes Reife . . .
Trag mich fort, in Wiesen, Park, Alleen,
Demütig will ich deine Augen küssen . . .
Ich glaube, ich werde schwach sein
Ohne dich . . . grenzenlos . . .
Verzeih, ich wars nur eben.
Ich sehe klar die Lage, gerechtfertigt dein Tun.
Denn siehe, morgen steh ich vor den Massen –
Morgen spreche ich zu ihnen.
Morgen werde ich dem Staat, dem Eid du schwurst
Die Maske von der Mörderfratze reißen . . .
DER MANN: Dein Tun ist Staatsverrat!
DIE FRAU: Dein Staat führt Krieg,
Dein Staat verrät das Volk!
Dein Staat ausbeutet, drückt, bedrückt,
Entrechtet Volk.
DER MANN: Staat ist heilig . . . Krieg sichert Leben ihm.
Friede ist Phantom von Nervenschwachen.
Krieg ist nichts als unterbrochner Waffenstillstand,
In dem der Staat, bedroht vom äußren Feind,
Bedroht vom innren Feind, beständig lebt.
DIE FRAU: Wie kann ein Leib von Pest und Brand zerfressen
    leben?
Sahst du den nackten Leib des Staates?
Sahst du die Würmer daran fressen?
Sahst du die Börsen, die sich mästen
Mit Menschenleibern?
Du sahst ihn nicht . . . ich weiß du schwurst dem Staate Eid,
Tust deine Pflicht und dein Gewissen ist beruhigt.
DER MANN: Bedeutet der Entscheid dein letztes Wort?
DIE FRAU: Bedeutet letztes Wort.

DER MANN: Gute Nacht!
DIE FRAU: Gute Nacht.
*(Da der Mann gehen will.)*
DIE FRAU: Ich darf mit dir gehen?
Zum letzten Male heut . . .
Oder bin ich schamlos?
Oder bin ich schamlos . . .
Schamlos in meinem Blut . . .
*(Frau folgt dem Mann.)*

*(Die Bühne verdunkelt sich.)*


## Zweites Bild
*(Traumbild)*


*(Angedeutet: Saal der Effektenbörse. Am Pult Schreiber, um ihn Bankiers und Makler. Schreiber: Antlitz des Mannes.)*
SCHREIBER: Ich notiere.
ERSTER BANKIER: Waffenwerke
350.
ZWEITER BANKIER: Ich überbiete
400.
DRITTER BANKIER: 400
Biete an.
*(Der vierte Bankier zerrt den dritten nach vorn. Im Hintergrund Gemurmel der Bietenden und Verkaufenden.)*
VIERTER BANKIER ZUM DRITTEN: Gehört?
Rückzug
Notwendig.
Große Offensive
Wird mißlingen.
DRITTER BANKIER: Reserven?
VIERTER BANKIER: Menschenmaterial
Wird schlecht.

73

DRITTER BANKIER: Ernährung ungenügend?

VIERTER BANKIER: Auch das.

Obwohl
Professor Ude
Meint,
Daß Roggen,
Nach Prozentsatz 95
Ausgemahlen,
Schlemmernahrung
Ist.

DRITTER BANKIER: Die Führung?

VIERTER BANKIER: Ausgezeichnet.

DRITTER BANKIER: Nicht Alkohol genug?

VIERTER BANKIER: Die Schnapsfabriken
Brennen
Unter Hochdruck.

DRITTER BANKIER: Was fehlt?

VIERTER BANKIER: Der General
Hat 93 Professoren
Ins Hauptquartier berufen.
Auch unsre Koriphäe
Geheimrat Gluber.
Man munkelt Resultate.

DRITTER BANKIER: Die sind?

VIERTER BANKIER: In bürgerlichen Sphären
Zu verhüllen.

DRITTER BANKIER: Schwächt Männerliebe
Die Soldaten?

VIERTER BANKIER: Merkwürdig nein.
Mann haßt Mann.
Es fehlt.

DRITTER BANKIER: Es fehlt? . . .

VIERTER BANKIER: Mechanik
Alles Lebens
Wurde offenbart.

DRITTER BANKIER: Es fehlt?

VIERTER BANKIER: Masse braucht Lust.
DRITTER BANKIER: Es fehlt? . . .
VIERTER BANKIER: Die Liebe.
DRITTER BANKIER: Das genügt!
So ist der Krieg
Als unser Instrument,
Das mächtige gewaltge Instrument,
Das Könige und Staaten,
Minister, Parlamente,
Presse, Kirchen
Tanzen läßt,
Tanz über Erdball,
Tanz über Meere,
Verloren?
Sprechen Sie: Verloren?
Ist das Bilanz?
VIERTER BANKIER: Sie kalkulieren schlecht.
Die Fehlerquelle ist erkannt.
Wird ausgeglichen.
DRITTER BANKIER: Wodurch?
VIERTER BANKIER: Auf internationalem Weg.
DRITTER BANKIER: Ist das bekannt?
VIERTER BANKIER: Im Gegenteil.
Wird vaterländisch echt frisiert
Und unabhängig
Von Valuta.
DRITTER BANKIER: Auch gut fundiert?
VIERTER BANKIER: Konzern der größten Banken
Leitet Unternehmen.
DRITTER BANKIER: Der Profit?
Die Dividende?
VIERTER BANKIER: Wird regelmäßig ausgeschüttet.
DRITTER BANKIER: Die Form des Unternehmens gut.
Doch Inhalt?
VIERTER BANKIER: Die Maske heißt Erholungsheim
Zur Siegeswillenstärkung.

Der Inhalt:
Staatliches Bordell.
DRITTER BANKIER: Grandios!
Ich zeichne 100 000.
Noch eine Frage,
Wer ordnet die Dynamik?
VIERTER BANKIER: Erfahrene Generäle,
Beste Kenner
Erprobten Reglements.
DRITTER BANKIER: Der Plan
Entworfen?
VIERTER BANKIER: Nach Reglement,
Wie ich schon sagte.
Drei Preise.
Drei Kategorien.
Bordell für Offiziere:
Aufenthalt die Nacht.
Bordell für Korporäle:
Eine Stunde.
Mannschaftsbordell:
15 Minuten.
DRITTER BANKIER: Ich danke.
Wann wird der Markt eröffnet?
VIERTER BANKIER: Jeden Augenblick.
*(Im Hintergrund Lärm.*
*Dritter und vierter Bankier nach hinten.)*
DER SCHREIBER: Zugelassen neu:
Die nationale Aktie
Kriegserholungsheim
A.G.
ERSTER BANKIER: Ich habe keinen Auftrag.
ZWEITER BANKIER: Die Dividende lockt mich nicht.
DRITTER BANKIER: Ich zeichne 100 000
Nennwert.
SCHREIBER: Ich notiere.
VIERTER BANKIER: Die gleiche Anzahl.

DER ERSTE ZUM ZWEITEN BANKIER: Der Kühle zeichnet . . .
Was meinen Sie? . . .
ZWEITER BANKIER: Soeben Telegramm:
Die Schlacht im Westen
Verloren . . .
ERSTER BANKIER: Meine Herren!
Die Schlacht im Westen ist verloren!
*(Rufe, Geschrei, Kreischen.)*
STIMMEN: Verloren!
STIMME: Waffenwerke
Biete an
Zu 150.
STIMME: Flammenwerfer Trust
Ich biete an.
STIMME: Kriegsgebetbuch m.b.H.
Ich biete an.
STIMME: Giftgaswerke
Biete an.
STIMME: Kriegsanleihe
Biete an.
DRITTER BANKIER: Ich zeichne nochmals
100 000.
STIMME: Hoho . . .
Bei dieser Baisse? . . .
STIMME: Wer sagte, daß die Schlacht verloren?
STIMME: Ist wahr die Nachricht?
Oder Börsencoup?
Der Kühle
Zeichnet Zweimalhunderttausend.
ZWEITER BANKIER: Schiebung!
Ich kaufe.
150.
STIMME: Ich überbiete.
200.
STIMME: Ich kaufe.
300.

STIMME: Wer bietet an?

400.

Ich kaufe.

SCHREIBER: Ich notiere.

VIERTER ZUM DRITTEN BANKIER: Der Fuchs errät . . .

DRITTER BANKIER: Verzeihen Sie die Frage.

Unser stärkstes Instrument

Gerettet?

VIERTER BANKIER: Wie können Sie nur zweifeln?

Mechanik alles Lebens

Ist so einfach –

Ein Leck war da . . .

Es ist entdeckt

Und schnell verstopft.

Die Baisse

Oder Hausse heute

Ist nebensächlich.

Das Wesentliche:

Mechanisches Gesetz stabil.

Die Folge:

Das System gerettet.

SCHREIBER: Ich notiere.

*(Der Begleiter tritt ein. Sein Gesicht: ein Verwobensein von Zügen des Todes und Zügen angespanntesten Lebens. Er führt die Frau.)*

DER BEGLEITER: Meine Herrn,

Sie notieren zu voreilig.

Blut und System!

Mensch und System!

Der Satz ist brüchig.

Ein Fußtritt,

Und die Mechanik

Ist zerbrochnes

Kinderspielzeug.

Achtung!

*(Zur Frau.)*

Sprich Du!
DIE FRAU *(leise)*: Meine Herren:
Menschen.
Ich wiederhole:
Menschen!
*(Die Begleiter und die Frau verblassen. Jähe Stille.)*
DRITTER BANKIER: Hörten Sie?
Ein Grubenunglück,
Scheints.
Menschen in Not.
VIERTER BANKIER: Ich schlage vor:
Wohltätigkeitsfest.
Tanz
Ums Börsenpult.
Tanz
Gegen Not.
Erlös
Den Armen.
Wenns gefällig ist,
Ein Tänzchen,
Meine Herrn.
Ich spende:
Eine Aktie
Kriegserholungsheim
A.-G.
STIMME: Doch Weiber?
VIERTER BANKIER: Soviel
Sie wollen.
Man befehle
Dem Portier:
Fünfhundert
Raffinierte Mädchen
Her!
Inzwischen . . .
DIE BANKIERS: Wir spenden!
Wir tanzen!

Erlös
Den Armen!
*(Musik klappernder Goldstücke. Die Bankiers im Zylinder
tanzen einen Foxtrott um das Börsenpult.)*

*(Die Bühne verdunkelt sich.)*


# Drittes Bild


*(Die Bühne bleibt dunkel.)*
MASSENCHÖRE *(wie aus der Ferne)*:
Wir ewig eingekeilt
In Schluchten steiler Häuser.
Wir preisgegeben
Der Mechanik höhnischer Systeme.
Wir antlitzlos in Nacht der Tränen.
Wir ewig losgelöst von Müttern,
Aus Tiefen der Fabriken rufen wir:
Wann werden Liebe wir leben?
Wann werden Werk wir wirken?
Wann wird Erlösung uns?
*(Die Bühne erhellt sich. Großer Saal.*
*Auf der Tribüne ein langer schmaler Tisch. Links sitzt die*
*Frau. Im Saal Arbeiter und Arbeiterinnen dicht gedrängt.)*
GRUPPE JUNGER ARBEITERINNEN: Und Schlacht speit neue
    Schlacht!
Kein Zaudern mehr mit jenen Herren,
Nicht Schwanken und nicht schwachen Pakt.
Einer Schar Genossen Auftrag:
In die Maschinen Dynamit.
Und morgen fetzen die Fabriken in die Luft.
Maschinen pressen uns wie Vieh in Schlachthaus,
Maschinen klemmen uns in Schraubstock,

Maschinen hämmern unsre Leiber Tag für Tag
Zu Nieten . . . Schrauben . . .
Schrauben . . . drei Millimeter . . . Schrauben . . . fünf Milli-
 meter,
Dörren unsre Augen, lassen Hände uns verwesen
Bei lebendigem Leibe . . .
Nieder die Fabriken, nieder die Maschinen!
VEREINZELTE RUFE IM SAAL: Nieder die Fabriken, nieder die
 Maschinen!
*(Am Tisch auf der Tribüne erhebt sich die Frau.)*
DIE FRAU: Einst Blinde noch und angefallen
Von Marterkolben saugender Maschinen,
Verzweifelt schrie ich jenen Ruf.
Es ist ein Traum, der eure Blicke hemmt,
Ein Traum von Kindern, die vor Nacht erschreckt.
Denn seht: Wir leben zwanzigstes Jahrhundert.
Erkenntnis ist:
Fabrik ist nicht mehr zu zerstören.
Nehmt Dynamit der ganzen Erde,
Laßt eine Nacht der Tat Fabriken sprengen,
Im nächsten Frühjahr wärn sie auferstanden
Und lebten grausamer als je.
Fabriken dürfen nicht mehr Herr,
Und Menschen Mittel sein.
Fabrik sei Diener würdigen Lebens!
Seele des Menschen bezwinge Fabrik!
GRUPPE JUNGER ARBEITER: So sollen die und wir verkommen.
Sieh unsre Worte zerstriemen sich in Wut und Rache.
Die Herren bauen sich Paläste,
Da Brüder in den Schützengräben faulen.
Und Tanz quillt auf und Wiesen, bunte Spiele,
In Nächten lesen wir davon und heulen auf!
Und Sehnsucht ist in uns nach Wissen . . .
Das Höchste nahmen sie,
Und es ward böse.
Nur manchmal in Theatern springt es uns entgegen

Und ist so zart . . . und schön . . . und höhnisch wieder!
In Schulen haben unsre Jugend sie zerstört,
In Schulen unsre Seelen zerbrochen.
Einfache Not ists, die wir rufen . . .
Riecht wohl – diese Not gebeizter Dämpfe!
Wer sind wir heute?
Wir *wollen* nicht warten!
EINE GRUPPE VON LANDARBEITERN: Verstoßen hat man uns
   von unsrer Mutter Erde,
Die reichen Herren kaufen Erde sich wie feile Dirnen,
Belustgen sich mit unsrer gnadenreichen Mutter Erde,
Stoßen unsre rauhen Arme in Rüstungsfabriken.
Wir aber siechen, von Scholle entwurzelt,
Die freudlosen Städte zerbrechen unsre Kraft.
Wir wollen Erde!
Allen die Erde!
MASSE IM SAAL: Allen die Erde!
DIE FRAU: Durch die Quartiere ging ich.
Von Schindeldächern tropfte grauer Regen,
An Stubenwänden schossen Pilze aus der Feuchte.
Und eine Kammer traf ich, saß darin ein Invalide,
Der stotterte: »da draußen war es besser fast . . .
Hier leben wir im Schweinekober . . .
Nicht wahr . . . im Schweinekober?« . . .
Und schamhaft Lächeln fiel aus seinen Augen.
Und mit ihm schäm ich mich.
Den Ausweg, Brüder, wollt ihr wissen?
Ein Ausweg bleibt uns Schwachen,
Uns Hassern der Kanonen.
Der Streik! kein Handschlag mehr.
Streik unsre Tat!
Wir Schwachen werden Felsen sein der Stärke,
Und keine Waffe ist gebaut, die uns besiegen könnte.
Ruft unsre stummen Bataillone!
Ich rufe Streik!
Hört ihr:

Ich rufe Streik!
Der Moloch frißt das sechste Jahr die Leiber,
Auf Straßen brechen Schwangere zusammen,
Vor Hunger sind sie nicht mehr fähig,
Zu tragen Last der Ungebornen.
In euren Stuben stiert die Not,
Stiert Seuche, Wahnsinn, Hunger, grüner Hunger.
Dort aber, schaut nach dort:
Die Börsen speien Bacchanalien,
Sekt überströmt errungene Siege,
Wollüstig Prickeln tanzt Geschehen
Um goldene Altäre. Und draußen?
Saht ihr das fahle Antlitz eurer Brüder?
Fühlt ihr die Leiber,
Klamm im abendlichen
Feuchten Frost?
Riecht ihr Verwesung Hauch?
Hört ihr die Schreie? frage ich.
Hört ihr den Ruf?
»Die Reihe ist an euch!
Wir angekettet an Kanonenrohre,
Ohnmächtige wir,
Wir schrein euch zu:
Ihr! seid uns Helfer!
*Ihr: seid die Brücke!!*«
Hört ihr! Ich rufe Streik!
Wer weiter Rüstungswerkstatt speist,
Verrät den Bruder. Was sage ich: verrät?
Er tötet eignen Bruder.
Und Frauen ihr!
Kennt ihr Legende jener Weiber,
Die ewig fruchtlos,
Weil sie Waffen mitgeschmiedet?
Denkt eurer Männer draußen!
Ich rufe Streik!
MASSE IM SAAL: Wir rufen Streik!

Wir rufen
*Streik!*
*(Aus der Masse im Saal eilt der Namenlose auf die Tribüne,*
*stellt sich rechts an den Tisch.)*
DER NAMENLOSE: Wer Brücke bauen will,
Muß auch für Pfosten sorgen.
Streik ist heute Brückensteg, dem Pfosten fehlen.
Wir brauchen mehr als Streik.
Das Kühnste angenommen.
Durch Streik erzwingt ihr Frieden,
*Einen* Frieden.
Schafft Ruhepause nur. Nicht mehr.
Der Krieg muß enden
In alle Ewigkeit!
Doch vorher letzten, rücksichtslosen Kampf!
Was nützts, wenn ihr den Krieg beendet?
Auch Friede, den ihr schafft,
Läßt euer Los unangetastet.
Hie Friedensmaske, altes Los!
Hie Kampf und neues Los!
Ihr Toren, brecht die Fundamente,
Brecht Fundamente! rufe ich.
Dann mag die Sintflut
Das verweste Haus, durch goldne Ketten
Vor Verfall bewahrt, fortschwemmen.
Wir bauen wohnlicher System.
Den Arbeitern gehören die Fabriken
Und nicht dem Monsieur Kapital.
Vorbei die Zeit, da er auf unsern krummen Rücken
Nach fernen Schätzen gierig Umschau hielt
Und fremdes Volk versklavte, Kriege sann,
Papierne Lügenmäuler kreischen ließ:
»Fürs Vaterland! Fürs Vaterland!«
Doch immer mitschwang wahre Melodie:
»Für mich! Für mich!«
Vorbei die Zeit!

Ein Ruf der Massen aller Länder:
Den Arbeitern gehören die Fabriken!
Den Arbeitern die Macht!
Alle für Alle!
Ich rufe mehr als Streik!
Ich rufe: Krieg!
Ich rufe: Revolution!
Der Feind dort oben hört
Auf schöne Reden nicht.
Macht gegen Macht!
Gewalt . . . Gewalt!
EINE STIMME: Waffen!
DER NAMENLOSE: Ja, nur Waffen braucht ihr!
Drum holt sie euch, erstürmt das Stadthaus!
Der Kampfruf: Sieg!
DIE FRAU: Hört mich!
Ich will . . .
DER NAMENLOSE: Schweigen Sie, Genossin!
Mit Händedruck, Gebet und brünstgen Bitten
Erzeugt man keine Kinder.
Schwindsüchtge werden nicht gesund durch Wassersuppen,
Zum Bäumefällen brauchts die Axt.
DIE FRAU: Hört mich . . .
Ich will nicht neues Morden.
DER NAMENLOSE: Schweigen Sie, Genossin.
Was wissen Sie?
Sie fühlen unsre Not, ich geb es zu.
Doch waren Sie zehn Stunden lang im Bergwerk,
In blinden Kammern Kinder heimatlose,
Zehn Stunden Bergwerk, abends jene Kammern,
So Tag für Tag das Los der Massen?
Sie sind nicht Masse!
Ich bin Masse!
Masse ist Schicksal.
MASSE IM SAAL: Ist Schicksal . . .
DIE FRAU: Doch überlegen Sie,

Masse ist ohnmächtig.

Masse ist schwach.

DER NAMENLOSE: Wie fern Sie der Erkenntnis sind!

Masse ist Führer!

Masse ist Kraft!

MASSE IM SAAL: Ist Kraft.

DIE FRAU: Gefühl zwängt mich in Dunkel,

Doch mein Gewissen schreit mir: Nein!

DER NAMENLOSE: Schweigen Sie, Genossin!

Der Sache willen.

Was gilt der Einzelne,

Was sein Gefühl,

Was sein Gewissen?

Die Masse gilt!

Bedenken Sie: ein einzger blutiger Kampf

Und ewig Frieden.

Kein Maskentand, wie früher Frieden,

Wo unter Hülle Krieg,

Krieg der Starken gegen Schwache,

Krieg der Ausbeutung, Krieg der Gier.

Bedenken Sie: aufhört das Elend!

Bedenken Sie: Verbrechen werden Märchen,

An Morgenhorizonten leuchtet Freiheit aller Völker!

Glauben Sie, daß leicht ich rate?

Krieg ist Notwendigkeit für uns.

Ihr Wort bringt Spaltung,

Um der Sache willen

Schweigen Sie.

DIE FRAU: Du . . . bist . . . Masse

Du . . . bist . . . Recht

DER NAMENLOSE: Die Brückenpfosten eingerammt,
  Genossen!

Wer in den Weg sich stellt, wird überrannt.

Masse ist Tat!

MASSE IM SAAL *(hinaus stürmend)*: Tat!!!

*(Die Bühne verdunkelt sich.)*

# Viertes Bild
### (Traumbild)

*(Angedeutet hochummauerter Hof. Nacht. In der Mitte des Hofes auf der Erde eine Laterne, die ein kümmerliches Licht tränt. Aus den Hofwinkeln tauchen Arbeiter-Wachen auf.)*

ERSTE WACHE *(singt)*: Meine Mutter
Hat mich
Im Graben geboren.
Lalala la
Hm, Hm,
ZWEITE WACHE: Mein Vater
Hat mich
Im Rausche verloren.
ALLE WACHEN: Lalala la
Hm, Hm,
DRITTE WACHE: Drei Jahre
War ich
Im Zuchthaus geschoren.
ALLE WACHEN: Lalala la
Hm, Hm,
*(Von irgendwo nähert sich mit gespenstigen lautlosen Schritten der Namenlose. Stellt sich neben die Laterne.)*
ERSTE WACHE: Herr Vater
Vergaß
Aliment zu zahlen.
ALLE WACHEN: Lalala la
Hm, Hm,
ZWEITE WACHE: Meine Mutter
Trippelt
Den Strich in Qualen.
ALLE WACHEN: Lalala la
Hm, Hm,
DRITTE WACHE: Ich störte
Bürger
Bei Königswahlen.

ALLE WACHEN: Lalala la
Hm, Hm,
DER NAMENLOSE: Zum Tanz!
Ich spiele auf!
DIE WACHEN: Halt!!
Wer bist du?
DER NAMENLOSE: Fragt ich
Nach eurem Namen,
Namenlose?
DIE WACHEN: Parole?
DER NAMENLOSE: Masse ist namenlos!
DIE WACHEN: Ist namenlos.
Der Unsern einer.
DER NAMENLOSE: Ich spiele auf.
Ich Melder
Der Entscheidung.
*(Der Namenlose beginnt auf einer Harmonika zu spielen. In aufpeitschenden, bald sinnlich sich wiegenden, bald stürmischen Rhythmen. Verurteilter, einen Strick um den Hals, tritt aus dem Dunkel.)*
VERURTEILTER: Im Namen
Der zum Tode
Verurteilten:
Wir bitten letzte
Gnade:
Einladung zum Tanz.
Tanz ist der Kern
Der Dinge.
Leben,
Aus Tanz geboren,
Drängt
Zum Tanz.
Zum Tanz der Lust,
Zum Totentanz
Der Zeit.
DIE WACHEN: Verurteilten

Soll man
Die letzte Bitte
Stets erfüllen:
Eingeladen.

NAMENLOSER: Nur her!
Die Farbe
Bleibt sich gleich.

VERURTEILTER *(ruft ins Dunkel)*: Die zum Tode
Verurteilten
Antreten!
Zum letzten Tanz!
Gefaßte Särge
Stehen lassen.

*(Die Verurteilten, Strick um den Hals, treten aus dem Dunkel. Wachen und Verurteilte tanzen um den Namenlosen.)*

DIE WACHEN *(singend)*: Im Graben geboren.

*(Tanzen weiter. Nach kurzer Pause.)*

DIE WACHEN *(singend)*: Im Rausche verloren.

*(Tanzen weiter. Nach kurzer Pause.)*

DIE WACHEN *(singend)*: Im Zuchthaus geschoren.

*(Tanzen weiter.*

*Der Namenlose bricht jäh ab. Die Dirnen und die zum Tode Verurteilten laufen in die Ecke des Hofes. Nacht frißt sie. Die Wachen postieren sich.*

*Stille windet sich um den Namenlosen. Durch die Mauer ist der Begleiter in Gestalt eines Wachmannes getreten. Preßt das Weib [Antlitz der Frau] an sich.)*

DER BEGLEITER: Die Wanderung
Beschwerlich.
Effekt
Belohnt die Müh.
Schau dorthin:
Sogleich
Beginnt das Drama.
Lockt dich die Sensation,
Spiel mit.

*(Eine Wache bringt den Gefangenen. [Antlitz des Mannes]*
*führt ihn zum Namenlosen.)*

DER NAMENLOSE: Vom Tribunal
Verurteilt?

EINE WACHE: Sprach selbst
Sich Tod:
Er schoß auf uns.

DER GEFANGENE: Tod?

DER NAMENLOSE: Erschrickst du?
Höre zu:
Wache! Gib Antwort!
Wer lehrte
Todesurteil?
Wer gab Waffen?
Sagte »Held« und »gute Tat«?
Wer heiligte Gewalt?

DIE WACHE: Schulen.
Kasernen.
Krieg.
Immer.

DER NAMENLOSE: Gewalt . . . Gewalt.
Warum geschossen?

DER GEFANGENE: Ich schwur
Dem Staate Eid.

DER NAMENLOSE: Du stirbst
Für deine Sache.

DIE WACHEN: An die Mauer!

DER NAMENLOSE: Gewehre geladen?

DIE WACHEN: Geladen . . .

DER GEFANGENE *(an der Mauer)*: Leben!
Leben!

*(Weib reißt sich vom Begleiter los.)*

WEIB: Nicht schießen!
Der dort mein Mann!
Vergebt ihm,
Wie ich ihm demütig vergebe.

90

Vergeben ist so stark
Und jenseits allen Kampfes.
DER NAMENLOSE: Vergeben
Die uns?
WEIB: *Kämpfen*
*Die für Volk?*
*Kämpfen*
*Die für Menschheit?*
DER NAMENLOSE: Die Masse gilt.
DIE WACHEN: An die Mauer!
EINE WACHE: Vergeben ist Feigheit.
Gestern entfloh ich
Den Feinden drüben.
An der Mauer schon stand ich.
Den Leib zerstriemt.
Neben mir der Mann,
Der mich
Erschlagen sollte.
Mein Grab
Mußt ich graben
Mit eigner Hand.
Vor uns
Der Photograph,
Begierig,
Mord
In seine Platte einzubrennen.
Ich scheiß auf die
Revolution,
Wenn wir uns
Äffen lassen
Von den höhnischen Mördern
Drüben.
Ich scheiß auf die
Revolution!
DIE WACHEN: An die Mauer!
*(Das Antlitz des Gefangenen verwandelt sich in das Einer*

*Wache. Die Frau zu Einer Wache.)*
DIE FRAU: Gestern standst du
An der Mauer.
Jetzt stehst du
Wieder an der Mauer.
Das bist du,
Der heute
An der Mauer steht.
Mensch
Das bist du.
Erkenn dich doch:
Das bist du.
EINE WACHE: Die Masse gilt.
DIE FRAU: Der Mensch gilt.
ALLE WACHEN: Die Masse gilt.
DIE FRAU: Ich geb
Mich hin . . .
Allen hin . . .
*(Böses Gelächter der Wachen).*
DIE FRAU *(stellt sich neben den Mann)*: So schießt!
Ich sag mich los! . . .
Ich bin so müde . . .

*(Die Bühne verdunkelt sich.)*

# Fünftes Bild

*(Der Saal.*
*Morgengrauen schleicht durch die Fenster. Tribüne von trü-*
*bem Licht erhellt. Am langen Tisch sitzen links die Frau,*
*rechts der Namenlose. An den Türen des Saales Arbeiterwa-*
*chen. Im Saal hocken vereinzelt an Tischen Arbeiter und Ar-*
*beiterinnen.)*
DIE FRAU: Sind Nachrichten gekommen letzte Stunde?

Ich schlief, verzeihen Sie, Genosse.

DER NAMENLOSE: Meldung auf Meldung kommt.

Kampf ist Kampf,

Ist blutiges Kräftespiel und kühl zu wägen.

Vor Mitternacht besetzten wir den Bahnhof.

Um eins war er verloren.

Jetzt rücken Bataillone an

Zum neuen Sturm.

Das Postgebäude ist in unserem Besitz.

In diesem Augenblick

Verkündet Telegramm den Völkern unser Werk.

DIE FRAU: Das Werk! Welch heiliges Wort!

DER NAMENLOSE: Ein heilig Wort, Genossin!

Es fordert erzne Panzer,

Es fordert mehr als Rede heißen Herzens.

Es fordert rücksichtslosen Kampf.

*(Sekundenlang flackernde Stille im Saal.)*

DIE FRAU: Genosse, im Letzten überwind ichs nicht.

Kampf mit Eisenwaffen vergewaltigt.

DER NAMENLOSE: Auch Kampf mit Geisteswaffen vergewaltigt.

Ja, jede Rede vergewaltigt. –

Nicht so bestürzt, Genossin,

Ich packe nackte Dinge.

Dächt ich wie Sie, ich würde Mönch

In jenem Kloster ewigen Schweigens.

*(Stille will sich schwer auf den Saal senken. Erster Arbeiter tritt ein.)*

ERSTER ARBEITER: Ich bringe Meldung.

Wir rückten dreimal gegen den Bahnhof.

Der Platz bäumt sich vor Toten.

Die drüben liegen gut verschanzt,

Mit allen Waffen ausgerüstet,

Mit Flammenwerfern, Minen, giftgen Gasen.

DER NAMENLOSE: Ihr rücktet dreimal an.

Beim viertenmal?

ERSTER ARBEITER: Wir kamen nicht zum viertenmal,
Die drüben wagten Ausfall.
DER NAMENLOSE: Ihr hieltet Stand.
Braucht Ihr Verstärkung?
ERSTER ARBEITER: Wir sind zersprengt.
DER NAMENLOSE: Rückschlag war zu erwarten.
Merk auf – geh in den dreizehnten Bezirk,
Dort liegen die Reserven.
Geh – eile dich.
*(Arbeiter geht.)*
DIE FRAU: Er sprach von Toten.
Viele hundert.
Schrie ich nicht gestern gegen Krieg??
Und heute . . . laß ichs zu,
Daß Brüder in den Tod geworfen? –
DER NAMENLOSE: Ihr Blick ist unklar,
Im Kriege gestern warn wir Sklaven.
DIE FRAU: Und heute?
DER NAMENLOSE: Im Kriege heute sind wir Freie.
*(Stille fiebert.)*
DIE FRAU: In . . . beiden Kriegen . . . Menschen . . .
In . . . beiden Kriegen . . . Menschen . . .
*(Stille taumelt. Zweiter Arbeiter stürzt herein.)*
ZWEITER ARBEITER: Das Postamt verloren!
Die Unsern fliehen!
Feind gibt kein Pardon.
Gefangener Schicksal Tod.
*(Erster Arbeiter eilt herein.)*
ERSTER ARBEITER: Ich komm vom dreizehnten Bezirk,
Vergeblich Mühen.
Die Straßen gesperrt.
Bezirk hat sich ergeben.
Sie liefern Waffen ab.
DRITTER ARBEITER: Die Stadt ist verloren!
Das Werk mißlang!
DIE FRAU: Es mußt mißlingen . . .

DER NAMENLOSE: Noch einmal: Schweigen Sie Genossin!
Das Werk ist nicht mißlungen.
War heute unsere Kraft zu schwach,
Morgen dröhnen neue Bataillone.
VIERTER ARBEITER *(schreit in den Saal)*: Sie rücken an!
O furchtbares Gemetzel. Erschossen meine Frau,
Erschossen mein Vater!
DER NAMENLOSE: Sie starben für die Masse.
Aufrichtet Barrikaden!
Noch sind wir Schützer!
Trächtig ist unser Blut zum Kampf!
Sie sollen kommen!
*(Arbeiter stürmen in den Saal.)*
FÜNFTER ARBEITER: Sie metzeln alles nieder.
Männer, Frauen, Kinder.
Wir liefern uns nicht aus,
Daß sie uns töten eingefangnes Vieh.
Alle metzeln sie nieder, wir müssen uns wehren!
Die jenseits der Grenzen schützte Völkerrecht,
Uns meucheln sie wie ausgebrochne wilde Tiere,
Setzen Prämien auf unsre Leiber. –
Waffen sind uns in Händen.
Gefangene Bürger führen wir mit uns,
Ich gab Befehl, die Hälfte zu erschießen,
Die andere folgt, greift Sturmtrupp an.
DER NAMENLOSE: Ihr rächtet eure Brüder.
Masse ist Rache am Unrecht der Jahrhunderte.
Masse ist Rache.
DIE ARBEITER: Ist Rache!
DIE FRAU: Einhaltet Kampfverstörte!
Ich fall euch in den Arm.
Masse soll Volk in Liebe sein.
Masse soll Gemeinschaft sein.
Gemeinschaft ist nicht Rache.
Gemeinschaft zerstört das Fundament des Unrechts.
Gemeinschaft pflanzt die Wälder der Gerechtigkeit.

Mensch, der sich rächt, zerbricht. –
Die Hälfte ist erschossen!
Die Tat nicht Notwehr.
Blinde Wut! nicht Dienst am Werk.
Ihr tötet Menschen.
Tötet ihr mit ihnen Geist des Staats,
Den ihr bekämpft?
Die draußen schütze ich.
Ich war bereit,
Mein Gewissen zu lähmen,
Der Masse willen.
Ich rufe:
Zerbrecht das System!
Du aber willst die Menschen zerbrechen.
Ich kann nicht schweigen, heute nicht.
Die draußen Menschen,
Im Blute stöhnender Mütter geboren . . .
Menschen ewige Brüder . . .
DER NAMENLOSE: Zum Letzten: Schweigen Sie Genossin!
Gewalt . . . Gewalt . . .
Die drüben schonen unsre Leiber nicht.
Mit frommem Blick ist harter Kampf
Nicht durchzuführen. –
Hört nicht auf diese Frau.
Geschwätz von Weiberröcken.
DIE FRAU: Ich rufe: Haltet ein!
Und Sie . . . wer . . . sind . . . Sie?
Treibt dich entfesselte Wollust des Herrschens
In Käfig gesperrt seit Jahrhunderten?
Wer . . . sind . . . Sie?
Gott . . . wer . . . sind . . . Sie?
Mörder . . . oder . . . Heiland?
Mörder . . . oder . . . Heiland . . .?
Namenloser: Ihr Antlitz?
Sie sind . . .?
DER NAMENLOSE: Masse!

DIE FRAU: Sie . . . Masse!
Ich ertrag Sie nicht!
Die draußen schütze ich.
In vielen Jahren war ich Euch Gefährtin.
Ich weiß . . . Ihr littet mehr als ich . . .
Ich bin in hellen Stuben aufgewachsen,
Litt niemals Hunger,
Hört nie das Wahnsinnslachen der verfaulenden Tapeten.
Doch – fühle ich mit Euch
Und weiß um Euch.
Seht, ich komme bittend Kind.
Ich bringe alle Demut.
Hört auf mich:
Zerbrecht die Fundamente des Unrechts,
Zerbrecht die Ketten der geheimen Knechtschaft,
Doch zerschellt die Waffen der verwesten Zeit.
Zerschellt den Haß! Zerschellt die Rache!
Rache ist nicht Wille zur Umgestaltung,
Rache ist nicht Revolution,
Rache ist Axt, die spaltet
Den kristallnen, glutenden,
Den zornigen erzenen Willen zur Revolution.
DER NAMENLOSE: Wie wagst du Frau aus jenen Kreisen,
Die Stunde der Entscheidung zu vergiften?
Ich höre andern Ton aus deinem Mund.
Du schützest sie, die mit dir aufgewachsen.
Das ist der tiefre Grund.
Du bist Verrat.
MASSE IM SAAL *(Bedrängt drohend die Frau)*: Verrat!
RUF: Die Intellektuelle!
RUF: Zur Wand mit ihr!
DER NAMENLOSE: Dein Schutz Verrat.
Die Stunde fordert Handeln,
Rücksichtsloses Handeln.
Wer nicht mit uns, ist wider uns.
Masse muß leben.

MASSE IM SAAL: Muß leben.

DER NAMENLOSE: Du bist verhaftet.

DIE FRAU: Ich ... schütze ... sie ... die mit mir aufgewachsen?

Nein, ich schütze euch!

Ihr selbst steht an der Mauer!

Ich schütze unsre Seelen!

Ich schütze Menschheit, ewige Menschheit.

Wahnsinniger Ankläger ...

In meinen Worten Angst ...

So niedrig nie ...

Ich wählte ...

Du lügst ... du lügst ...

*(Ein Arbeiter betritt den Saal.)*

ARBEITER: Bellt einer auf von den Gefangenen

Bellt monoton, bellt immer wieder,

Er will zur Führerin!

DER NAMENLOSE: Beweis.

DIE FRAU: Noch einmal ... du lügst ... –

Wer will mich sprechen ... wer?

Vielleicht der Mann.

Um ihn beging ich heute nimmermehr Verrat ...

Jetzt verrietet ihr euch selbst ...

Ich weiß nichts mehr ...

*(Der Namenlose verläßt die Tribüne, taucht in der Masse im
Saal unter. Von draußen dringen Arbeiter ein.)*

DIE ARBEITER: Verloren.

RUFE: Fliehen! Kämpfen!

*(Draußen vereinzelte Schüsse. Die Arbeiter drängen zur Tür.)*

RUFE: Die Tür ist verrammelt.

Gekesselt wie Hasen!

*(Schweigen der Todeserwartung.)*

RUF: Sterben!

*(Einer beginnt die Internationale zu singen. Die andern fallen
ein. Mächtig.)*

LIED: Wacht auf im Erdenrund, ihr Knechte,

Ihr Angeschmiedete der Not,
Aus Tiefen donnern neue Rechte.
Der Tag bricht an, die Fackel loht.
Frei die Bahn, heran zum Handeln,
Packt an! ihr Massen, erwacht:
Die Welt will sich von Grund aus wandeln,
Wir Sklaven ergreifen die Macht.
Völker hört die Signale,
Reiht euch ein, der Würfel fällt.
Die Internationale
Erkämpft – befreit die Welt.
*(Plötzlich kurzes Maschinengewehrfeuer. Das Lied zerbricht,
Tür am Haupteingang und seitliche Türen werden mit einem
Ruck eingestoßen.*
*Soldaten mit Gewehren im Anschlag stehen an den Türen.)*
OFFIZIER: Widerstand ist nutzlos!
Hände hoch!
Hände hoch, befehle ich.
Wo ist die Führerin?
Warum streckst nicht die Hände hoch?
Legt ihr Fesseln an.
*(Soldaten fesseln die Frau.)*

*(Die Bühne verdunkelt sich.)*


# Sechstes Bild
## *(Traumbild)*


*(Unbegrenzter Raum.*
*Im Kern ein Käfig, von einem Lichtkegel umzückt. Darin
zusammengekauert eine Gefesselte [Antlitz der Frau]. Neben
dem Käfig der Begleiter in Gestalt des Wärters.)*
DIE GEFESSELTE: Wo bin
Ich?

DER WÄRTER: Im
Menschenschauhaus.
DIE GEFESSELTE: Vertreib die Schatten.
DER WÄRTER: Vertreib sie selbst.
*(Von irgendwo ein grauer Schatten ohne Kopf.)*
ERSTER SCHATTEN: Kennst mich, Erschossenen?
Mörderin!
DIE GEFESSELTE: Ich bin nicht
Schuldig.
*(Von irgendwo ein zweiter grauer Schatten ohne Kopf.)*
ZWEITER SCHATTEN: Auch Mörderin
An mir.
DIE GEFESSELTE: Du lügst.
*(Von irgendwo grauer Schatten ohne Kopf.)*
DRITTER SCHATTEN: Mörderin
An mir.
VIERTER SCHATTEN: Und mir.
FÜNFTER SCHATTEN: Und mir.
SECHSTER SCHATTEN: Und mir.
DIE GEFESSELTE: Herr Wärter!
Herr Wärter!
DER WÄRTER: Haha! Hahahaha!
DIE GEFESSELTE: Ich wollt nicht
Blut.
ERSTER SCHATTEN: Du schwiegst.
ZWEITER SCHATTEN: Schwiegst beim Sturm
Aufs Stadthaus.
DRITTER SCHATTEN: Schwiegst beim Raub
Der Waffen.
VIERTER SCHATTEN: Schwiegst zum Kampf.
FÜNFTER SCHATTEN: Schwiegst beim Holen
Der Reserven.
SECHSTER SCHATTEN: Du bist schuldig.
ALLE SCHATTEN: Du bist schuldig.
DIE GEFESSELTE: Ich wollt
Die Andern

100

Vor Erschießen
Retten.
ERSTER SCHATTEN: Betrüg dich nicht.
Vorher
Erschoß man uns.
ALLE SCHATTEN: Mörderin du
An uns.
DIE GEFESSELTE: So bin ich . . .
DIE SCHATTEN: Schuldig!
Dreimal schuldig!
DIE GEFESSELTE: Ich . . . bin . . . schuldig . . .
*(Die Schatten verblassen. Von irgendwo Bankiers im
Zylinder.)*
ERSTER BANKIER: Aktie Schuldig,
Biete an
Zum Nennwert.
ZWEITER BANKIER: Aktie Schuldig
Ist nicht mehr
Zugelassen.
DRITTER BANKIER: Verspekuliert!
Aktie Schuldig
Fetzen Papier.
DIE DREI BANKIERS: Aktie Schuldig
Als Verlust zu buchen.
*(Die Gefesselte richtet sich auf.)*
DIE GEFESSELTE: Ich . . . bin . . . schuldig.
*(Die Bankiers verblassen.)*
DER WÄRTER: Törin
Vom sentimentalen
Lebenswandel.
Wären sie am Leben
Sie tanzten
Um vergoldeten Altar,
Dem Tausende geopfert.
Auch Du.
DIE GEFESSELTE: Ich Mensch bin schuldig.

DER WÄRTER: Masse ist Schuld.

DIE GEFESSELTE: So bin ich zwiefach
Schuldig.

DER WÄRTER: Leben ist Schuld.

DIE GEFESSELTE: So mußte ich
Schuldig werden?

DER WÄRTER: Jeder lebt Sich.
Jeder stirbt Seinen Tod.
Der Mensch,
Wie Baum und Pflanze,
Schicksalsgebundne
Vorgeprägte Form,
Die werdend sich entfaltet,
Werdend sich zerstört.
Erkämpf die Antwort selbst!
Leben ist Alles.

*(Von irgendwo kommen im Abstand von fünf Schritt die Ge-
fangenen in Sträflingskleidung. Auf dem Kopf spitze Kappe,
an der ein Fetzen Tuch mit Augenschlitzen befestigt, das Gesicht verhängt. Auf der Brust jedes Gefangenen eine Nummer.
Im Quadrat gehen sie im eintönigen Rhythmus lautlos um
den Käfig.)*

DIE GEFESSELTE: Wer Ihr?
Zahlen!
Antlitzlose!
Wer seid Ihr?
Masse
Antlitzloser?

VON FERNE DUMPFES ECHO: Masse . . .

DIE GEFESSELTE: Gott!!

ECHO VERHALLEND: Masse . . .

*(Stille tropft.)*

DIE GEFESSELTE *(aufschreiend)*: Masse ist Muß!
Masse ist schuldlos!

DER WÄRTER: Mensch ist schuldlos.

DIE GEFESSELTE: Gott ist schuldig!

ECHO VON FERN: Schuldig . . .
Schuldig . . .
Schuldig . . .
DER WÄRTER: Gott ist in Dir.
DIE GEFESSELTE: So überwind ich Gott.
DER WÄRTER: Wurm!
Gottesschänderin!
DIE FRAU: Schändete ich
Gott?
Oder schändete
Gott
Den Menschen?
O ungeheuerlich
Gesetz der Schuld,
Darin sich
Mensch und Mensch
Verstricken *muß.*
Gott
Vor ein Gericht!
Ich klage an.
ECHO VON FERNE: Vor ein Gericht.
*(Die schreitenden Gefangenen bleiben stehen. Ihre Arme
schnellen aufwärts.)*
DIE GEFANGENEN: Wir klagen an.
*(Die Gefangenen verblassen.)*
DER WÄRTER: Du bist geheilt,
Komm aus
Dem Käfig.
DIE GEFESSELTE: Ich bin frei?
DER WÄRTER: Unfrei!
Frei!

*(Die Bühne verdunkelt sich.)*

# Siebentes Bild

*(Gefängniszelle.*
*Kleiner Tisch, Bank und Eisenbett in Mauer eingelassen. Ver-*
*gittertes Lichtloch durch Milchglas undurchsichtig. Am Tisch*
*sitzt die Frau.)*

DIE FRAU: O Weg durch reifes Weizenfeld
In Tagen des August . . .
Vormorgenwanderung in winterlichen Bergen . . .
O kleines Käferchen im Hauch des Mittags . . .
Du Welt . . .

*(Stille breitet sich sanft um die Frau.)*

DIE FRAU: Sehnt ich ein Kind?

*(Stille schwingt.)*

DIE FRAU: O Zwiespalt alles Lebens,
An Mann geschmiedet und an Werk.
An Mann . . . an Feind . . .
An Feind?
An Feind geschmiedet?
An mich geschmiedet?
Daß er käme . . . ich will Bestätigung.

*(Die Zelle wird aufgeschlossen. Herein kommt der Mann.)*

DER MANN: Frau . . . ich komme.
Komm, weil Du mich riefst.

DIE FRAU: Mann . . .!
Mann . . .

DER MANN: Ich bringe frohe Kunde dir,
Nicht weiter dürfen Gossen ihren Sud
Auf deinen . . . meinen Namen willkürlich entleeren.
Die Untersuchung gegen jene Mörder
Ergab, daß schuldlos du am Frevel der Erschießung.
Sei mutig, noch ist Todesurteil nicht bestätigt.
Trotz Staatsverbrechen achtet rechtlich Denkender
Motive, edel, ehrenhaft.

DIE FRAU *(weint leise auf)*: Ich bin schuldlos . . .

Ich bin schuldlos schuldig . . .

DER MANN: Du bist schuldlos.

Dem rechtlich Denkenden ist es Gewißheit.

DIE FRAU: Dem rechtlich Denkenden . . .

Ich bin so wund . . .

Und froh, daß ohne Schmach dein Name . . .

DER MANN: Ich wußte, daß du schuldlos.

DIE FRAU: Ja . . . du wußtest . . .

Achtung vor Motiven . . . so wohlanständig bist du . . .

Ich seh dich jetzt so . . . klar . . .

Und bist doch schuldig . . . Mann,

Du . . . Schuldiger am Mord!

DER MANN: Frau, ich kam zu dir . . .

Frau . . . dein Wort ist Haß.

DIE FRAU: Haß? nicht Haß,

Ich liebe dich . . . ich liebe dich aus meinem Blut.

DER MANN: Ich warnte dich vor Masse.

Wer Masse aufwühlt, wühlt die Hölle auf.

DIE FRAU: Die Hölle? Wer schuf jene Hölle?

Wer fand die Folter eurer goldnen Mühlen,

Die mahlen, mahlen Tag um Tag Profit?

Wer baute Zuchthaus . . . wer sprach »heilger Krieg«?

Wer opferte Millionen Menschenleiber

Dem Altar lügnerischen Spiels der Zahl?

Wer stieß die Massen in verweste Höhlen,

Daß heute sie beladen mit dem Sud des Gestern,

Wer raubte Brüdern menschlich Antlitz,

Wer zwang sie in Mechanik,

Erniedrigt sie zu Kolben an Maschinen?

Der Staat! . . . Du! . . .

DER MANN: Mein Leben Pflicht.

DIE FRAU: O ja . . . Pflicht . . . Pflicht am Staat.

Du bist . . . wohlanständig . . .

Ich sagte ja, ich sehe dich so klar.

Du bist wohlanständig.

Du, sag den rechtlich Denkenden,

Sie hätten niemals Recht . . .
Schuldig sind sie . . .
Schuldig wir alle . . .
Ja, ich bin schuldig . . . schuldig vor mir,
Schuldig vorm Menschen.
DER MANN: Ich kam zu dir.
Ist hier ein Tribunal?
DIE FRAU: Hier wächst ein Tribunal.
Ich Angeklagte bin der Richter.
Ich klage an . . . und spreche schuldig,
Spreche frei . . .
Denn letzte Schuld . . .?
Ahnst du . . . wer letzte Schuld trägt?
Menschen müssen Werk wollen,
Und Werk wird rot von Menschenblut.
Menschen müssen Leben wollen,
Und um sie wächst ein Meer von Menschenblut.
Ahnst du . . . wer letzte Schuld trägt? . . .
Komm gib mir deine Hand,
Geliebter meines Blutes.
Ich hab mich überwunden . . .
Mich und dich.
*(Zittern bricht aus dem Mann. Ein jäh aufquellender Gedanke zerwühlt sein Gesicht. Er taumelt hinaus.)*
DIE FRAU: Gib deine Hand mir . . .
Gib deine Hand mir, Bruder,
Auch du mir Bruder. –
Du bist gegangen . . . mußtest gehn . . .
Letzter Weg führt über Schneefeld.
Letzter Weg kennt nicht Begleiter.
Letzter Weg ist ohne Mutter.
Letzter Weg ist Einsamkeit.
*(Die Tür wird geöffnet. Eintritt der Namenlose.)*
DER NAMENLOSE: Vom Wahn geheilt? Zerstäubt die Illusion?
Drang Einsicht spitzer Dolch ins Herz?
Sprach Richter »Mensch« und »Ich vergebe dir«?

Heilsam war dir die Lehre.
Ich gratuliere zur Bekehrung. Jetzt wieder unser.
DIE FRAU: Du? Wer schickt dich?
DER NAMENLOSE: Die Masse.
DIE FRAU: Man hat mich nicht vergessen?
Die Botschaft . . . Die Botschaft . . .
DER NAMENLOSE: Mein Auftrag ist dich zu befrein.
DIE FRAU: Befreien!
Leben!
Wir fliehn? Ist alles vorbereitet?
DER NAMENLOSE: Zwei Wärter sind bestochen.
Den Dritten, den am Tore, schlag ich nieder.
DIE FRAU: Schlägst nieder . . . meinetwillen . . .?
DER NAMENLOSE: Der Sache willen.
DIE FRAU: Ich hab kein Recht,
Durch Tod des Wächters Leben zu gewinnen.
DER NAMENLOSE: Die Masse hat ein Recht auf dich.
DIE FRAU: Und Recht des Wächters?
Wächter ist Mensch.
DER NAMENLOSE: Noch gibt es nicht »den Menschen«
Massenmenschen hie!
Staatsmenschen dort!
DIE FRAU: Mensch ist nackt.
DER NAMENLOSE: Masse ist heilig.
DIE FRAU: Masse ist nicht heilig.
Gewalt schuf Masse.
Besitzunrecht schuf Masse.
Masse ist Trieb aus Not,
Ist gläubige Demut . . .
Ist grausame Rache . . .
Ist blinder Sklave . . .
Ist frommer Wille . . .
Masse ist zerstampfter Acker,
Masse ist verschüttet Volk.
DER NAMENLOSE: Und Tat?
DIE FRAU: Tat! Und mehr als Tat!

Mensch in Masse befrein,
Gemeinschaft in Masse befreien.
DER NAMENLOSE: Der rauhe Wind vorm Tore
Wird dich heilen.
Eil dich,
Minuten bleiben uns.
DIE FRAU: Du bist nicht Befreiung,
Du bist nicht Erlösung.
Doch weiß ich, wer du bist.
»Schlägst nieder!« Immer schlägst du nieder!
Dein Vater der hieß: Krieg.
Du bist sein Bastard.
Du armer neuer Henkermarschall,
Dein einzger Heilweg: »Tod!« und »Rottet aus!«
Wirf ab den Mantel hoher Worte,
Er wird papierenes Gespinst.
DER NAMENLOSE: Die Mördergenerale kämpften für den
    Staat!
DIE FRAU: Sie mordeten, doch nicht in Lust.
Sie glaubten gleich wie du an ihre Sendung.
DER NAMENLOSE: Sie kämpften für den Unterdrücker Staat,
Wir kämpfen für die Menschheit.
DIE FRAU: Ihr mordet für die Menschheit,
Wie sie Verblendete für ihren Staat gemordet.
Und einige glaubten gar
Durch ihren Staat, ihr Vaterland,
Die Erde zu erlösen.
Ich sehe keine Unterscheidung:
Die einen morden für ein Land,
Die andern für die Länder alle.
Die einen morden für tausend Menschen,
Die andern für Millionen.
Wer für den Staat gemordet,
Nennt Ihr Henker.
Wer für die Menschheit mordet,
Den bekränzt ihr, nennt ihn gütig,

Sittlich, edel, groß.

Ja, sprecht von guter, heiliger Gewalt.

DER NAMENLOSE: Klag andre, klag das Leben an!

Soll ich Millionen ferner unterjochen lassen,

Weil ihre Unterjocher ehrlich glauben?

Und wirst du weniger schuldig,

Wenn du schweigst?

DIE FRAU: Nicht Fackel düsterer Gewalt weist uns den Weg.

Du führst in seltsam neues Land,

Ins Land der alten Menschensklaverei.

Wenn Schicksal dich in diese Zeit gestoßen,

Und dir die Macht verheißt:

Zu vergewaltigen, die verzweifelt

Dich ersehnen wie den neuen Heiland,

So weiß ich: dieses Schicksal haßt den Menschen.

DER NAMENLOSE: Die Masse gilt und nicht der Mensch.

Du bist nicht unsre Heldin, unsre Führerin.

Ein jeder trägt die Krankheit seiner Herkunft,

Du die bürgerlichen Male:

Selbstbetrug und Schwäche.

DIE FRAU: Du liebst die Menschen nicht.

DER NAMENLOSE: Die Lehre über alles!

Ich liebe die Künftigen!

DIE FRAU: Der Mensch über alles!

Der Lehre willen

Opferst du

Die Gegenwärtigen.

DER NAMENLOSE: Der Lehre willen muß ich sie opfern.

Du aber verrätst die Masse, du verrätst die Sache.

Denn heute gilts sich zu entscheiden.

Wer schwankt, sich nicht entscheiden kann,

Stützt die Herren, die uns unterdrücken,

Stützt die Herren, die uns hungern lassen,

Ist Feind.

DIE FRAU: Ich verriete die Massen,

Forderte ich Leben eines Menschen.

Nur selbst sich opfern darf der Täter.
Höre: kein Mensch darf Menschen töten
Um einer Sache willen.
Unheilig jede Sache, dies verlangt.
Wer Menschenblut um seinetwillen fordert,
Ist Moloch:
Gott war Moloch.
Staat war Moloch.
Masse war Moloch.
DER NAMENLOSE: Und wer heilig?
DIE FRAU: Einst . . .
Gemeinschaft . . .
Werkverbundne freie Menschheit . . .
Werk – Volk.
DER NAMENLOSE: Dir fehlt der Mut, die Tat, die harte Tat
Auf dich zu nehmen.
Durch harte Tat erst wird das freie Volk.
Sühne durch den Tod.
Vielleicht dein Tod von Nutzen uns.
DIE FRAU: Ich lebe ewig.
DER NAMENLOSE: Du lebst zu früh.
*(Der Namenlose verläßt die Zelle.)*
DIE FRAU: Du lebtest gestern.
Du lebst heute.
Und bist morgen tot.
Ich aber werde ewig,
Von Kreis zu Kreis,
Von Wende zu Wende,
Und einst werde ich
Reiner,
Schuldloser,
Menschheit
Sein.
*(Eintritt der Priester.)*
DER PRIESTER: Ich komme, letzten Beistand dir zu geben,
Auch dem Verbrecher wird der Schutz der Kirche nicht
    versagt.

110

DIE FRAU: In wessen Auftrag?

DER PRIESTER: Die Staatsbehörde hat mich unterrichtet.

DIE FRAU: Wo waren Sie am Tage des Gerichts?
Gehen Sie! . . .

DER PRIESTER: Gott vergibt auch dir. Ich weiß um dich.
Der Mensch ist gut – so träumtest du
Und sätest namenlosen Frevel
Wider heilgen Staat und heilge Ordnung.
Der Mensch ist böse von Anbeginn.

DIE FRAU: Der Mensch *will* gut sein.

DER PRIESTER: Die Lüge fallender Zeiten,
Geboren aus Verfall, Verzweiflung, Flucht,
Geschützt durch wächserne Hülle,
Erbettelten, ersehnten Glaubens,
Bedroht vom schlechten Gewissen.
Glaub mir, er *will* nicht einmal gut sein.

DIE FRAU: Er *will* gut sein. Auch wo er Böses tut,
Hüllt er sich in die Maske Guttun.

DER PRIESTER: Völker werden, Völker verfallen,
Nie sah die Erde Paradies.

DIE FRAU: Ich glaube.

DER PRIESTER: Erinnere dich:
Machtgier! Lustgier! Der irdische Rhythmus.

DIE FRAU: Ich glaube!!

DER PRIESTER: Alles Irdische ewiger Wechsel von Formen.
Menschheit bleibt hilflos. In Gott ruht Erlösung.

DIE FRAU: Ich glaube!!!
Mich friert . . . Gehen Sie!
Gehen Sie!

*(Der Priester verläßt die Zelle. Eintritt des Offiziers.)*

OFFIZIER: Hier das Urteil.
Mildernder Umstand anerkannt.
Trotzdem. Staatsverbrechen heischt Sühne.

DIE FRAU: Sie werden mich erschießen lassen?

DER OFFIZIER: Befehl Befehl. Gehorchen gehorchen.
Staatsinteresse Ruhe Ordnung.

Offizierspflicht.

DIE FRAU: Und der Mensch?

DER OFFIZIER: Jede Unterhaltung mir verboten.

Befehl Befehl.

DIE FRAU: Ich bin bereit.

*(Offizier und Frau gehen hinaus. Einige Sekunden die Zelle leer. Zwei weibliche Gefangene in Sträflingskitteln huschen hinein. Bleiben an der Tür stehen.)*

ERSTE GEFANGENE: Sahst du den Offizier? So goldne Uniform?

ZWEITE GEFANGENE: Ich sah den Sarg. Im Waschraum. Gelbe Bretterkiste.

*(Die erste Gefangene sieht auf dem Tisch Brot liegen, stürzt sich darauf.)*

ERSTE GEFANGENE: Da Brot! Hunger! Hunger! Hunger!

ZWEITE GEFANGENE: Mir Brot! Mir Brot! Mir Brot!

ERSTE GEFANGENE: Da Spiegel. Ei, wie schön.

Verstecken. Abends. Zelle.

ZWEITE GEFANGENE: Da seidnes Tuch.

Nackte Brust, seidnes Tuch.

Verstecken. Abends. Zelle.

*(Von draußen dringt der harte Knall einer Salve in die Zelle. Die Gefangenen werfen erschreckt gespreizte Hände von sich. Erste Gefangene sucht aus ihren Röcken den versteckten Spiegel. Legt ihn hastig auf den Tisch zurück. Weint auf, sinkt in die Knie.)*

ERSTE GEFANGENE: Schwester, warum tun wir das?

*(In einer großen Hilflosigkeit taumeln ihre Arme in die Luft. Zweite Gefangene sucht aus ihren Röcken das versteckte seidne Tuch. Legt es hastig auf das Bett zurück.)*

ZWEITE GEFANGENE: Schwester, warum tun wir das?

*(Zweite Gefangene bricht zusammen. Birgt den Kopf im Schoß.)*

*(Die Bühne schließt sich.)*

# Die Maschinenstürmer

*Ein Drama aus der Zeit der Ludditenbewegung*
*in England*
*in fünf Akten und einem Vorspiel*

Geschrieben im Winter 1920/21 im Festungsgefängnis
Niederschönenfeld

*Den englischen Kameraden,*
im besonderen:
*Marthe Hartley,*
der schwesterlichen Weberin in Lancashire,
*Wilfred Wellock,*
dem Genossen und Kämpfer.

Personen des Vorspiels:

LORDKANZLER
LORD BYRON
LORD CASTLEREAGH
ANDERE LORDS

Personen des Dramas:

NED LUD, ein Weber
MARGRET, seine Frau, Weberin
LUDS KINDER, darunter: der junge Lud
JOHN WIBLE, ein Weber
MARY, seine Frau, Weberin
TEDDY, beider Kind
DER ALTE REAPER, Marys Vater
JIMMY COBBETT
HENRY COBBETT, Jimmys Bruder, Geschäftsführer bei Ure
Jimmys und Henrys Mutter

GEORGES
WILLIAM
BOB
ALBERT
ARTUR
CHARLES
EDUARD          Strumpfwirker, Weber und Weberinnen
JACK
TOM
ERSTES WEIB
ZWEITES WEIB
DRITTES WEIB
VIERTES WEIB
FÜNFTES WEIB
WEBERKINDER

BETTLER
ZWEI BETRUNKENE
LOUIS MIT DER KARRE
URE, FABRIKANT
URES KLEINE TOCHTER
SEIN GAST, REGIERUNGSVERTRETER
INGENIEUR
AUFSEHER
AUSRUFER
VOLK
SOLDATEN


Ort: Nottingham in England
Zeit: Um 1815

# Vorspiel

*(Westminsterpalast. Sitzungssaal des englischen Oberhauses.*
*Das Vorspiel kann mit einfachen Mitteln vor dem Vorhang*
*dargestellt werden.*
*In der Mitte ein Pult, an dem der Lordkanzler sitzt. Rechts*
*und links Stühle für* Lord Byron *und* Lord Castlereagh. *In der*
*ersten Reihe des Zuschauerraums andere Lords.*
*Der Darsteller* Jimmys *könnte in* Lord Byrons *Maske auftre-*
*ten, der Darsteller* Ures *in der Maske des* Lord Castlereagh.)

LORDKANZLER: Bill der Regierung: Zum Tode verurteilt, wer
übt Zerstörung der Maschinen. Die Bill mit großer Mehrheit
in erster Lesung angenommen. Wir treten in die zweite und
die dritte Lesung ein. Lord Byron hat das Wort.

LORD BYRON: Sie kennen alle, meine Lords, die Taten der
   Zerstörung.

Die Arbeitsmänner haben sich verbündet,
Gewalt gebraucht, Revolten angezettelt.
Wer aber lehrte sie ein solches Tun?
Wer untergrub das Wohl des Landes? –
Die Politik der »großen Männer«!
Die Politik der Räuberkriege!
Die Politik der großen Helden,
Von denen Ihre Bücher zeugen,
Die Politik, die Fluch ward für das lebende Geschlecht! –
O, können Sie sich wundern, meine Lords,
Wenn in den Zeiten, da Betrug und Wucher, Diebstahl, Gier
Wie ekler Schimmel unsere hohen Klassen angepelzt,
Das Werkvolk angesichts des ungeheuerlichen Elends
Die Bürgerpflicht vergißt und sich mit Schuld belädt?
Vergleichbar nur mit jener Schuld, die Abgeordnete
In Parlamenten Tag um Tag begehen.
Was aber ist der Unterschied?
Der hochgestellte Missetäter kennt die Mittel,
Um zu durchschlüpfen Maschen des Gesetzes.

Der Arbeiter allein büßt für Vergehen,
In die ihn Hunger, Hunger trieb.
Maschinen stahlen ihm die Arbeitsplätze,
Maschinen drängten ihn in Not,
In seinem Herzen schrie Empörung:
Natur will, daß wir alle leben!
Natur will nicht, daß einige sich Gold erraffen,
Die anderen aber hungern!
Der Arbeiter, er war bereit,
Die brachen Länder zu bebauen,
Allein der Spaten war nicht sein!
Er bettelte. Wer stand in England auf
Und sprach: Wir lindern deine Not! –
Verzweiflung trieb ihn in den Abgrund blinder Leiden-
  schaften.
Sie nennen diese Leute Pöbel, meine Lords,
Und rufen: Man schlag' dem Ungeheuer seine Köpfe ab,
Man hänge alle Führer auf! –
Wo Milde not tut, lechzt der Staat nach Blut.
Noch immer war das Schwert das dümmste Mittel!
Betrachten wir den Pöbel, meine Lords.
Es ist der Pöbel, der in Ihren Feldern Arbeit leistet,
Es ist der Pöbel, der in Ihren Küchen dient,
Es ist der Pöbel, der den Schiffen und Armeen Soldaten stellt,
Es ist der starke Arm, der Sie instand setzt,
Einer Welt von Feinden Trotz zu bieten –
Und der auch Ihnen trotzen wird,
Wenn Sie ihn in den Sackweg der Verzweiflung peitschen!
Und eins noch lassen Sie mich sagen:
Für Kriege war Ihr Beutel immer weit geöffnet.
Ein Teil des Geldes, das Sie,
Als sich Portugal in Kriegsnot fand,
Dem fremden Land zum Kriege führen »menschenfreundlich«
  überließen . . .
Ein Teil des Geldes hätt' genügt,
Die Not daheim zu lindern,

Uns zu befreien von Barmherzigkeit der Galgen.
Ich sah im Türkenland die größten Despotien.
Doch nirgends solches Elend wie in jenem England,
Das sich christlich nennt. –
Und wie heißt Ihre Medizin? Die Todesstrafe!
Das Kräutlein all der großen Scharlatane,
Die wühlen in dem Leib der Staaten.
Klebt nicht genug des Blutes an Gesetzen?
Soll Blut solange vergossen werden,
Bis es zum Himmel schreit und Zeugnis ablegt wider Sie?
Ist Todesstrafe Medizin für Hunger und Verzweiflung?
Gesetzt den Fall, Sie nehmen, meine Lords,
Die Todesstrafe an. Betrachten Sie den Mann,
Den Ihre Bill dem Richter überliefert.
Vom Hunger ausgemergelt, durch Verzweiflung stumpf,
Verachtet er das Leben, – das nach Ihrer Schätzung weniger
    wert
Denn eine Strumpfmaschine ist. Betrachten Sie den Mann!
Entrissen seiner Frau, entrissen seinen Kindern,
Denen er kein Brot verschaffen konnte (und wollt' es doch so
    gerne!),
Vor ein Gericht geschleppt – wer wird das Todesurteil fäl-
    len?
Zwölf Ehrenmänner? . . . Niemals!
Bestellen Sie zwölf Schlächter als Geschworene,
Und einen Henker, meine Lords, bestellen Sie zum Präsiden-
ten des Gerichts!
*(Während der Rede hat sich bei den Lords ironisches Geläch-
ter erhoben. Huzza-Rufe.)*
LORDKANZLER: Lord Castlereagh hat das Wort.
LORD CASTLEREAGH: Sie hörten, meine Lords,
Die Rede dieses ehrenwerten Gentleman.
Er sprach wie ein Poet, nicht wie ein Staatsmann.
Poeten können Dramen schreiben, Verse dichten,
Doch Politik ist Handwerk harter Männer.
Sich des Gesindels anzunehmen, mag man gelten lassen

Als poetische Marotte. Dem Staatsmann gilt allein Prinzip der
   Wirtschaft.
Die Armut ist ein gottgewolltes, ewiges Gesetz.
Mitleidsgefühle sind im Parlamente nicht am Platz.
Der Pfarrer Malthus wies uns nach, daß Hunderttausende
Zu viel in England leben. Natur versagt
Den Hunderttausenden die Nahrung. Wir sehen Grausamkei-
   ten . . .
Es sind die Waffen Gottes, vor denen wir
In Ehrfurcht stumm uns neigen müssen.
In jedem Jahre richten Kriege, Elend, Laster
Die überschüssige Bevölkerung zugrunde.
Sollen wir das göttliche Naturgesetz bekämpfen?
Das hieße handeln wider die Moral!
Wir müssen das Gesetz erkennen
Und ihm mit allen Kräften Hilfe leihen.
Die Armen unterstützen heißt: zum Zeugen sie ermuntern!
Das arme Volk in England *darf* sich nicht vermehren!
Und jeder Weg ist recht, der diesem Ziele dient –
Sofern er sittlich und im Einklang ist mit dem Gebot der
   Kirche.
Zwischenruf LORD BYRONS: Die Kinder verhungern lassen!
LORD CASTLEREAGH *(zu Lord Byron)*:
Ich achte Ihre große Geste, ehrenwerter Lord.
Als Staatsmann muß ich kühl erwidern:
Je mehr der Tod die Kinderscharen lichtet,
Je größer ist das Glück der künftigen Geschlechter.
Wir haben zuviel Menschen, hochgeschätzter Dichter.
Das herzlichste Gefühl
Kann diesen erznen Satz nicht wanken machen.
LORD CASTLEREAGH *(wendet sich an die anderen Lords)*:
Vor allem bitte ich die ehrenwerten Lords
An eins zu denken: Das Wohl des Königreichs
Steht auf dem Spiel! Verschwörung wider Ruh' und Ordnung
   ward entdeckt! –
Die Bill ist ein Tribut dem Altar der Gerechtigkeit!

Dem Dichter sind Gefühle wohl erlaubt,
Dem Staatsmann ward gegeben rechnender Verstand.
*(Bravorufe der Lords.)*
LORDKANZLER: Erschöpft die Rednerliste. Debatte ist geschlossen. Wir stimmen ab. Wer von den ehrenwerten Lords gibt seine Stimme für die Bill?
*(Alle Lords außer Lord Byron erheben sich.)*
LORDKANZLER: Die Gegenprobe, bitte.
*(Lord Byron erhebt sich. Gelächter.)*
LORDKANZLER: Ich zähle eine Stimme. Die Bill ist angenommen. Die Sitzung wird vertagt auf morgen.

*(Die Bühne verdunkelt sich.)*


# Erster Akt


*(Kirchplatz im Arbeiterviertel von Nottingham.*
*Sonniger Frühlingstag. Kinder sitzen um drei galgenartige Gerüste herum. Ihre Kleidung dürftig und zerlumpt. Die Gesichter sind eingefallen und greisenhaft. Teilnahmslos hocken sie.*
*Aus einer Seitenstraße kommt Jimmy Cobbett, Kleidung eines Handwerksgesellen. Jimmy betrachtet schweigend die Kinder.)*
JIMMY: Seid fern der Arbeit . . . gibts ein Fest?
ERSTER JUNGE: Drei Puppen werden aufgehängt.
JIMMY: Drei Puppen?
ERSTES MÄDCHEN: Beim Weber John sind sie im Haus versteckt.
ZWEITER JUNGE: Ich habe sie gesehen.
JIMMY: Seid alle schon in der Fron?
ERSTER JUNGE: Was meint Ihr, Herr, bei uns zuhause heißt es rüstig sein. Mein Bruder ist vier Jahre alt. Steht schon am Webstuhl.
ERSTES MÄDCHEN: Der Teddy kann kaum laufen und verdient

drei Pence den Tag; drei echte Pence.

ZWEITES MÄDCHEN *(beginnt zu weinen.)*

JIMMY: Was weinst du, kleines Mädchen?

ZWEITES MÄDCHEN *(weint, antwortet nicht.)*

JIMMY: Verrat es mir . . . Ich will es niemand weiter sagen.

ZWEITES MÄDCHEN *(hilflos)*: Ach, Herr, ich weiß es nicht . . .
Die Sonne scheint so warm . . .

JIMMY *(schweigt. Sonnenkringel tanzen auf den Gesichtern
der Kinder.)*

JIMMY: Wißt ihr auch Spiele, Kinder?

ERSTES MÄDCHEN: Uns hungert sehr, Herr!
*(Stille.)*

JIMMY: Hört ihr Märchen gerne, Kinder?

ZWEITER JUNGE: Was ist das, »Märchen«, Herr?

JIMMY: Geschichten, sonderbare, von fernen Wunderländern.
Von bunten Wiesen, drinnen Kinder spielen.

ZWEITES MÄDCHEN: Ach spielen! . . . Erzählt uns eines, Herr.

JIMMY: Ein reicher Mann, mit Namen Goldbauch,
Der viele Schlösser sich erbaut . . . wißt ihr,
So schöne Schlösser, wie Herr Ure hat . . .
Besaß ein einzig Kind, er nannt es Sorgenlos.
Das trug ein goldnes Röcklein, spielte Tag um Tag
Mit goldnem Spielzeug in einem goldnen Garten.

ERSTER JUNGE: Mit goldnem Spielzeug?

ERSTES MÄDCHEN: Stand nie am Webstuhl?

JIMMY: Stand nie am Webstuhl. Ich sagt es ja,
Der Mann war reich. Sein Kind hieß Sorgenlos.
Und nah' dem Schlosse wohnt ein Baumwollweber,
Der auch ein Kind sein eigen nannte,
Das hieß er Immerelend. War nur ein schmächtiges Kind
Mit dürren Ärmchen, und schmaler Brust, und Beinchen
Dünn wie Weidenruten . . . ein Knirps wie du . . .
Und eines Tages kam der kleine Immerelend
Mit einem Korb voll Leinwand, der ihn schier erdrückte,
Ins Haus des Kindes Sorgenlos. Er sah das goldne Spielzeug,
Sah den goldnen Garten . . .

*(Dritter Junge hat sich während der letzten Worte zur Seite geschlichen. Sucht im Rinnstein.)*

DRITTER JUNGE: Hurra, ich hab' ein Stückchen Brot gefunden!

ERSTES MÄDCHEN: Gib mir 'nen Bissen ab.

ERSTER JUNGE: Betrüger du! Wir hören zu und du suchst Brot. Das ist nicht schön von dir. Gib her. Wir teilen es.

*(Kinder balgen sich mit dem dritten Jungen.)*

DRITTER JUNGE: Ich geb's nicht her ... ich beiße ... Au ...

ZWEITER JUNGE: Ich werd' dich lehren ... beißen ...

*(Unter den Kindern entsteht eine Prügelei. Sie raufen sich um das Brot. Dritter Junge rennt davon. Die andern Kinder ihm nach.)*

JIMMY: Hieß Sorgenlos ... hieß Immerelend ...

*(Aus einer Seitenstraße kommt ein Zug Arbeiter und Arbeiterinnen in zerlumpter Kleidung. Die Frauen gehüllt in Gewänder von dürftigem bunten Kattun. Männer zerrissene Anzüge aus Baumwollsammet. Viele Männer tragen statt Mützen viereckige niedrige Kappen aus Papier. Voran werden drei Puppen getragen, die drei Streikbrecher vorstellen sollen. Johlen der Menge.*

*John Wible steigt auf das Postament vor dem Galgen.)*

JOHN WIBLE *(zu den Puppen)*: Verräter ihr! Verdammte Buben! Meisterknechte!

Den Streik gebrochen! Lumpen! Knobsticks!

Pack, das sich nährt vom Hungerschweiß der Armen ...

Einstimmig ward der Streik beschlossen:

Kein Handschlag an Maschinen! ... Und diese Säckel,

Diese fetten Ärsche ... gehen hin zum Meister,

Betteln: Stellt uns ein! ... Daß euch die Hölle brät

Und das Gebein mit tausend Zangen zwickte!

Der Nachtmahr soll euch Äxte in die darren Brüste schlagen! ...

Mit Stricken, die in heißes Öl getränkt,

Die Gurgel drosseln! Geketted trag man euch vor Bottiche voll Whisky ...

Und wenn ihr gierig trinken wollt . . . so mögen alte Vetteln
kommen und drein brunzen!

*(Die Puppen werden unter Hallo der Menge hochgezogen.*
*Zwei Arbeiter stellen sich rechts und links neben das Gerüst.*
*Sie singen eintönig nach Art der Litaneien.)*

ERSTER ARBEITER: Dem Meister dienten sie, Arbeiter verrieten
sie.

ZWEITER ARBEITER: Wenn die in den Himmel kommen, wer
wird dann erlöset werden?

MENGE *(johlend um das Gerüst tanzend)*: Bäh! . . . Bäh! . . .
Schwarzes Schaf!

Bäh! . . . Bäh! . . . Schwarzes Schaf!

ERSTER ARBEITER: Streikbrecher, hast du Wolle?

ZWEITER ARBEITER: Ja, Herr, drei Säcke voll. Einen für den
Ausbeuter. Einen für den Knecht. Und einer soll geteilet werden unter die Verräter.

MENGE: Bäh! . . . Bäh! . . . Schwarzes Schaf!

Bäh! . . . Bäh! . . . Schwarzes Schaf!

ERSTER ARBEITER: Weh, weh, weh und weh,

Ob Elend, Sklaverei und Not!

Hört vom Moor, aus dumpfen Ställen,

Fiebergassen, Arbeitshöllen,

Hört Alt-Englands Grablied gellen:

Arbeit oder Tod.

ZWEITER ARBEITER: Fort, fort, fort und fort,

Tyrannen, Schmarotzer, Laffen!

Was, für Bummler Müh' und Plag'?

Wer nicht emsig schaffen mag,

Ist dem freien Lande Schmach!

Gut Recht, gut Waffen!

*(Die Arbeiter reißen die Stangen, an denen die Puppen hän-*
*gen, aus dem Boden.*
*Menge zieht singend davon.)*

LIED: Auf, auf, auf und auf.

Dem Feind ins Aug gesehen!

Vorbei die Nacht, das Licht gewinnt,

Das Maß ist voll, der Sand verrinnt,
Der Richter sitzt, der Spruch beginnt,
Wer wird bestehen?

*(Ned Lud, Charles bleiben zurück.)*

NED LUD: Ich wette drum . . . nicht zehne tragen Hemden.

*(Ein Hausierer geht über den Platz.)*

HAUSIERER: Parrs Lebenspillen! Parrs Lebenspillen! Kein Weber braucht mehr zu hungern. Ohne Fleisch, ohne Speck sieht jeder blühend aus wie Englands Königin! Parrs Lebenspillen! Parrs Lebenspillen!

*(Alter Bettler sucht die Straße nach Brot ab.)*

BETTLER: Ich merk es wohl, es ist kein Werkeltag. Die Kinderbrut . . . die Teufelsbrut . . . grast ab . . . grast alles ab.

*(Bettler geht auf Jimmy zu.)*

BETTLER: Herr, gebt mir einen halben Penny.

JIMMY: Ich bin ein Mann, der Arbeit sucht. Ein Tramper. Arm wie du. An einen Hungerleider wendest du dich, Freund.

BETTLER: Da fand ich den rechten. Glaubst du, ich würde mich an einen Fettsack wenden? Wenn es nur Reiche auf Erden gäbe, da müßten die Bettler verhungern. Die Armen teilen mit uns. Dafür kommen sie auch ins Himmelreich.

JIMMY: Woher weißt du das?

BETTLER: Kennst du nicht die Worte von unserm Herrn Jesus Christ: Eher geht ein Kamel durch ein Nadelöhr, denn ein Reicher in das Himmelreich ein. Die Reichen raffen und schenken nicht gerne. Darum haben sie so dicke Bäuche. Und die Tür zum Himmelreich ist eine gar enge Pforte. Gerade recht für schwindsüchtige Hungerleider, wie es unsere Armen sind. Und sehr niedrig ist die Pforte. Wer von großer Statur ist wie du, den hindert die Mütze. Dein Seelenheil steht auf dem Spiel, Mann.

JIMMY: Du hast deinen Beruf verfehlt, Freund. Du hättest Pfaffe werden sollen oder Abgeordneter im Unterhaus.

*(Jimmy gibt dem Bettler seine Mütze.)*

BETTLER: Ich bin auch kein gewöhnlicher Bettler. Ich bin ein Bettler, der um Ehre geizt. Ich suche den Wohltäter, der mir

Land schenkt, das 300 Pfund Sterling wert ist. Ich habe in meiner Jugend Westminster von außen gesehen. Ich möchte das Haus einmal von innen betrachten. Leb wohl, Freund. Wer jung ist wie du, den liebt die Sonne. Und du hast der Sonne nur einen Liebesdienst geleistet, wenn du ihr den nackten Kopf hinhältst. Auf das Hinhalten zur rechten Zeit kommt es an.

JIMMY: Dich liebt, scheint es, der Schnaps. Und darum fürcht' ich, du möchtest dem Schenkwirt meine Mütze zum Einwechseln hinhalten.

BETTLER: Freund, du bist ein Ire. Du ißt zu viel Kartoffeln. Die wirken schlecht auf die Verdauung. Und wer schlecht verdaut, der predigt Moral. Schaff' dir ein Schwein an, Freund. Doch paare dich nicht mit ihm. Man sagt, die Iren lieben ihre Schweine so sehr, daß sie mit ihnen in einem Bett schlafen. Es gäbe eine Nachkommenschaft mit Schweinsköpfen. Und wir haben genug Schweinsköpfe in England.

*(Bettler geht davon.*
*Zwei Betrunkene, Arm in Arm, kommen.)*

ERSTER BETRUNKENER *(grölt)*: Schärfet die Sichel! Die Ähren sind schwer

Und die Kinder schreien nach Brot.

Das Feld hat bewässert ihr Tränenmeer

Und gedüngt ihrer Väter Tod!

Die Hoffnung starb und das Herz, das brach,

Sie haben den Samen gestreut . . .

ZWEITER BETRUNKENER *(grölt)*: Selig sind die geistig Armen, spricht der Herr. Und wen er liebt, dem . . . schenkt . . . er . . . Fusel . . . Fusel, Fi . . . Fa . . . Fusel . . . Ach was sind wir elend . . . Hast du noch einen Penny?

ERSTER BETRUNKENER *(in singendem Ton)*: Einen Penny! Ha, ha! Wo Könige mit den Pfunden der Easterlinge die Latrinen pflastern! Ich habe hundert Schilling, Mann . . . in meinem Bauch, verstehst du . . . Mein Weib trinkt mit mir Fusel . . . Und meine Kinder sollst du sehen . . . die trinken . . . Fusel . . . be . . . besser als . . . wie du . . . Der Säugling wird genährt mit

128

Fusel ... Fu ... sel ...

BEIDE BETRUNKENE *(grölen)*: Fusel ... Fi ... Fa ... Fusel ...
*(Gehen vorüber.*
*Jimmy tritt auf Ned Lud zu.)*

JIMMY: Du bist Ned Lud?

NED LUD: Der bin ich. Doch wer bist du?

JIMMY: Ein Arbeitsmann gleich dir.

NED LUD: Aus Nottingham?

JIMMY: In Nottingham geboren. Seit vielen Jahren auf der
Wanderschaft und heut zum erstenmal wieder hier. Trieb
mich in England, auf dem Kontinent umher ...

NED LUD: So grüß' ich dich als Kamerad in deiner alten
Heimat.

JIMMY: Dank' dir, Ned Lud ... Ihr seid im Streik?

CHARLES: Die Maschine ist in der Stadt!

NED LUD: In ungeheuerliche Knechtschaft will man unsere
Leiber zwängen.

JIMMY: Darum der Kampf?

NED LUD: Sie wollen uns in Fesseln schlagen. Sie wollen uns
schmieden an ein furchtbar Ungeheuer. An eine Mühle, die
von Dampf getrieben, den Menschen krallt und schleudert
und zu Tode dreht!

JIMMY: Die Mule ist im Dorf?

NED LUD: Ein jeder Mensch auf Gottes Erde hat ein natürlich
Recht zu leben von der Hände mühseliger Arbeit. Ein jeder
Mensch ist frei geboren und hat das Recht auf ein Gewerbe.
Ein unverbrüchlich heiliges Recht. Wer dieses Recht uns
nimmt, ist ein Verräter! Verräter sind die Meister, die Maschi-
nen in die Städte trugen! Was gilt der Hände Arbeit noch!

JIMMY: Ihr hattet doch die Weberjenny?

CHARLES: Schon die war eine Sünde wider unsre Menschen-
rechte.

NED LUD: Statt einer Spindel treibt sie achtzehn. Fünf Spin-
nern raubt jede Weberjenny täglich Brot. Tausend Spindeln,
heißt es, treibt die Mule. Es kommt der Tag, da Ure uns auf
den Schinderacker jagt. »He, verreckt! Ich habe die Ma-

schine!« Wir müssen uns zusammentun. Kein Handschlag an Maschinen! Von unserer Hände Arbeit wollen wir leben wie bisher. Man weiß doch, daß man Mensch ist. Maschinenlohn ist Teufelslohn. Wir taten uns zusammen. John Wible ist der Führer. Heute abend tagt das Gewerk bei ihm.

JIMMY: Kampf führt ihr gegen die Maschine?

NED LUD: Noch sind unser die Fäuste!

JIMMY: Ich kenne die Maschine und sage, was geschieht, ist Wahnwitz!

NED LUD: Und wenn es Wahnwitz ist, und wenn es zwecklos ist. Wir *müssen* kämpfen, weil wir *Menschen* sind. Schweigen wir, so sind wir Tiere, die sich stumm ins Joch beugen.

JIMMY: Ich weiß, daß die Maschine unser unentrinnbar Schicksal ist.

NED LUD: Deine Worte sind mir fremd, ich versteh dich nicht.

JIMMY: Ich werde euch den Star im blinden Auge stechen. Ich komme hin zum Weber Wible. Dort laß mich sprechen.

NED LUD: Da schau ... Soldaten ...

*(Aus einer Nebenstraße ein Zug Soldaten, begleitet von einer Menschenmenge.)*

DER AUSRUFER: Kund und zu wissen gibt die Majestät des
    Königs, –

Tut Eure Mützen ab, verfluchtes Pack! –

Es ward der Obrigkeit bekannt, daß Untertanen

Sich zusammenfinden in geheimnisvollen Bünden,

Die Ruh und Ordnung unsres Königreichs bedrohen.

Und so befehlen wir: Verboten ist,

Zusammen sich zu rotten, um den gerechten Arbeitslohn

Gewaltsam zu erhöhen und die Arbeitszeit zu mindern.

Verboten ist,

Den fleißigen Untertanen, der ehrlich und gewillt

In Arbeit tritt, am Schaffen zu verhindern,

Sei es durch Drohung, Überredung oder Bitte.

Verboten ist

Den Arbeitern, den übernommenen Dienst gemeinsam zu
    verlassen.

130

Verboten ist
Für Zeiten, da die Arbeiter den Dienst versagen,
Geld zu sammeln und die Streikenden zu unterstützen.
Den ehrenwerten Unternehmern steht es frei,
Die Arbeitszeit, den Arbeitslohn nach eigenem Ermessen zu
    bestimmen.
Wer die Verbote übertritt, wird angesichts der gottlosen Ver-
    brechen
Zu Zuchthaus bis zu Jahren zehn bestraft.
Der treue Untertan, der anzeigt die geheimen Bünde
Und findig macht verruf'ne Kassen, erhält die Hälfte
Des verbrecherischen Geldes.
Die andere Hälfte aber ist Besitz der Majestät des Königs.
*(Trommelwirbel, die Soldaten ziehen ab.)*
NED LUD: Die eine Hälfte für den Bruder Denunzianten. Die
andere für den Bruder König. Ein ehrenwert Gespann.

*(Vorhang.)*


# Zweiter Akt


### Erste Szene

*(Ein kleinbürgerlich eingerichtetes Wohnzimmer.*
*Am Tisch beim Mittagsbrot Henry Cobbett und seine*
*Mutter.)*
HENRY: Ich hasse diese Knoblauchsauce, dies Gewürz des
    Pöbels . . .
MUTTER *(demütig)*: Der Vater . . .
HENRY: Der Vater! Der Vater! Ich kenne diese Weise. Beim
Hochzeitsmahl die Krone des Festes: Rindsbraten mit Knob-
lauchsauce! Später . . . Weihnachten, Ostern, Pfingsten die
Weihe: Knoblauchsauce. Des Vaters eigne Schuld.
MUTTER: Der Lohn . . .

HENRY: Unsinn. Mangelnde Tüchtigkeit. Er blieb Strumpfwirker bis ans Ende, ich errang kaufmännische Würde mit dreißig Jahren. Der Unterschied! Ich bitte dieses Thema abzubrechen. Die Erinnerungen an jene Zeiten verderben den Appetit, zerstören das notwendige Wohlbehagen, schaden der normalen Tätigkeit der Magenorgane.

*(Jimmy tritt ein.)*

JIMMY: Mutter!

MUTTER: Daß ich dich noch sehen darf . . .

JIMMY: Guten Abend, Henry.

HENRY: Du bist ein Mann geworden . . . Endlich. Wenn ich dein Gewand anschaue . . . Große Güter hast du kaum erworben?

MUTTER: Du wirst müde sein und hungrig. Iß mit uns.

*(Jimmy setzt sich an den Tisch.)*

JIMMY: Welch schöne Wohnung ihr besitzt!

HENRY: Welchen Beruf hast du?

JIMMY: Bin Tramper, Handwerksbursche, der Arbeit sucht.

HENRY: Das ist kein Beruf.

JIMMY: Bin Arbeitsmann, bin Weber.

HENRY: Das ist keine Ehre.

JIMMY: Die Königin hat keine größere zu verschenken.

HENRY: Eine sonderbare Ehre . . . Pöbel sein . . .

JIMMY: Nennst du dich Pöbel? Der Vogel beschmutzt sein Nest.

HENRY: Du irrst dich.

MUTTER: Henry ist nicht mehr Weber. Er hat sich heraufgearbeitet. Wurde Geschäftsführer bei Herrn Ure.

JIMMY: Wenn er die Arbeitsmänner beschimpft, beschimpft er mich.

HENRY: Es ist nicht meine Schuld, daß mein Bruder sich als Vagabund herumtreibt.

JIMMY: Du . . . warum kannst du behaglich wohnen und gut essen? Weil die Vagabunden, der Pöbel, ihre Kraft, ihr Leben opfern.

HENRY: Gesetz der Natur. Damit die Stärkeren leben können,

müssen die Schwächeren zugrunde gehen. Verlangst du, daß ich wieder *sinken* soll, verlangst du von mir, daß ich fallen lasse, was ich mit meinem Schweiß errang?

MUTTER: Du bleibst in Nottingham, Jimmy?

JIMMY: Ich kam zur rechten Zeit an. Die Arbeiter kämpfen.

HENRY: Was heißt das?

JIMMY: Die Arbeiter kämpfen um ihr Menschenrecht.

HENRY: Das sind Phrasen.

JIMMY: Elend Phrase? Hunger Phrase? Kinderarbeit Phrase?

HENRY: Du bist ein Aufrührer.

JIMMY: Nennst du für Gerechtigkeit kämpfen Aufruhr, dann bin ich ein Aufrührer.

HENRY: Du wirst nicht in Nottingham bleiben.

JIMMY: Es ist kein Anlaß, fortzugehen.

HENRY: Ich verliere meine Stellung.

JIMMY: Ich kann keine Rücksicht darauf nehmen.

HENRY: Mutter, wir bekommen einen sauberen Gast.

MUTTER: Du scherzest ... Jimmy?

JIMMY: Man treibt mit Herzblut keinen Scherz, Mutter.

HENRY: Schau dir das Gesindel an, für das du kämpfst. Am Sonntag, am Gottestag, wälzt es sich betrunken durch Schenkhäuser ... Das Weibsvolk hurt ... Mädchen von zwölf Jahren bieten sich feil ... Kinder stehlen ... Vor einigen Wochen suchte die Polizei im Trent ein Kind und fand ... sechzig! sechzig hingemordete Kinder!

JIMMY: Wer waren die Väter? Du, deine Freunde, deine Herren, die Gold haben, sich ein Mädchen zu kaufen. Warum warfen die Mütter ihre Kinder, ihre heiligen kleinen Kinder ins Wasser? Weil keiner der Väter ihnen hilft, ihre Kinder zu ernähren? Weil eure Kirche sie verfehmt und Schande nennt, was göttlich, unbegreiflich Wunder ist und Ehrfurcht heischt. Warum liegen die Männer trunken in Schenken? Weil ihre Wohnungen Ställe sind, stinkend in Unrat! Die Arbeitsmänner sind gut, sind besser als deine Herren! Jeder ist schuldig, der weiß, daß ein Kind hungert und er hilft ihm nicht zu Brot. Für jeden, der friert, jeden, der verkommt, jeden, der kein

Obdach hat und keine Bleibe, jeden, der nach Schönheit, nach Freiheit sich sehnt und in Schmutz leben muß, bist du, du verantwortlich.

HENRY: Die Arbeiter kämpfen gegen die Maschine. Du wirst dieses Verbrechen unterstützen?

JIMMY: Die Arbeiter werden die Maschinen erobern!

HENRY: Ich habe nichts mehr zu sagen. Geh du deiner Wege, ich gehe die meinen. Ich werde dich zu verleugnen wissen. Weder identisch noch verwandt. Weder identisch noch verwandt. Mutter, du hast die Wahl.

*(Henry verläßt das Zimmer.)*

MUTTER *(nach einer Weile, mit schwerer Gebärde)*: Nein . . . Junge . . . Nein . . . Noch einmal das alte Elend von vorne anfangen . . . Ich kann es nicht . . . Nein . . . Die Jahre des Hungerns . . . die frierenden Winter . . . Morgens nicht wissen, ob das Geld reicht für ein paar Kartoffeln . . . Der Schmutz . . . Die Kälte . . . ich bin alt . . . ich bin krank . . . ich kann es nicht . . . nein . . .

JIMMY: Das heißt, ich soll gehen?

MUTTER *(aufschluchzend)*: Ich bin sechzig Jahre alt . . . Noch einmal . . . Nein . . .

*(Mutter geht hinaus.)*

JIMMY: Als ich ein kleiner Junge war, stand ich vorm Bild unserer Lieben Frau, immer betete ich meine Mutter an.

*(Der Bettler tritt ein.)*

BETTLER: Eine milde Gabe, werter Herr.

JIMMY: Das bist du, Freund. Du kommst zur Unzeit.

BETTLER: Zeit ist nicht Unzeit, Freund. Du hast keine Lebensweisheit. Wenn die Zeit auf einem Rennpferd reitet, macht sie Überzeit . . . und wenn sie einen alten Klepper besteigt, holpert sie eine langweilige Zeit. Reitet sie aber auf einem jungen Weibchen, zeugt sie eine trächtige Zeit. Hat dir dein Liebchen Valet gesagt?

JIMMY: Man wies mir die Tür. Mutter und Bruder wiesen mir die Tür.

BETTLER: Da bist du nicht am schlechtesten dran. Vergangenheit und Gegenwart wiesen dir die Tür. Mir stellte die Zukunft den Stuhl vors Haus. Mein Herr Sohn fand, daß ers nicht nötig habe, einen zu beherbergen, der einarmig sei und nichts verdiene. Er fand, ich hätte mich an ihm verlustiert, bevor er geboren wurde, und er wolle sich auch einmal verlustieren, nachdem er geboren sei. Dabei wäre ich ihm unbequem. Er hat so unrecht nicht.

JIMMY: Dann geht es dir wie mir. Wir könnten Freundschaft schließen.

BETTLER: Gern. Ist dort dein Teil vom Mittagbrot auf dem Tisch? Ich will ihn einstecken, als Morgengabe deiner Freundschaft . . . trotzdem du so unhöflich warst, mich nicht aufzufordern. Willst du Bettler werden?

JIMMY: Nein, Freund, ich nehme Arbeit an. Wir werden einen Kampf führen, Alter, einen großen Kampf. Die Arbeitsmänner sind aufgewacht. Sie marschieren.

BETTLER: Du willst also Gewerkschaftssekretär werden? Nun, dann werde ich dir noch oft aushelfen müssen mit Brotkrumen des Rinnsteins. Arbeiter als Wohltäter . . . Es gibt keine besseren! Arbeiter als Dienstherren . . . Du wirst deine apokalyptischen Wunder erleben. Unternehmer setzen dir eine spanische Fliege auf die Brust . . . Arbeiter deren drei, eine auf deine Brust, eine auf deine Schenkel, eine auf deine Hoden. Guten Appetit, Freund.

JIMMY: Alter, deine Rachsucht spricht.

BETTLER: Meine Wahrheitssucht, Freund.

JIMMY: Weil dein Sohn dich vor die Türe setzte, meinst du, daß alle wären wie dein Sohn.

BETTLER: Freundchen . . . liebes Freundchen . . . Hast du ein Dach heute Nacht?

JIMMY: Nein.

BETTLER: Dann gebe ich mir die Ehre, dir in meinem Palast das Prunkgemach anzuweisen. Du kannst vorerst dort wohnen als Gastfreund. Die Lords Ratten werden den Kammerdienst versehen, die Ladies Läuse dir ein duftendes Bad bereiten, die Jungfern Flöhe dir Kurzweil machen zur Nacht.

JIMMY: Zeig mir deine Wohnung. Ich habe ein wichtiges Geschäft heut abend zu erledigen. Danach komme ich zu dir.

*(Die Bühne verdunkelt sich.)*

## Zweite Szene

*(Inneres einer Cottage. John Wibles Wohnung. Feuchte Kammer. Wohngerät: ein Tisch, zwei zerbrochene Stühle, zwei Webstühle. Am Fenster der alte Reaper.)*

DER ALTE REAPER: Denn es ist geschrieben: So wahr als Ich lebe, spricht der Herr. Mir sollen alle Knie gebeugt werden und alle Zungen sollen Gott bekennen. Und hier steht einer, dessen Knie nicht gebeugt werden, dessen Zunge nicht bekennet Gott ...

TEDDY: Großvater, mich hungert.

DER ALTE REAPER: Läßt er dich hungern?

TEDDY: Großvater!

DER ALTE REAPER *(schweigt.)*

TEDDY: Großvater, ich möchte laufen, wie die Kinder von Herrn Ure. Aber meine Beine ... guck sie dir an ...

DER ALTE REAPER *(schweigt.)*

TEDDY: Hätte ich Brot, hei! Würde ich spielen.

DER ALTE REAPER *(schweigt.)*

TEDDY: Großvater, warum gibst mir nicht Brot? Mich hungert ... mich hungert ...

DER ALTE REAPER *(hilflos)*: Ich hab' doch keins ... ich hab' doch keins ... ich hab' doch keins ... Er ... Er ... Er da oben hat doch alles ... alles, Er da oben. Er läßt die Gerechten hungern und die Ungerechten prassen ... O du ... O du ... O du Kindermörder du ... Doch still, Teddy: Es kommt der Tag der Tat! Auf Tod und Leben kämpfen wir ... Auf Tod und Leben ... Teddy, wo ist mein Gewehr?

TEDDY: Hier, Großvater, hier ist der Stock.

DER ALTE REAPER: Das ist kein Stock, Teddy. Das ist ein Gewehr. Einer muß fallen.

*(Der alte Reaper nimmt den Stock und zielt in die Luft. Macht die Gebärde des Abdrückens. Läßt den Stock sinken.)*

DER ALTE REAPER *(weinerlich)*: Der Hahn ist verrostet . . . Es . . . geht . . . nicht . . . los.

TEDDY: Großvater, hast du schon eine Maschine gesehen? Sie soll hundert Köpfe haben.

DER ALTE REAPER: Vielleicht ist es Gott . . . Vielleicht ist es Gott . . . Wo . . . wo steht die Maschine?

TEDDY: Soll ich dich hinführen? . . . Aber Vater darf nichts davon erfahren. Versprichst du's mir?

DER ALTE REAPER: Führe mich nur hin . . . Führe mich nur hin . . . Mich deucht, ich bin ihm auf der Spur.

TEDDY: Morgen abend . . . wenn Vater schläft . . .

*(John Wible tritt ein.)*

JOHN WIBLE: Die Mutter noch nicht hier?

TEDDY: Nein, Vater.

JOHN WIBLE: Alter, putzest dein Gewehr? Wirst ihn ja doch nicht treffen.

DER ALTE REAPER: Da sie sich für Weise hielten, sind sie zu Narren geworden.

JOHN WIBLE *(lacht.)*

TEDDY: Vater, ein Maulwurfsloch ist im Hof. Wollen wir den Maulwurf fangen?

JOHN WIBLE: Laß das Tierlein leben.

DER ALTE REAPER: Ist schartig schon . . . Ist schartig schon. Gewehr, du liebes . . .

*(Mary tritt ein. Eine junge, schöne Frau.)*

MARY: Grüß Gott Euch.

JOHN WIBLE: Hat dich der Cobbett gut entlohnt?

MARY *(wirft Geld auf den Tisch)*: Fünf Pence.

JOHN WIBLE: Der Schuft! Der Schuft!

MARY: Laß mir die Hälfte. Nicht ein Brot im Haus. Ich gab dir letzte Woche all das Sündengeld.

JOHN WIBLE: Die Taschen leer.

MARY: Du hast gespielt?

JOHN WIBLE: Und hätte ich gespielt! Wär' ich ein Herr, ich würde huren! Ich brauch es nicht für mich.

MARY: Zerschlissen ist das Moosdach. Regen tropft und quält uns in der Nacht. Das feuchte Stroh . . . Ich hab' kein Geld. Die Handwerksleute aber heischen Geld. Kein einziger kommt zu unsereinem, wenn du den Lohn gezählt nicht auf den Tisch gebreitet.

JOHN WIBLE: Schulden beim Krämer?

MARY: Fünf Schilling. Oh, dieser Armeleutebetrüger! Den Zucker vermischt er mit gestoßenem Reis, das Mehl mit Gips und Kreide, den Pfeffer mit Hülsenstaub. Als Margrets Kind krank war und sie mit Wucherzinsen Kakao kaufen mußte, fand sie braune Erde darin, die mit Hammelfett eingerieben war.

JOHN WIBLE: Hast du ein Abendbrot?

MARY: Wenn du ein paar Kartoffeln willst?

JOHN WIBLE: Gib sie mir später. Sei vernünftig, Mary. Geh hin, und laß dich zärtlich küssen. Ohne dich verliere ich meine Stellung. Er gibt dir Geld. Sei ihm zu Willen und tue wie die Werkelleute tun. Bevor du küßt, den Lohn gezählt . . . gezählt! gezählt! Die Freunde kommen heut' zu mir. Du bist uns jetzt im Weg.

MARY: Ach, lieber Gott, ich tu's ja. Was hat unsereiner für ein Leben. Komm Teddy, leg' dich in die Kammer und schlaf'. Und wenn du morgen aufwachst, liegt ein frischer Wecken Brot auf deinem Bett. Gute Nacht auch, Vater. Leg' dich schlafen.

DER ALTE REAPER: Bade in Balsam deine Glieder, Tochter. Denn bald nahet der Tag, da du gekrönet sein wirst unter den Töchtern.

MARY *(hinausgehend)*: Mit Prügeln, Vater.

JOHN WIBLE: Nur Mut, Alter, es kommt der Tag der Tat!

*(Eintreten Charles, Bob, William, Eduard, Artur, Georges und andere Arbeiter.)*

CHARLES: Sie ist im großen Arbeitsschuppen aufgestellt!

BOB: Vielarmig ist der Juggernaut und aufgetan mit hundert Rachen!

WILLIAM: Ein Dämon, der uns packt und rasch zermalmt!

EDUARD: Dem Gott-sei-bei-uns haben sich die Herren ver-
schrieben!

GEORGES: Wir aber sind der Blutlohn!

DIE ARBEITER: Der Blutlohn wir und immer wir!

DER ALTE REAPER: Sie haben verlassen den richtigen Weg und
gehen irre.

JOHN WIBLE: Schweig, alter Narr. Laßt uns beraten, Nachbarn. Sie spotten unseres Streiks.

*(Der alte Reaper geht hinaus.)*

CHARLES: In Kirchen wettern ihre Pfaffen gegen Streik und
hetzen uns die Weiber auf den Hals!

BOB: Der König hat verboten jeglichen geheimen Bund.

JOHN WIBLE: Mit dem Gedärm des letzten Pfaffen
Mag der letzte König hingewürget werden!

CHARLES: So sei's.

BOB: Was aber gibt's zu tun?

JOHN WIBLE: Sind Wachen ausgestellt?

CHARLES: Auf hundert Meter rings im Kreise stehn Stafetten.

JOHN WIBLE: Zur Ware, die man kauft, und wenn sie rissig,
Fortwirft, drückte uns der Ure. Jetzt hat er die Maschine
Und sein Sieg wird taumelnder Triumph.
Es heißt, das höllische Maschinenungeheuer
Frißt tausend Webern die gerechte Arbeit.

CHARLES: Wer Menschen Arbeit stiehlt, der sündigt wider die
Natur!

RUFE: Der sündigt wider die Natur!

JOHN WIBLE: Die Männer wird man aus den Städten jagen
Und unsere Kinder an die Höllenketten legen . . .
Dreijährige Kinder, heißt es, lenkt das Ungeheuer.

ALBERT: Und läßt man uns an die Maschine, was ist der
Dienst? Wir knüpfen gebrochene Fäden und bewachen wie
angebundene Knechte das reißende Tier!

EDUARD: Wir werden nicht mehr weben, nicht mehr werkeln?

JOHN WIBLE: Dem Teufel hat euch der Ure verkauft! Dem
Teufel verschreibt ihr die Seele! Ihr seid der Blutlohn!

ARTUR: Was . . . wird aus uns?

ALBERT: Drei Tage ließ ich mich in Carlton an Maschinen
fesseln . . .
Dann floh ich. Wie eine Höllenzange
Packt euch der Dämon Dampf . . .
Reißt euch das Herze aus dem Leib . . .
Und sägt und sägt und sägt
In Stücke den lebendigen Körper.
Du Charles wirst Bein: Du trittst . . .
Du trittst . . . Du trittst dein ganzes Leben . . .
Und deine Arme werden schlaff,
Die Augen blind, der Rücken krumm . . .
Du Georges wirst Hand und knüpfst . . . und knüpfst . . . und
knüpfst . . .
Und deine Ohren werden taub . . . Dein Hirn verdorrt . . .
Dein Blut gerinnt . . .
CHARLES: Ich werde Bein!
GEORGES: Ich werde Hand!
WILLIAM: Und wenn die Maschine still steht . . . wenn der
Tyrann
Den Dienst aufsagt . . . was tun die Knechte dann?
JOHN WIBLE: Was tun gestutzte Raben, wenn sie der Herr
hinaustreibt
In die Winternacht? Verfrieren und verkommen!
Verfrieren und verkommen!
CHARLES: Wir sind doch Menschen!
JOHN WIBLE: Vorbei! Vorbei!
CHARLES: Das darf nicht sein! Das ist ja Sünde!
GEORGES: Fluch dem Tyrannen Dampf!
EDUARD: Die Pest über ihn!
WILLIAM: Ohnmächtig sind wir!
RUFE *(dumpf)*: Ohnmächtig . . .
JOHN WIBLE: Ein Mittel gibt's! Wir sagen Fehde der Ma-
schine.
Ein Moloch lebt in Nottingham. Erschlagt ihn!
Bis morgen mehrt er sich und heckt zu tausenden
Die Ungeheuer! . . . Wir schwören Fehde, schwören Haß!

DIE ARBEITER: Wir schwören Haß!

JOHN WIBLE: Wenn sich in seinem schwarzen Blut der Moloch wälzt,

Wird Ure nicht mehr wagen,

Mit neuer Höllenbrut uns einzukesseln!

Zerstörung der Maschine!

Krieg dem Tyrannen Dampf!

Zerstörung der Maschine!

Krieg dem Tyrannen Dampf!

DIE ARBEITER: Zerstörung der Maschine!

Krieg dem Tyrannen Dampf!

*(Jimmy und Ned Lud treten ein, die Arbeiter wenden sich erschreckt gegen Jimmy.)*

NED LUD: Ein Kamerad aus Nottingham. War auf der Wanderschaft die letzten Jahre.

*(Jimmy begrüßt die Arbeiter.)*

NED LUD *(zu Wible)*: Entschlossen?

JOHN WIBLE: Entschlossen.

*(Jimmy tritt hinzu.)*

JIMMY: Beschlüsse sind gefaßt?

JOHN WIBLE: Noch heute Nacht zerstören wir die Maschine.

JIMMY: Sinnlose Ihr!

JOHN WIBLE: Hat auch dich die Maschine gekauft?

JIMMY: Gebt eine Stunde freie Rede mir.

JOHN WIBLE: Was soll's? Wir haben keine halbe zu verschenken.

NED LUD: Man soll ihn hören.

RUFE: Man soll ihn hören!

JIMMY: Erschreckt vom schauerlichen Antlitz der Maschine hat euch Verzweiflung überrannt. Ein Gott dünkt euch die Maschine, ein Dämon, deß verruchte Hände des Menschen Seele einkrallt ... Ein Dämon, der euch spannt in seine Fron ... euch knebelt, stückelt ... euern Dienst entwürdigt ... euch zerkrümmt ...

ALBERT: So ist es!

JIMMY: Es leben andere Feinde, gewaltiger als das Gerüst von

Eisen, Schrauben, Drähten, Holz, das man Maschine nennt.

JOHN WIBLE: Er will uns verhöhnen!

CHARLES: Er soll schweigen!

NED LUD: Wir gaben ihm freie Rede!

JIMMY: Ein Feind lebt in euch! Er hält eure Seelen umklammert ... Er atmet in eurem Blut ... Er wandelte euren Geist in Starre und Dumpfheit.

JOHN WIBLE: Ein Pfaffe!

CHARLES: Wir sind in keiner Kirche, du!

ALBERT: Zu Männern sprichst du, nicht zu Weibern!

NED LUD: Wir gaben ihm eine Stunde freie Rede.

JIMMY: Schaut in euch hinein, Brüder! Wie lebt ihr freudlos und dumpf und voll Unrast! Wißt ihr noch, daß Wälder sind ... Dunkle, geheimnisvolle Wälder, die in Menschen erwecken verschüttete Quellen ... Wälder der schwingenden Stille ... Wälder der Andacht ... Wälder heiteren Tanzes ...

Was ist euch Arbeit? Habt ihr wirklich als freie Menschen gewebt? ... War euch Arbeit Werk, dem ihr dientet in Schaffenslust, in Schaffensdemut? Eure Arbeit war Frondienst, Lohndienst, Notdienst ...

Schaut eure Kinder an ... gemergelt, siech ... Zehnjährig holpern sie wie Greise.

JOHN WIBLE: Ist Elend unsere Schuld?

JIMMY *(gewaltig)*: *Eure Schuld ist, daß ihr nicht kämpftet,* daß ihr euch nicht eintet zum Arbeitsbund! Daß ihr nicht Gemeinschaft *lebt*, daß ihr nicht baut am Hause der Gerechtigkeit!

Der Tod ist unter euch! Er hockt in euren müden Augen ... Er lastet in euren Schritten, den ruhelosen, schweren ... Er hat das Lachen getötet und die Freude ...

Und doch ist Traum in euch! Traum vom Land der Wunder ... Traum vom Land der Gerechtigkeit ... vom Land der werkverbundenen Gemeinden ... vom Land des werkverbundenen Volks ... vom Land der werkverbundenen Menschheit ... vom Land der schaffenden, freudigen Werkarbeit ...

Brüder! Bündet euch! Beginnt! Beginnt! Nicht Ich und Ich und

Ich! Nein: Welt und Wir und Du und Ich! Wollt die Gemeinschaft allen Werkvolks und ihr werdet sie erkämpfen. O eure Seele wird die mächtigen, verschütteten Schwingen entfalten! Die Erde wird euch wieder Schoß der Kraft sein! *Und der Tyrann Maschine, besiegt vom Geiste schaffender Menschen . . . wird euer Werkzeug, wird euer Diener!*

NED LUD *(leise)*: Wird unser Werkzeug . . .

JIMMY: Denkt, wenn ihr einzig schafftet, was ihr braucht, nicht Zweckdienst, Zinsdienst leistet Moloch Mammon. Denkt, wenn ihr statt sechzehn Stunden acht nur schafftet . . . *Und die Maschine wär' euch Helfer, nicht Feind!* Und eure Kinder, frei von der Fron, in hellen Schulen, auf Wiesen, Bergen aufwüchsen . . .

Die Not würgt euch! Schon könnt ihr kaum noch atmen! Ermannt euch! Kämpft! Brecht auf! Was morsch ist, soll verdorren, soll nicht schwelen! Beginnt, ihr Brüder! Einet euch im Bund der Schaffenden.

*(Stille.)*

JOHN WIBLE: Ich höre Worte, Worte, Worte. Wir Arbeiter uns bünden, ha! Ausgeschlossen sind wir vom Parlament. Haben keinerlei Wahlrecht! Das Wahlrecht hat, wer Gold heckt!

JIMMY: Es geht um mehr als Wahlrecht! Den Schaffenden das Land, nicht den Schmarotzern! Die großen Lords regieren England. Für Pöbel ist kein Platz im Hohen Haus. Sie führen Kriege, den Profit zu mehren, fremdes Volk zu unterjochen. Und nennen ihre Räuberkriege Kriege für das Wohl des Landes. Wer aber blutet für das Land? Der Mammon?

DIE ARBEITER: Nein, wir und immer wir!

JIMMY: Die Schaffenden von England bereiten den Kampf vor. In London haben wir geheimen Bund gegründet, der alle Werkenden des Königreichs umfassen soll. In vielen Städten regt sich schon der Feuerstrom erwachten Willens! *Gemeinschaft soll führen, nicht der Mammon! Der Mensch soll führen, nicht die Maschine!*

ARTUR: Der . . . der . . . Mensch . . . Mensch . . . soll führen . . . nicht . . . nicht die Maschine . . .

JIMMY: Seid ihr bereit, den Brüdern euren Arm zu leihen?
DIE ARBEITER: Wir sind's! Wir sind's!
JIMMY: Der Kampf ist schwer und heischt Geduld, ihr Brüder. Der Kampf ist schwerer, als ihr heute ahnt. Aufnehmen müßt ihr Dienst an der Maschine. Die alte Bürde müßt ihr tragen manchen Tag ... müßt sehen eure Weiber, eure Kinder hungern ... und hungernd euch anklagen, euch verfluchen sehen.
DIE ARBEITER: Wir sind bereit!
NED LUD: Wir wählen dich zum Führer!
JIMMY: Ein jeder dient dem Volk, ein jeder dient dem Werk, ein jeder Führer!
DIE ARBEITER: Ein jeder dient dem Volk, ein jeder dient dem Werk!
*(Die Arbeiter umjubeln Jimmy. Heben ihn auf ihre Schultern. Tragen ihn davon. John Wible bleibt zurück.)*
JOHN WIBLE: Auf Schultern hob ihr Jubel diesen hergelaufnen Iren. Kaum eine Stunde ist er da und reißt mir die Führung aus den Händen. Diese einfältigen Tölpel wollen auf Erden herrschen und wollen ein Paradies erkämpfen. Narren mögen daran glauben! Ich nicht!

*(Vorhang.)*


# Dritter Akt

### Erste Szene

*(Ein Zimmer in Ures Villa.)*
HENRY: Ich ließ Sie rufen. Wollen ohne Flausen sprechen. Sie kennen den neuen Agitator?
JOHN WIBLE: Jawohl, Herr Cobbett.
HENRY: Wissen, wie er heißt?
JOHN WIBLE: Jimmy Cobb ...
HENRY: Gut. Man erzählt mir, Sie hatten Zwist mit ihm, Meinungsverschiedenheiten? ...

JOHN WIBLE: Nicht, daß ich wüßte . . .

HENRY: Keine Maske! Ich kenne Ihre Rolle. Hören Sie? Ich kenne Ihre Rolle in allen Einzelheiten. Ich brauchte Sie nicht zu rufen, Wible . . . ich hätte es einfacher erreicht, Sie herschaffen zu lassen . . . in Fesseln . . . in Fesseln!

JOHN WIBLE: Das müßte erst bewiesen werden!

HENRY: Ach, lassen wir doch überflüssige Beteuerungen! Wir haben beide nichts zu gewinnen. Wollen also mit aufgedeckten Karten spielen. Mein Bruder muß Nottingham verlassen. Ich gebe vierundzwanzig Stunden. Ure darf nicht erfahren, wer der Agitator ist. Ich kann die Bedenkzeit nur kurz bemessen. Sie werden mit Ihrer Belohnung zufrieden sein.

JOHN WIBLE: Wir spielen mit aufgedeckten Karten . . . Ich . . . ich . . . ich willige ein.

HENRY: Wie Sie es anstellen, Ihre Sache.

JOHN WIBLE: Ein gewagtes Spiel wär's . . .

HENRY: Haben Sie einen Plan?

JOHN WIBLE: Die Maschine doch zerstören . . . ihn unauffällig wissen lassen, daß wir es tun . . . und dann dabei . . . dann muß er Nottingham verlassen . . .

HENRY: Ihre Sache! Ich bleibe aus dem Spiel.

JOHN WIBLE: Kann ich mit Herrn Ure sprechen?

HENRY: Ist das notwendig?

JOHN WIBLE: Ja.

HENRY: Warten Sie.

*(Henry Cobbett verläßt das Zimmer.)*

JOHN WIBLE *(allein)*: Pack! Zum Geschäftsführer wie bei dem Schleicher Henry langte es auch bei mir. Das Gesindel hätte nichts zu lachen! Zum Teufel, ich bin am Meilenstein vorbeigegangen! Aber was übrig bleibt, kann immerhin eine fette Mahlzeit werden. Ich muß meinen Rücken polstern, der hat ein sozusagen menschliches Anrecht auf Fett . . . auf ein fettiges Menschentum . . .

*(Ure tritt ein.)*

URE: Der Weber John Wible?

JOHN WIBLE: Zu Befehl, Herr Ure.

URE: Wünschen Arbeit?

JOHN WIBLE: Ich wollte . . . ich arbeitete in Herrn Ures Manufaktur zwölf Jahre . . .

URE: Ich kann auf einzelne keine Rücksicht nehmen. Der nationalen Industrie hat sich jeder unterzuordnen. Das muß ich ebensogut wie Sie.

JOHN WIBLE: Ich komme nicht um Arbeit . . .

URE: Sondern?

JOHN WIBLE: Weil ich nicht will, daß . . . die Leute durcheinandergehetzt werden . . . weil ich so lange bei Herrn Ure mein Brot aß . . .

URE: Kurz. Was gibt es?

JOHN WIBLE: Weil ein Putsch in Vorbereitung ist . . . weil die Maschine zerstört werden soll . . .

URE: Bitte, nehmen Sie Platz. Eine Zigarre? Ich ersuche um klare Darstellung aller Einzelheiten.

JOHN WIBLE: Ein fremdländischer Agitator aus London ist in Nottingham . . . Keiner kennt den Namen . . . Ein Kommunist . . . Einer vom geheimen Gewerkschaftsbund . . . Er hat die Arbeiter aufgewiegelt, sie sollen die Maschinen zerstören . . . Waffen hat er ihnen versprochen . . . Es müsse Blut fließen . . .

URE: Es gibt also auch für Sie eine Grenze, wo Sie nicht mehr mittun. Freut mich, Wible. Das lebendige Band der Gemeinschaft zwischen Fabrikanten und Arbeitern ist keine Legende. Ich wußte es. Arbeit kittet.

JOHN WIBLE: Ich will tun, was Herr Ure befehlen . . .

URE: Eigentlich nicht viel. Ich fürchte die Maschinenzerstörung nicht. Im Gegenteil. In einer Zeit wie der gegenwärtigen könnte der Tatbestand einer Maschinenzerstörung unsere Position festigen. Das würde der schlappen Regierung endlich die Augen öffnen. Der materielle Verlust würde ausgeglichen durch Aussicht auf geregelte, ordnungsgemäße Zukunft. Hm . . . Sie verstehen mich . . . Sie werden also über jeden Vorfall mir Bericht erstatten?

JOHN WIBLE: Jawohl, Herr Ure.

URE *(schreibt auf ein Blatt einige Zeilen)*: Hier, geben Sie das

146

dem Kassierer.

JOHN WIBLE: Jawohl, Herr Ure.

*(Ures kleine Tochter läuft ins Zimmer. Schmiegt sich an Ure. Läuft wieder hinaus.)*

URE: Ja, Wible, da wird von Kluft zwischen Fabrikanten und Arbeitern gesprochen. Unsinn! Zum Beispiel: Kindesliebe. Ist da ein Unterschied? Wenn unsere Kinder krank sind, fühlen wir den Schmerz der Kleinen als eigenen. Sie wie ich. Guten Tag, Wible.

*(Ure verläßt das Zimmer.)*

JOHN WIBLE *(allein)*: Du . . . Du Blutsauger du! Der eine hungert, der andere läßt hungern . . . ist da ein Unterschied? Das eine Kind wird all der Schleckereien überdrüssig, dem andern Kind ist Weißbrot ein Schlaraffenmärchen . . . ist da ein Unterschied? Alles Pack! Da wie da! Alles Pack! Und wenn du glaubst, Ure, daß ich dir auf deinen Goldseim gekrochen bin wie eine Laus auf deinen ranzigen Speckwanst . . . bäh . . . bäh . . . Ich Verräter? Unsinn! Proleten müssen mit Ochsenziemern angetrieben werden. Blut heißt die Peitsche, die sie aus trägem Schlafe reißt!

*(John Wible verläßt das Zimmer.)*

*(Vorhang.)*

## Zweite Szene

*(Schmutzige, unratbedeckte Straße vor John Wibles Cottage. Meist einstöckige Häuser.)*

JIMMY: In der Fabrik arbeiten Streikbrecher.

JOHN WIBLE: Ich weiß es.

JIMMY: Wir dürfen es nicht zulassen.

JOHN WIBLE: Geduld hast du gepredigt. Ihr wollt an Maschinen arbeiten, ihr verhandelt heute mit Ure . . . bitte ihn, er soll die fremden Arbeiter heimschicken!

JIMMY: *Weil* wir noch verhandeln, dürfen keine Streikbrecher arbeiten. Wir müssen uns ans Fabriktor stellen, wenn sie zur Arbeit wollen.

JOHN WIBLE: Wir müssen sie in der Fabrik überfallen, und die davon kommen, wie Hasen heimwärts jagen!

JIMMY: Warum die Leute überfallen, da Überzeugen uns zum Ziele führt? Es sind Arbeiter, unwissende, irregeführte Arbeiter.

JOHN WIBLE: Es wäre eine Tat! Es wäre eine Aktion!

JIMMY: Ist jede Tat ein Altar, der Menschenknie zur Andacht beugt? Sinnlose Tat ist Rausch der Feigen und der Toren!

JOHN WIBLE: Wir *brauchen Niederlagen*. Nur tiefstes Elend schafft Rebellen. Gib ihnen Fett, gib ihnen Schnaps, sie furzen dir auf die Erkenntnis und sühlen sich im Trog wie vollgefreßne Säue.

JIMMY: Elend schafft Rebellen. Doch laßt das Elend wachsen, bis es jedem einzelnen den Hals zuschnürt ... daß keiner mehr weiß, wo ein Stück Brot hernehmen und wo den Kopf hinbetten ... Glaubst du, daß die Menschen dann noch Rebellen sind? Verlange von ihnen Solidarität, Treue, Opferwilligkeit, Hingabe, Verzicht auf eigenen Vorteil, Verzicht auf Gold des Tages, sie werden dich verhöhnen! Sie werden jedes Gauklers Beute, der ihren gierigen Wünschen Wortpracht leiht! Sie werden Landsknechte, Söldner, Freiwild jedes Generals, der ihnen Beute verheißt.

JOHN WIBLE: Man muß sie wie wilde Tiere aufhetzen! Blut heißt die Peitsche, die sie aus trägem Schlafe reißt!

JIMMY: Wie du verächtlich von den Arbeitsmännern sprichst, die du befreien willst! Wie deine Augen schwelen in hämischer Bosheit! Man meinte, du wolltest nicht die Arbeitsmänner befreien, sondern dich, dich rächen! Wer die niederen Kräfte und Triebe der Massen aufruft, den überrast ihr Sturm. Heute entfacht er den Orkan, heute ist er Führer, morgen wird er vom Felssturz blindwütiger Leidenschaften zermalmt, morgen ist er tausendfach bespieener Verräter!

JOHN WIBLE: Ich kann nicht Bücher lesen ... wer das Arbeitsvolk besser versteht, wird sich erweisen. Das Arbeitsvolk fühlt anders, denkt anders als du ... Also: wir sollen uns heute vor der Mittagsschicht am Fabriktor versammeln?

JIMMY: Es wäre gut.

JOHN WIBLE: Unmöglich, die Kameraden rechtzeitig zu rufen!

JIMMY: Ich meine . . .

JOHN WIBLE: Unmöglich. Bis morgen haben wir Zeit. Ich will die Freunde für morgen abend vor die Fabrik bestellen, ehe die Nachtschicht beginnt . . . wollen sehen, wie lange das Arbeitsvolk mit dir marschiert.

*(John Wible geht davon. Der alte Reaper kommt eilends aus dem Haus.)*

DER ALTE REAPER: Hast du ein wenig Zeit für mich, Jimmy? Mein Leben währt nun achtzig Jahre . . . und es war nicht köstlich, trotz Mühe und Arbeit . . . und der alte Reaper möchte nicht auferstehen zu neuem Leben . . . der alte Reaper möchte Erde werden . . . englische Wiesenerde . . . aus seinem Schoß sollen Blumen wachsen . . . seine Gräser sollen die Schafe fressen . . . und ein Quell soll plätschern, lustig wie ein Ziegenböcklein . . . aber bevor sie den alten Reaper in die Grube senken, möchte er eines wissen: Warum das Leben, Jimmy? Wie ist hier alles ohne Zweck und Sinn . . .

JIMMY: Weißt du, warum der Baum dort wächst, warum er Blätter treibt und kahl und welk im Herbst wird? Fragst du nach Zweck? . . . Fragst du nach Sinn? . . . Ich bin . . . du bist . . . wir sind . . . das, Alter, ist die letzte, reiche Schau . . . Den Sinn, den gibt der Mensch dem Leben.

DER ALTE REAPER: Glaubst du an Gottes Reich . . . ans Reich des Friedens?

JIMMY: Ich kämpf', als glaubte ich daran.

DER ALTE REAPER: Sag' mir, wo find' ich Gott?

JIMMY: Ich hab' ihn nicht erfahren, deine Hingabe findet ihn vielleicht.

DER ALTE REAPER: Du kämpfst doch wider Gott?

JIMMY: Ich kämpf', als glaubte ich an Gott.

DER ALTE REAPER: Er ist von Sinnen, hi hi hi! Er kämpft gegen die Maschine und weiß nicht, wo Gott ist. In deinem Kopfe stimmt nicht alles, Jim. Es nimmt kein gutes Ende, Jim, mit dir.

*(Jimmy geht lächelnd davon.*
*Ein Mann mit einer vierrädrigen Karre, genannt Louis mit der Karre, kommt des Wegs.)*

DER ALTE REAPER: He, Freund mit der Karre, sag', wo find' ich Gott? Ich will dir auch helfen, die Karre zu ziehen.

MANN MIT DER KARRE *(grimmig)*: Ich bin kein Mann. Ich bin städtischer Beamter und heiße Louis. Ich bin Abfallkehrer der Stadt Nottingham. Das ist keine Karre. Eine Karre hat nur zwei Räder. Das ist ein vierrädriger Wagen. Ein Leben lang schob ich eine Karre. Endlich bekomme ich einen Wagen. Und jetzt nennst du meinen Wagen eine Karre!

DER ALTE REAPER: Es handelt sich nicht um die Karre, Freund, es handelt sich um Gott.

MANN MIT DER KARRE: Was schert mich Gott! Such' ihn, so wirst du ihn finden. Es handelt sich um den Wagen, den du Karre heißest. Karre! Karre! Karre! heißt er meinen vierrädrigen Wagen!

DER ALTE REAPER: Ich wollte dir ziehen helfen.

MANN MIT DER KARRE: Schöne Hilfe! Den Erfolg der anderen mit scheelen Augen ansehen! Karre! Karre! Es fehlte noch, daß du meinen Wagen Maschine heißest!

DER ALTE REAPER: Die suche ich ja . . . Die suche ich ja . . .
*(Mann mit der Karre geht davon. Ein Blinder, von einem Taubstummen geführt, tastet sich vorwärts.)*

DER ALTE REAPER: He, Bruder Blinder, sag', wo find' ich Gott?

DER BLINDE: Ich hör' ihn nicht. Frag' du den Führer.

DER ALTE REAPER: He, Bruder, sag', wo find' ich Gott?
*(Der Taubstumme macht Gebärde des Nichtverstehens. Der Blinde lacht.)*

DER ALTE REAPER: Was meckerst du?

DER BLINDE: Er ist taubstumm und er sieht ihn nicht.

DER ALTE REAPER: Der Blinde hört ihn nicht . . . Der Taube sieht ihn nicht . . . Ich hab' zwei gute Augen und zwei gute Ohren . . . ich find' ihn nicht . . .

*(Die Bühne verdunkelt sich.)*

## Dritte Szene

*(Frühe Dämmerung. Konturen der Häuser verwischt. Die Szene huscht wie ein gespenstiges Flackern vorüber.)*

JOHN WIBLE: In zwei Stunden. Warum erschrickst du?

ALBERT *(sich schüttelnd)*: Die Maschine . . .

JOHN WIBLE Jimmy ist gekauft.

ALBERT: Die Maschine hat ihn gekauft!

JOHN WIBLE: Albert, wenn wir mehr täten, als die Streikbrecher davonjagen . . . Wenn wir den Kampf aufnähmen, den Kampf gegen unsern Feind, den Kampf gegen die Maschine?

ALBERT *(in singendem Ton)*: Unsere Rettung! Unsere Erlösung! Erlö . . . sung.

JOHN WIBLE: Du hilfst mir.

ALBERT: Ich gäbe mein Blut hin! Doch Jimmy hat die Arbeitsmänner betört.

JOHN WIBLE: Ha! Das Schöngeschwätz erhitzte ihre Sinne für eine Nacht. Schon murren sie wider Ures Bedingungen, schon zweifeln sie, daß Jimmy ehrlich handelt, schon raunen sie Gerüchte, die von Schlingen und Fallen sagen. Laß sie die Maschine schauen – Jimmys Reden sind verweht wie Spreu. Die Weiber tun das ihre. Halte dich an die Weiber, Albert! Jimmy wird heute nicht in der Fabrik sein. Er denkt, wir sammeln uns erst morgen Nacht.

ALBERT: Die Weiber . . . vorher die ersten, nachher die letzten! Doch Ned Lud! Ich besaß einmal einen Hund. Der biß sich im Nacken einer jungen Ziege fest. Ich mußte ihn totschlagen, er ließ nicht los. So ist Ned Lud.

JOHN WIBLE: Weißt du, daß Henry Cobbett Jimmys Bruder ist?

ALBERT: Du hast es mir heute Mittag erzählt. Doch Jimmy wohnt nicht bei ihm.

JOHN WIBLE: Was tut's! Ned Lud werden wir gewinnen. Und steht Ned Lud zu uns, dann nimm dich in acht, Jimmy!

ALBERT: O Gott, o Gott! . . .

JOHN WIBLE: Was hast du?

ALBERT *(voll Angst)*: Es ist wer in unserer Nähe, der uns belauscht. Die Maschine ist in unserer Nähe.

JOHN WIBLE: Hol' der Teufel, du machst, daß man eine Gänsehaut bekommt. Mut! Hilf mir die Nacht! Wir bleiben Sieger.

*(Die Bühne verdunkelt sich.)*

## Vierte Szene

*(Platz vor Ures Villa. Hohe Mauer grenzt den Park ab. In der Mitte Haupttor. Seitlich kleine Pforte.)*

ERSTER JUNGE: Ich habe sie gesehen!

ERSTES MÄDCHEN: Ich auch!

ZWEITER JUNGE: Und ich!

ERSTER JUNGE: Sie glänzt wie lauter Gold!

ZWEITES MÄDCHEN: Der liebe Gott hat sie geschickt!

ERSTER JUNGE: Du Dumme!

ZWEITES MÄDCHEN: Der Pfarrer sagt, die Engel trugen sie zur Erde.

ERSTER JUNGE: Wenn du den Tag, die Nacht daran geschuftet hast, dann magst du sagen: Dank schön, lieber Gott.

ZWEITER JUNGE: Der alte Webstuhl ist ein garstig Ding.

ERSTES MÄDCHEN: Ich freue mich auf die Maschine!

DRITTER JUNGE: Kommt hin zum Schuppen! Sieht mich der Vater, muß ich an die Webertretbank.

ERSTER JUNGE: Wir haben Streik. Du brauchst nicht an die Webertretbank.

DRITTER JUNGE: Soll ich dir was verraten? Mein Vater webt auch heute . . .

ERSTES MÄDCHEN: Und meiner auch.

ERSTER JUNGE: Die halten nicht zusammen . . . pfui! Kommt hin zum Schuppen!

*(Kinder gehen davon.*
*Ein Zug von zerlumpten Weibern zieht gegen die Mauer.)*

WEIBER: Wir wollen keine Maschine! Wir wollen keine Maschine!

*(Stille.)*

ERSTES WEIB: Wie Holzklötze schweigen, so schweigen diese Menschen ... Wenn ein Jagdhund hier bellte, dem würde eher aufgetan. Ich mußte mein letztes Stück Möbel verkaufen, ein Bett. Wie ein Blutegel saß mir der Krämer auf. In diesem Bett schliefen der Sohn, die Tochter, der Schlafbursche, der Vater, der Mann und ich. Bei Gott, ich weiß nicht, wer mich manche Nacht umarmte! Ich habe dieses eine Bett versetzen müssen.

ZWEITES WEIB *(ruft gegen das Haus)*: Heda, ihr Herren! ... Gebt uns Antwort! Wir bitten euch, wir sind ja keine Strauchdiebe, die bei Nacht kommen und euch ausplündern. Wir kommen am hellen Tage. Wir betteln ja nur ... Wir betteln ...

*(Stille.*

*Die Balkontüre öffnet sich. Der Geschäftsführer Henry Cobbett tritt heraus.)*

DIE WEIBER: Wir wollen keine Maschine! Wir wollen keine Maschine!

GESCHÄFTSFÜHRER: Die Maschine steht bereit! Gebt den sinnlosen Streik auf und ihr habt morgen Brot. Ich bekomme soviel billige Hände, wie ich brauche. Und keine schlechten!

DIE WEIBER: Werden alle eingestellt?

DER GESCHÄFTSFÜHRER: Es tut uns leid. Die meisten Männer müssen wir entlassen. Aber alle eure Kinder werden eingestellt. Auch die drei- und vierjährigen. Und junge, flinke Weiber. Seid vernünftig, Frauen! Die Delikatesse des Gewerbes erfordert besondre Fingerzartheit.

ERSTES WEIB: Herr, lieber Herr, schafft die Maschine aus der Stadt. Ihr laßt keine Taube verhungern und kein Reh. Ihr seid ein guter Herr. Ihr stellt im Winter den Spatzen Futter hin, Ihr laßt Kästen bauen für die Stare. Wir sind nur Menschen, Herr ... Aber um Christi willen habt Mitleid mit uns ... Es reicht ja nicht zum Leben, wenn nur die jungen Weiber und die Kinder arbeiten dürfen ... Der Teufel will Euch versuchen, und er sandte Euch die Maschine. Herr, lieber Herr, schafft die Maschine aus der Stadt.

DIE WEIBER: Herr, lieber Herr, schafft die Maschine aus der Stadt!

GESCHÄFTSFÜHRER: Wir tun unsre Schuldigkeit im Dienste Englands. Gewiß, die Maschine verdrängt die Männer. Aber nur geringe Zeit. Warum? Ich will euch Rechnung legen. Wir werden die Ware in großen Fabriken erzeugen. Der Erfolg: die Ware um fünfzig Prozent billiger. Um fünfzig Prozent! Wißt ihr, was das heißt? Ihr müßt heute für ein Begräbnis dem Herrn Pfarrer vier Schilling zahlen, Erde im Ausmaß, sagen wir, zwei Meter lang, ein Meter breit, kostet sechs Schilling. Nun käme eine Stunde, die diese frohe Botschaft brächte: Der Herr Pfarrer beansprucht nur zwei Schilling, das Erdhaus kostet nur drei Schilling. Würdet ihr nicht beruhigter sterben im Gedanken, daß eure Familie von nun an statt eines Wochenlohns nur einen halben verlöre. So wie ihr mit Freudensprüngen in die billige Erdgrube galoppiertet, so galoppieren die Käufer auf die billige Ware. Der neue Erfolg: der Warenumsatz wird erhöht, die Nachfrage steigt. Ware! brüllen die Konsumenten, Ware! heulen die Sirenen der Frachtschiffe, Ware! rattern die Eisenbahnzüge. Ware! Ware! Ware! Und die Folge: die alten Fabriken sind außerstande, die Bedürfnisse der Völker zu befriedigen, neue Fabriken, gewaltige Fabriken, kolossale Fabriken werden den Brotlosen die Tore öffnen. England hat gar nicht so viel Brotlose, wie diese Gigantenmäuler von Fabriken in prächtigen Bissen hinunter würgen, würgen, würgen . . . Habt Geduld, Frauen. Mein persönlicher Rat: Die heute keine Arbeit bekommen, mögen aufs Land zurückgehen . . . Wenn es nach unserem Willen ginge, liebe Frauen . . . Allein der Absatz in Europa stockt zur Zeit. Europa ist verschuldet seit dem großen Krieg. Ihr seid Engländerinnen, ihr seid Patriotinnen, ihr müßt verstehen, daß unser Vaterland das Nationalvermögen nicht bankrotten Schuldnern kreditieren, will sagen, leihen kann. Das Vaterland über alles!

*(Geschäftsführer tritt ins Haus zurück. Betroffene Stille.)*
LANGGEZOGENES HEULEN DER WEIBER: Nieder die Maschinen!
*(Stille.)*
LANGGEZOGENES HEULEN DER WEIBER: Nieder die Maschinen!
*(Aus der Gartenpforte huscht Mary. Bleibt erschrocken stehen. Will davon laufen. Einige Weiber stürzen sich auf sie. Zerren sie nach vorne. Sprechen Schlag auf Schlag.)*
ERSTES WEIB: Wo kommst du her?
ZWEITES WEIB: In Cobbetts Bett verriet sie unsre Männer.
DRITTES WEIB: Wie gut es die hat!
VIERTES WEIB: Du Hure räkelst dich im Bett der Herren! Wir aber stehn und betteln . . . betteln um drei Bissen Brot.
*(Zweites Weib stürzt sich auf Mary.)*
ZWEITES WEIB: Vom Leib reißt ihr den bunten Tand. Zerkratzt mit Ginster ihre Larve!
VIERTES WEIB: Peitscht aus! Peitscht aus die Dirne! . . .
FÜNFTES WEIB: An eine Leiter bindet nackt sie an! Anspeien sollen sie die Kinder!
ZWEITES WEIB *(brutal auflachend)*: Sie braucht was Warmes! Klemmt ihr heiße Kolben in die Fut!
ERSTES WEIB: Ein Proletar war ihr zu grob, zu roh . . . Der hat nicht schöngepflegte Hände . . .
WEIBER *(schlagen auf Mary ein)*: Du Pestweib! Hurenpritsche! Strichmatratze!
*(Ned Lud kommt.)*
NED LUD: John Wibles Frau? Seid ihr Hyänen? Ruhe gebt! Warum verprügelt ihr das Weib?
ERSTES WEIB: Grüß Gott dich, Lud. Das Weib ist schlecht . . . Ist schlechter als die Dirnen in den öffentlichen Häusern . . . Wir Frauen hungern . . . ich hab' seit sieben Wochen Keinen warmen Schluck im Leib . . . tun uns zusammen, Raffen auf das schlotternde Gebein . . . Ziehn hin zu Ures Schloß . . . und schreien . . . Schreien gegen die Tore: Befreit uns von Maschinen!

VIERTES WEIB: Wärst du ein Weib, Ned Lud, du wüßtest,
Was es heißt . . . ein Kind gebären . . .
Und es mit gebundenen Armen Hungers sterben lassen . . .
Wie's einem da das Herz zukrampft!

FÜNFTES WEIB: Was weiß ein Mann davon!

ERSTES WEIB: Unser Not und Qual und Sorge!

DRITTES WEIB: Ich weiß nicht, ist die Frau vom Ure
Keine Mutter? Die müßte fühlen unsre Not!

ZWEITES WEIB: Die Frau vom Ure, ha! Wenn die in Not ist,
Wird die weise Helferin geholt. Ein Pfund –
Und abgetrieben ist der Balg!

ERSTES WEIB: Und Ures Knecht, der Cobbett sagt uns,
Die Maschine bleibt in Nottingham, die meisten Männer
Und die alten Weiber werden nicht mehr eingestellt . . .
Sagt's uns, als ob man einem ausgedienten Hofhund sagt:
Troll dich davon! . . . Und lag mit dieser da . . .
Mit einer Proletarierfrau . . . deren Mann
Er auf die Straße wirft . . . im warmen Pfühl . . .

*(Weiber auf Mary eindrängend.)*

WEIBER: Peitscht aus! Peitscht aus die Hure!

*(Ned Lud stößt die Frauen zurück.)*

NED LUD: Peitscht ihr ein Kind, das gierig sich auf Brocken
   Brotes stürzt?

Sag', Mary, warum warst du dort?

MARY *(leise)*: Ich bin . . . so arm . . . wie diese da . . .
Ich tu's ja . . . nicht für mich . . .

NED LUD: Wie wilde Katzen überfielt ihr dieses Weibchen!
Denkt mit dem Kopf und nicht mit eurem Unterleib!
Wärt ihr so schön wie diese da, ihr tätet grade so
Wie sie. Als ihr noch jung wart, tatet ihr es alle,
Ihr neid'schen, eifersücht'gen Ratschen.

Komm, Mary, es geschieht dir nichts . . . Ich bringe dich nach
   Haus.

*(Zum ersten Weib)*: Besuch mich, wenn du bei Sinnen bist.

*(Ned Lud und Mary gehen davon.)*

ZWEITES WEIB: Mag der Teufel sie beschicken!

RUFE DER WEIBER: Tod der Maschine! Hin zu den Wucher-krämern! Blut oder Brot! Tod der Maschine!
*(Die Weiber sammeln sich zu einem Zug, ziehen singend davon.)*
LIED: Schaffen! Schaffen! Schaffen!
Sobald der Haushahn wacht!
Und schaffen, schaffen, schaffen,
Bis die Sterne glühn durchs Dach!
Oh, lieber Sklavin sein
Bei Türken und bei Heiden . . .
*(Während der Szene ist der alte Reaper gekommen.)*
DER ALTE REAPER: Sie werden ihr Silber hinaus auf die Gassen werfen und ihr Gold als einen Unflat achten; denn ihr Silber und Gold wird sie nicht erretten am . . . am . . . Tage derer . . . die Ihn nicht fürchten . . . und werden ihre Seele davon nicht sättigen, noch ihren Bauch damit füllen; denn es ist ihnen gewesen ein Ärgernis zu ihrer Missetat. Wär' ich der droben, ich ließe Manna regnen . . . Doch der da droben regt sich nicht. Wann regt er sich? Wenn Posaunen Siegestriumph bla-sen und goldgeschmückte Orgeln ein Loblied jubeln den Kö-nigen und großen Herren. Aber die Armen haben keine Or-geln und Posaunen. Ihr Klagelied tönt leiser denn der Herz-schlag eines Kindes. Man muß ein gutes Ohr haben, um es zu hören . . . Man muß sich sehr nahe an ihre ungewaschene, stinkende Brust schmiegen, um es zu hören . . . Ich will ein wenig Trost den Frauen geben . . .
*(Der alte Reaper nimmt seinen Stock. Er macht die Gebärde des Geigespielens.*
*Zwei Weiber gehen vorüber.)*
ERSTES WEIB: Schau dort: der närrisch alte Mann . . .
DER ALTE REAPER *(sich im Kreise drehend, als spräche er zu vielen tanzenden Frauen)*: Ihr hört schon auf? Drei Takte hab' ich erst gespielt . . . wie meint ihr? . . . Ihr sollt tanzen und könnt kaum stehen? . . . Ihr sollt tanzen und könnt kaum stehen . . . Ja . . . so . . . ja . . . so . . .
     *(Die Bühne verdunkelt sich.)*

# Vierter Akt

## Erste Szene

*(Ein Zimmer in Ures Villa.*
*Am Pult arbeitet Henry Cobbett.*
*Jimmy Cobbett tritt ein.)*

HENRY: Du hier! ... Was wollen Sie? Gehen Sie! Sofort! Ich lasse die Torhüter rufen, die mit Hundspeitschen ausgerüstet sind ... die Polizei, die über verwahrloste Landstreicher wacht ... die Soldaten des Königreichs, die für Aufrührer eine Kugel im Patronengurt oder einen Strick im Mantelsack tragen.

JIMMY: Melde mich Herrn Ure, mein Bruder.

HENRY: Bruder? Ich kenne keinen Bruder.

JIMMY: So melde mich als einen Fremden.

HENRY: Nein.

JIMMY: Jeder Besucher findet, so er Wichtiges zu melden weiß, das Ohr von Herrn Ure. Soll ich mich an die Torhüter wenden? An einen Dienstboten, an die Kammerdiener, an Ures Frau, an Ures Kind?

HENRY: Wenn ein Hauch brüderlichen Empfindens in dir lebt ... geh fort ... verlaß Nottingham ... England ist groß ... überall findest du ... Spießgesellen, die auf dich hören ... Warum willst du dich an mir rächen? Denn du willst dich an mir rächen ... Ich weiß, ich habe dich in der Jugend mit Ruten gezüchtigt ... es war unrecht von mir ...

JIMMY: Beschwört die Angst um deine »Ehrenstellung« dein Gewissen? So erinnerst du dich gewiß, wie du die seltenen guten Bissen für dich behieltest ... sie nie mit mir teiltest ... und mich schlugst, wollte ich erzählen, wie du es mit mir triebst. Weißt du noch, wie du die Eltern belogst und aus den Schandflicken deiner Verleumdungen dir ein Kleid aus Tugend und Kindesliebe und Gottesfürchtigkeit schneidertest? Du verstandest dich auf Schneiderkünste.

HENRY: O über meine Ahnung! Du bist zurückgekommen, um dich an mir zu rächen.

JIMMY: *Ein* Schoß gab uns Leben, in Katarakten unendlich fernen Geistes verströmen wir's . . . Nimm mein Wort, Henry, nie wird Ure meinen Namen hören, nie erfahren, wessen Bruder ich bin. Und damit nicht Alpdruck Felsgeröll in deine Nächte wirft, daß sie auf dich donnern wie zu Tale stürzende Lawinen, will ich dir dies Versprechen geben: ein, zwei Wochen nur bleibe ich in Nottingham . . . wenn das Fundament ruht und die Zimmerer den First mit Kränzen krönen . . . will ich davongehen. Leb wohl, Bruder, grüß' mir die alte Frau . . . sag' ihr, ich wüßte, wie es ihr ums Herz ist . . .

HENRY: Hier nimm Geld . . . mein Monatsgehalt . . . geh heute . . . jetzt . . . in dieser Stunde . . .

JIMMY *(das Geld zurückweisend)*: Mich hat eine englische Mutter geboren und hat mich die Sprache englischer Menschen gelehrt. Ich kenne die Fibel nicht, aus der du das Abc der Menschen lerntest . . . Melde mich, Henry.

HENRY *(zögert.)*

JIMMY: Oder soll ich selbst klopfen?

HENRY: Barmherziger Gott . . . ich bin verloren . . . ich bin ruiniert . . . Wenn ich mein Brot verliere . . . und die Mutter verhungert . . . alle Flüche ihrer Todesstunde über dein Haupt!

JIMMY *(allein)*: Und sind *ein* Blut.

*(Ure tritt ein.)*

URE: Sie heißen?

JIMMY: Nennen Sie mich »Namenlos«. Oder nennen Sie mich »Vollzeitler«, wie Sie Ihre Arbeiter nennen, Vollzeitler, wenn sie die volle Zeit, Halbzeitler, wenn sie die halbe Zeit Ihren Webstühlen gefügige Arbeitsware sind.

URE: Sie sprechen eine kühne Sprache. Meine Zeit ist allzu knapp bemessen, um Scherze ertragen zu können. Was wollen Sie? . . . Ich gebe aus Prinzip und wahrer Humanität Bettlern keinen Pfennig. Wenden Sie sich an den Pfarrer!

JIMMY: Vielleicht bin ich Ihnen doch nicht ganz unbekannt.

Man nennt mich den landfremden Rebellen, der die Arbeiter
in Nottingham lehrte . . . daß auch Arbeiter Menschen sind.
URE: Sie wagen?!
JIMMY: Ich wage. Der Geist kennt keine Knechtschaft,
Keine feige Unterwürfigkeit vor Herren dieser Erde,
Des Geistes ewiges Gesetz, am Firmament
Der Menschheit mit demantnen Lettern eingemeißelt,
Ruft auf zur Treue an erlebter Wahrheit.
Wer furchtsam die Idee verläßt, verrät sein eigen Ich.
Ich spreche hier für Tausende, die dumpf in Sielen
Ungeheuerlicher Seelenschändung das rechte Wort
Nicht finden, das im Pulsschlag ihres Blutes
Lebt. Herr Ure, keiner hat das Recht, dem andern
Jenes kümmerliche Brot zu rauben, ohn' das er,
Wie ein abgemähter Halm, verdorren muß.
Wie rieft Ihr emsig: Arbeit nur kann uns erretten,
Und heute stellt Ihr Eure besten Arbeitsmänner aus!
Millionen Frauen, Kindern fehlt ein Hemd
Des Leibes Blöße zu umhüllen, Ihr aber laßt
Die Baumwollballen roh vernichten, schränkt
Die Arbeit ein und mindert, Eure Macht als Peitsche nützend,
Den kargen, jämmerlichen Lohn.
Noch rinnt aus Kriegesquellen
Das Herzblut von Europens Ländern,
Das Elend schreit und schreit im Kerker der Verzweiflung,
Hier hungern Menschen, dort verfault der Reis in Speichern,
Hier mangelt Kohle, friert das Volk,
Dort stau'n sich Kohlenberge an den Schächten,
Die Förderung steht still, nur weil ein mörderisch
System, von Euch geheiligt, es so will.
Der Absatz stockt?
Ihr laßt den Massen kaum den Hungerpfennig
Und jammert: »Unser Absatz stockt.«
Oh, blind seid Ihr, und da Ihr Blinde seid,
Ward uns gegeben, mit klaren Augen diese Welt zu schauen.
Herr Ure, schaffen Sie den Menschen Arbeit,

Verkürzen Sie die Arbeitszeit, Sie geben Tausenden das Tages-
    brot.
Zerstören Sie nicht freventlichen Sinnes Menschenleben,
Die, gleich wie Sie, in diese Welt gezwängt,
Den Weg des namenlosen Schicksals schreiten
Und vollenden müssen. Sie töten Gott,
Wenn Sie das Leben Ihrer Brüder töten.
URE: Wer sind Sie, Herr?
Ihr Anzug deutet nicht auf Fertigkeit des Geistes.
Gott und Geschäft verbindet nichts. Gott ist
Der Hort des einsam stummen Menschen,
Zu dem in Stunden irdischer Bekümmernis
Er hoffend schaut. Gott ist zu gut
Für Pein und Schmutz des Tages. Gott ist
Das ewig reine Licht, das über aller Menschennot
Im Unermeßlichen voll Gnade leuchtet.
Es hieße den allgütigen Schöpfer schänden,
Wollt' ich ihn bannen in Alltäglichkeit des Werks.
Was wollen Sie? Sie kommen in das friedlich stille
Nottingham. Sie werfen Fackeln der Empörung
In unverständige Gehirne tierischtoller Menschen,
Die unser Staat mit mühselig erdachten Mitteln
In Ordnung gittert. Was wollen Sie?
Zerstören? Sind Sie der Widersacher frommer Ruhe,
Der nimmer rastet, nimmer ruht, bis Blut
Und Aufruhr, ein Vulkan, gewalt'ge Lavamassen
In die Städte, in die Dörfer stößt, zu Schutt
Die Fundamente alles Menschenwerks zerflammend?
JIMMY: Ihr werft die Kampfesfackel in die Menschenreihen,
Ihr löst den Einzelnen vom bluterfüllten Leib der Menschheit,
Daß er verlassen, einsam, seiner Brüder Antlitz nicht mehr
Kennt und sie gleich Feinden überfällt.
Ihr wandelt unsre Erde in ein ewig Schlachtfeld,
Auf dem die Starken Zarte unterdrücken,
Die Hinterlistigen die Reinen schänden,
Die Feigen sich mit gold'nem Solde Mörder dingen,

Die Opfer Narren heißen und die blutbefleckten Unter-
    drücker
Helden.

URE: Sie träumen, junger Mensch, gefährliche Gesichte.
Sie gehen wie ein Blinder über diese Erde.
Im Kampfe aller gegen alle reift das Leben,
Der starke Hirsch verdrängt den schwachen Nebenbuhler,
Und zeugt ein adlig mächtiges Geschlecht.
Der Sieger pflanzt sich fort, nicht der Geschwächte!
Dem rücksichtslosen Kampf der Interessen
Entwächst die Harmonie der Welt.
Wer oben bleibt, bleibt oben nach Naturgesetzen,
Die unserm Menschensinn für immer unergründlich
Bleiben. Nur so entwickelt sich Kultur.

JIMMY: Oh, greift als Feind den schwachen Hirschbock an,
Der starke stellt sich schützend seinem schwachen Bruder
An die Seite und leiht ihm seine Kraft.
Ihr sprecht von Freiheit, sprecht vom Kampf der Interessen,
Vom Herrentum, das Sieger bleibt
Nach dem Naturgesetz der Starken.
Freiheit für alle! ruft Ihr. Welche Freiheit bleibt
Dem Arbeitsmann? Die Freiheit für den Tod,
Nicht für das Leben!
Welch herrlich Los war einst das Los der Sklaven!
Der Herr war ihr Beschützer, nährte sie und ließ
Sie nicht erfrieren in Gossen mitleidsloser Straßen!
Beneidensvoll war einst das Los der Zunftgesellen,
Die im Vereine mit dem Meister Werk zum höhern Werke
Türmten . . . Und heute? Freie, tragen wir an Ketten
Eine Hungerbürde, die jede Lebensader tausendfach um-
    würgt.
Was sind wir? Ware! Ding! Ein jeder hassendes, gehaßtes
Ding! Den tiefen Quellen ahnungsvoll erfühlten Lebens
So fern wie jeder Webstuhl Eurer Lohnkasernen.
Ja, blickt in die Natur! Wo lebt ein Tier,
Das einsam lebt? Der Adler, ruhevoll im Äther kreisend,

162

Erspäht ein totes Wild. Mit lautem Schrei
Verkündet er's den andern Adlern, in Gemeinschaft
Fliegen sie zur Waldeswiese, teilen friedevoll
Erspähte Beute. Die satte Emse gibt
Den Hungrigen von der genoßnen Speise,
Der Totenkäfer ruft die Freunde, die ihm helfen
Der ungebornen Kinder Wohnung zu bereiten,
Der Neger, der Barbar lebt friedlich mit den Brüdern
Gemeinschaft heitren, wundersamen Lebens,
Vom Bruder eignen Stammes trennt kein Klassenabgrund.
Allein die freien Menschen der Kultur sind taub
Der Gnade: *Du,* dem göttlichen: *Einander.*
URE: Man fühlt, Ihr glaubt den eig'nen Worten ...
In unsern Zonen herrscht nach dem Gesetz, das ich Euch hieß,
Der Adel starker Männer.
JIMMY: Ich nenne Euch das ewige Naturgesetz,
Von dem Ihr spracht. Das ewige Naturgesetz heißt
*Geld!* Wer Geld besitzt, kann Arbeit schaffen,
Und so er Arbeit schafft, zum Herren über Massen
Sich erküren.
Nicht Geist erwählt den Adel! Geld bestimmt ihn!
Der Dschingis-Khan der Arbeitsvölker!
Und Ihr, der eben Herr des Gelds sich wähnte,
Ihr werdet übermächtigt, werdet willenloser Knecht.
Das Geld bestimmt den Weg! Das Geld heißt euch
Indianerstämme, holde Kinder maienlicher Erde,
Aus Sucht nach neuem Gelde niedermetzeln!
Das Geld heißt euch, in Chinas, Indiens Wunderländer
Durch Opium, Gift und Feuerwasser Schrecken
Grausam teuflischer Vernichtung tragen!
Das Geld heißt euch, die frommen Früchte reifer Länder
Verbrennen um des Zinses willen!
Oh, was ihr Tugend nennt, Naturgesetz, Gebot der Starken,
Ist Name eurer tiefen, tiefsten Not,
Der Sklaverei, in die ihr schuldverknüpft euch selbst ver-
    stricktet,

Ist Name eures Dämons, der von Krieg
Zu Krieg euch treibt!
Zum Kriege gegen brüderliches Blut,
Zum Krieg der Völker gegen Völker,
Zum Krieg der Rasse gegen Rasse,
Zum Krieg der Kontinente gegen Kontinente,
Zum Kriege, wahrlich! aller gegen alle,
Zum Kriege gegen euer eigen *Selbst!*

URE: Und ihr?

JIMMY: In unsern Herzen lebt entfaltungsehend,
Wie eine Knospe, deren Hülle Wunder über Wunder birgt,
Das *Du.* Und jenes Du bezwingt den Bibelfluch der Arbeit,
Was Qual in unsern Zeiten, Schandmal des Verfehmten,
Wird wieder seliges, beseeltes Werk.

*(Stille.)*

URE: Ihr träumt. Doch liebte ich, daß Ihr an meiner Seite
    träumt . . .
Von dieser Stunde seid Ihr meinem Hause eingereiht.

JIMMY: Nein.
Wollt Ihr den Arbeitsmännern Arbeit geben, Herr?

URE *(wieder Repräsentant)*: Ihr kehrt zu den Geschäften des
Tages zurück. Es bleibt bei meiner Botschaft. Die Bedingungen sind bekannt. Ich lehne Verhandlungen über Entschlüsse
ab, die Ergebnisse reiflicher Überlegung sind. Im Geschäft hat
Zweckmäßigkeit zu entscheiden, nicht Gefühl.

JIMMY: Ich kämpfe wider Euch! Und doch für Euch,
Für Euer Kind und Euer Kindeskind,
Auf meiner Fahne flammt das Licht: Gerechtigkeit.
Der Gott, den Ihr verstoßen habt,
Wir wollen ihn mit Tanz und Festen
In morgenliche Stätten heimgeleiten!

*(Jimmy geht.)*

URE *(allein)*: Ein Narr . . . Ein sonderbarer Narr . . . Ein gläubiger Narr . . . Ein gefährlicher Narr . . . Ein Mann! Ein
Mann!

*(Henry ist eingetreten.)*

URE: Ein Mann war in meinem Haus! Ein Mann!

HENRY *(verdutzt)*: Wie meinen der Herr Ure?

URE *(sich besinnend)*: Schärfste Überwachung dieses Mannes!
... Für vollzählige Bedienung der Maschine ist gesorgt?

HENRY: Eben traf der letzte Trupp Arbeitswilliger aus Carlton
ein.

URE: Sie können gehen.

*(Die Bühne verdunkelt sich.)*

## Zweite Szene

*(Kellerstube von Ned Lud.*
*Wohngerät: ein Tisch und einige Schemel. Im Hintergrund*
*Strohschütte, auf der die Kinder liegen. Margret und Ned Lud*
*sitzen am Tisch. Margret hat das Jüngste im Arm.)*

MARGRET *(singt)*: Eia popeia popole,
Unser Herrgottche wird dich bald hole.
Kummt er mit dem gulderne Lädche,
Legt dich hinunter ins Gräbche.
Über mich ...
Über dich ...
Kummer mitnander ins Himmelrich.

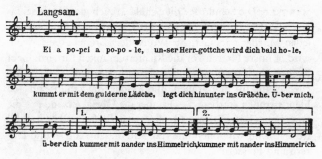

*(Margret bettet das Kind ins Stroh. Setzt sich wieder an den*
*Tisch.)*

MARGRET: In unserm Haus die Kasse. Leid' es nicht.

NED LUD: Mein Weib ist ein garstiger Besen! Vertreib mir nicht den Sonnenschein, der wie ein schüchterner Gast in unsere Kammer blinzelt.

MARGRET: Du bleibst der alte dumme Narr. John Wible mag das Geld bei sich verwahren.

NED LUD: Hast Angst, die Polizei durchstöbert unser Haus?

MARGRET: Ich habe dreizehn Kinder.

NED LUD: Ich auch.

MARGRET: Schau dir sie an. Betrachte nur den jüngsten Buben. Wenn ich ihn bette ins verlauste Stroh, dann . . . Gott vergeb' mirs . . . ich wünschte manchmal, ich legte ihn ins Grab.

NED LUD: Schwindsüchtig kam er auf die Welt.

MARGRET: Trag' ich die Schuld? Bis zu meiner schweren Stunde stand ich am Spinnrad . . . und nachher? Nach drei Tagen ließ mir der Aufseher sagen, ob ich am vierten kommen würde. Was sollte ich tun? Am vierten Tag, morgens um halb fünf ging ich in die Stickluft der Manufaktur. Mußte Leinengarn naß spinnen. Den Tag über floß mir die Milch aus der Brust. Wie mich meine Brüste schmerzten! Wenn ich abends um neun Uhr die Manufaktur verließ, troffen meine Kleider von Milch. Ich war zu müde oft, um einen Bissen Brot zu essen. Vor drei Uhr morgens kam ich nicht ins Bett.

NED LUD: Wer spricht von Schuld?

MARGRET: Die Schuld . . . die Schuld . . . ich glaub', sie schlagen alle Tage unsern Herrn Christ ans Kreuz. Gott fordert jeden Mörder vors Gericht: Wo ist dein Bruder Abel? Wann wird er unsre Herren vor die Richterschranken fordern: Gebt Rechenschaft für alle Männer, die verhungerten . . . Gebt Rechenschaft, für alle Frauen, alle Kinder, die zahllos auf den Elendsstraßen starben . . . Die aber die Obrigkeit sind . . . die vorgeben, Gottes Diener zu sein . . . sie saufen und huren und fressen. Und wir sollen untertan sein diesen Säufern und Hurern und Fressern . . .

NED LUD: Es wird ein Ende nehmen, sage ich.

MARGRET: Du Maulaufreißer!

NED LUD: Ich bin ein Arbeitsmann von England, und ich lüge nicht.

MARGRET: Arbeitsmänner sind die Söldner, Arbeitsmänner die Gefängniswärter, Arbeitsmänner die Henker, Arbeiterfäuste bauen ihnen die Galgen! Hu! Deine Augen sind Kardaunen! Kartätsche los! Ich fürchte mich nicht . . . Es ist die Kasse vom geheimen Bund?

NED LUD: Willst du mich zum Plappern bringen?

MARGRET: Kein Sterbenswörtchen sagst du deiner Frau. Bin für die Nächte gut! Bin gut, die Kinder zu versorgen!

NED LUD: Sieh einer dieses Keifmaul an! Das Weib eines Arbeitsmannes und lockt den Mann zum Ofen.

*(Ned Lud umarmt Margret.)*

MARGRET *(hinausgehend)*: Du Weiberschlecker! Du Raufbold! Du Hans in allen Gassen!

NED LUD *(lachend)*: Du Keifmaul! Du Muhme Neugier! Du Männerschrecken!

MARGRET *(sich umwendend)*: Mir langt's an dreizehn Kindern, merk dir das . . .

*(Einige Sekunden Ned Lud allein.*
*Der junge Lud, angetrunken, kommt hinein. An seinem Arm eine Dirne.)*

DER JUNGE LUD *(singend)*: Ins Bett . . . Ins Bett . . . und wenn das Bett auch Stroh ist.

NED LUD: Was soll das heißen?

DER JUNGE LUD: Daß ich mit meiner Braut heut Nachmittag hier schlafe.

NED LUD: Pack dich!

DER JUNGE LUD: Jawohl, ins Stroh!

NED LUD: Das Mensch aus dem Zimmer, sag' ich!

DER JUNGE LUD: Du beleidigst meine Braut.

NED LUD: Pack dich oder ich vergreife mich!

DER JUNGE LUD: Oho, Alter. Hab' ich nicht für euch gearbeitet seit meinem vierten Jahr? Wer hat sich denn um mich gekümmert? Die Mutter? Oder du? Zahle ich nicht Logis? Würdet ihr nicht schon längst verhungert sein, wenn ich nicht

167

arbeitete in der Manufaktur? Ich muß euch ernähren helfen und ihr wollt mir mein Vergnügen schmälern.

NED LUD: Hinaus! Schämst du dich nicht vor deiner Mutter?

DER JUNGE LUD: Die tat es in ihrer Jugend gerade so wie meine Braut. Wir können auch im Wald schlafen. Und überdies, ich kündige. Von heute ab bekommt ihr keinen Penny mehr. Guten Abend, alter Dummkopf. *(Singend.)* Ins Bett . . . ins Bett . . . und wenn das Bett auch Moos ist.

*(Der junge Lud und Dirne torkeln hinaus.*
*Ned Lud setzt sich an den Tisch. Vergräbt seinen Kopf in den Händen.*
*John Wible kommt.)*

NED LUD: Gott grüß' dich, John.

JOHN WIBLE: Der schert sich was um Weberknechte! Du hast . . . die . . . Mary . . . heute . . . nach Haus gebracht . . . und . . . Jimmy war dabei . . .

NED LUD: Laß es gut sein, John . . . Ich bin kein Pfaffe. Wer Elend kennt, wie ich . . . der weiß . . .

JOHN WIBLE: Heimzahlen werden sie die Lust mit blutigen Tränen!

NED LUD: Unsere Frauen haben drei Krämerläden ausgeplündert.

JOHN WIBLE: Sie taten recht. Ihr wart beim Ure?

NED LUD: Am Vormittag.

JOHN WIBLE: Und der Bescheid?

NED LUD: Kein guter.

JOHN WIBLE: Wir werden alle eingestellt?

NED LUD: Von hundert Mann werden fünfundsiebzig entlassen. Die siechen Weiber dürfen nicht mehr in die Fabrik kommen. Die Kinder werden alle eingestellt. Und was sollen die arbeitslosen Männer tun, fragten wir. Bedenkt: Arbeitslose, Brotlose! Oh, meinte Herr Ure, voraussichtlich bauen wir bei gutem Absatz später neue Fabriken. Die Männer hätten inzwischen Zeit, sich auf ihr unsterblich Teil zu besinnen. Und, was er noch sagen wollte, die Maschinen brauchten keine Starken, sondern Gelenkige. Unsere Hände seien grobknochig, schwer und klobig, für Arbeit an der Maschine wenig geeignet.

JOHN WIBLE: Gut. Gut. Auf unser unsterblich Teil sollen wir uns besinnen. Daneben unsere Hände pflegen mit Salben und Ölen, daß sie zart und gelenkig werden. Ein vortrefflich Mittel! – Und der Lohn?

NED LUD: Fünf Pence für Kinder. Acht Pence für Weiber, einen Schilling für Männer.

JOHN WIBLE: Die Bedingungen?

NED LUD: Die sind schwer, John. Wir müssen uns verpflichten für ein Jahr. Der Ure kann jeden Arbeiter ohne Kündigung entlassen, wenn er schlecht arbeitet oder nicht Ruhe und Ordnung hält. Wenn wir bei der Arbeit Weberschiffchen, Bürsten, Ölkannen, Räder zerbrechen, müssen wir sie bezahlen. Und die Strafen! Die sind höher als der Lohn! Wer seine Schere vergißt, zahlt einen Penny. Wer seinen Platz an der Maschine verläßt, zahlt drei Pence. Wer austritt ohne Erlaubnis des Aufsehers, zahlt fünf Pence. Wer mit einem anderen Arbeiter spricht, wer singt oder pfeift, zahlt vier Pence. In Ures Cottagen müssen wir wohnen bleiben, und den halben Lohn bekommen wir in Waren.

JOHN WIBLE: Gut. Gut. Mit Strafgeldern läßt er sich die Löhne zurückzahlen. Und was sagt Jimmy?

NED LUD: Jimmy rät, wir sollten uns verpflichten. Der Herren Tage seien gezählt. In Blackborn, in Bolton, in Lancashire, in Wigan, in Rochdale, in Leicester, in Derby, in Manchester, in allen Städten wird gerüstet.

*(Ein Haufen Weiber dringt herein. Auch Margret kommt. Erstes Weib wirft aus ihrer Schürze Brot den Kindern zu.)*

ERSTES WEIB: Hier, Kinder, eßt euch satt. Es kommen wieder sieben magere Jahre.

*(Die Kinder stürzen sich gierig auf das Brot.)*

NED LUD: Das Krämerbrot . . . geraubtes Brot! . . . ich leid' es nicht.

ZWEITES WEIB: Ha, ha, er leid't es nicht! Daß ich nicht Krämpfe krieg'. Er leid't es nicht! Der Tugendmann! Der Ehrenmann! . . . Wie die vergessenen eingesperrten Hunde nach Tagen sich auf Knochen gierig stürzen, so nagen deine Kinder jetzt am Krämerbrot. Nimm's ihnen fort, Ned Lud! Zeig' deinen Mut . . . nimm's fort . . . das Diebesbrot . . . das unrecht Gut . . . ha, jetzt zieht er seinen Schwanz ein . . . und . . . Tränen . . . Tränen hat der Mann . . . was seh ich . . . der eiserne Ned Lud und Tränen!

*(Stille.)*

ZWEITES WEIB: Ist es wahr, daß ihr an den Maschinen arbeiten wollt?

NED LUD: Das ist wahr.

ERSTES WEIB: Und mit Ure paktiert?

NED LUD: Wir wollen in mühseligem Kampf Gerechtigkeit für jedermann erringen. Nicht die Maschine ist unser Feind.

ERSTES WEIB: Das heißt?

ZWEITES WEIB: Verstehst du's nicht, sie lassen uns im Stich!

JOHN WIBLE: Wenn ihr's so nennen wollt . . . wir lassen euch im Stich . . .

ERSTES WEIB: Ha, ha, »Gerechtigkeit«! Wir kämpfen für »Gerechtigkeit«! Wir gehen nicht an die Maschine . . . niemals! . . . niemals!

JOHN WIBLE: Man muß sich drein schicken . . . wir werden Rosenkränze beten . . .

ERSTES WEIB: Der Wible . . . auch der rote Wible betet wie ein Pfaffe! Habt ihr alle kein Mark mehr in den Knochen? Lahmärsche seid ihr! Hätte keine Lust, mit euch die Nacht zu schlafen.

NED LUD: Warum der Zorn? Ihr Weiber werdet eingestellt. Uns Männer trifft das schwere Los.

ERSTES WEIB: Ihr werdet Stuben kehren, ihr werdet kochen, Strümpfe stopfen. Ein edles Männerwerk!

NED LUD: Wenn ihr Ures Bedingungen abweist, werden eure Kinder verhungern.

ZWEITES WEIB: Dann mögen sie verhungern! Ich wollte, sie wären nie geboren. Werden wir denn Zeit haben für unsere Kinder?! Kaum, daß wir sie stillen können. Aufwachsen werden sie wie Kuckucksbrut. Wir müssen sie ausmieten. Familie! Mutterliebe! Die großen Herren haben gut reden! Wo gibt es denn bei uns Familie? Der Webstuhl ist mir vertrauter als mein eigen Kind. Was weiß ich von dem? Daß es da ist und essen will.

ERSTES WEIB: Schafft unsern Männern Brot, sagen wir. Sonst werden wir, die Weiber, uns zusammentun.

JOHN WIBLE: Was wollt ihr tun?

ZWEITES WEIB: Wenn ihr die Maschine leben laßt und gut heißt, daß man die siechen Weiber und unsere Männer davon jagt ... so werden wir zu Ure gehen und bitten: statt der fünfundzwanzig Männer stellt Weiber ein! Macht den Versuch. Wir leisten, was verlangt wird. Wir arbeiten, wenn es sein muß, zwanzig Stunden. Wir schaffen für den halben Lohn.

NED LUD: Pfui Teufel! Ihr verrietet eure Brüder! Ihr verrietet die Gewerkschaft!

ERSTES WEIB: Ich pfeif' auf das Gewerk. Wenn ich und meine Kinder in das Elendsgras beißen, soll ich dann Wiegenlieder singen: Gewerk, Gewerk? Schafft einen Ausweg!

ZWEITES WEIB: Wir wollen Taten sehen.

NED LUD: Hört Jimmy an. Er meint es gut mit uns. Er sagt, was wir alle fühlen ... was wir alle wollen ... John, mir fehlen die Worte ... erkläre ihnen, was uns Jimmy sprach.

JOHN WIBLE: Schon als Knabe schlief ich in der Kirche bei der Predigt ein. Es erging mir gestern abend wie gewöhnlich und es hieße unseren alten Pfarrer beleidigen, vergliche ich seine Litanei mit der Litanei Jimmys. Ich wachte auf, als ihr alle draußen wart.

ZWEITES WEIB: Wir sind keine Männer, daß wir vor jedem hergelaufenen Prediger uns beugen!

ERSTES WEIB: Zwei Tage habt ihr Frist ... Schlappschwänze, die ihr seid!

*(Die Frauen gehen hinaus.)*

JOHN WIBLE: Doch Jimmy sagt, man muß sich unterwerfen.

NED LUD: Wir dürfen einer nicht den anderen verraten. Die

Arbeiter müssen zusammenstehen. Der einzelne ein Halm, den jeder Säuselwind zerknickt. Als Masse sind wir mächtig nur.

JOHN WIBLE: Kennst du die neue Zeitung? Zweihundert Arbeitslose holte man aus Carlton. Die schaffen in der Fabrik.

NED LUD: Die Knobsticks! Die Streikbrecher!

JOHN WIBLE: Ich sprach mit Jimmy.

NED LUD: Was rät er?

JOHN WIBLE: Geduld!

NED LUD: Geduld?

JOHN WIBLE: Er weiß nichts von der Ehre der Arbeitsmänner. Er ist ... mag er auch zu uns stehen ... kein Arbeitsmann mehr. Er kann lesen und schreiben wie die Herren!

NED LUD: Wir müssen uns wehren.

JOHN WIBLE: Das meinten die andern. Wir sammeln uns heute nacht beim kleinen Schuppen. Wir wollen den schwarzen Schafen ein Denkmal einkerben.

NED LUD: Heute Nacht?

JOHN WIBLE: Ja.

NED LUD: Ich komme.

JOHN WIBLE: Trotz Jimmy?

NED LUD: Ich heiße Ned Lud ... Sind alle unterrichtet?

JOHN WIBLE: Nur Bobby fehlt. Ich gehe zu ihm.

*(John Wible geht. An der Türe wendet er sich um.)*

JOHN WIBLE: Ein Buchhalter vom Unternehmer sagte, der Jimmy ginge aus und ein dort. Ja, sagte sogar, daß Jimmy riet, die Arbeitslosen einzustellen ... Das aber glaub' ich nicht ...

*(John Wible geht hinaus. Ned Lud schweigt.)*

MARGRET: Seit die Maschine in der Stadt, ist alles wie behext.

NED LUD: Du meinst?

MARGRET: Der Frauen Rede ist nicht unrecht.

NED LUD *(zornig)*: Margret!

MARGRET: Schlappschwänze seid ihr! Betet frommen Blickes Amen, wenn eure Frauen und Kinder in die Gruben fahren. Ned Lud wird Töpfe putzen. Ich geb' dir einen alten Unterrock. Zieh ihn dir an und flenne!

*(Säuglingsschrei. Margret läuft nach hinten.)*

MARGRET *(aufweinend)*: Das Kind! Das Kind! ... Heilige
Mutter Gottes ... das Kind liegt in Zügen ... tot ... verhungert ... verhungert ...

NED LUD: Wie steht man dumm im Kreis der schweren Dinge
... Da ist die Maschine und da? ... Wie klar schien alles, da
Jimmy zu uns sprach ... Man müßte aufs Land zurück ...
Wir haben das Blut der großen Städte wie Gift in unserm
Leib. Die großen Städte sind nicht gläubig ... Man müßte
Erde haben. So hätte man einen Pfahl im Boden seines Hei-
matlandes. Wir sind wie die Leprosen ... Wie Bäume, denen
die Wurzeln zerschnitten wurden, und die sich wehren im
Sturm ... und doch verdorren ...

*(Vorhang.)*


# Fünfter Akt


### Erste Szene

*(Inneres einer alten Kartoffelmiete.*
*Auf dem Boden Stroh. Jimmy sitzt auf dem Stroh. Schreibt.*
*Der Bettler tritt ein.)*

BETTLER: Du bist hier?

JIMMY: Werde ich gesucht?

BETTLER: Im Gegenteil, Freund.

JIMMY: Im Gegenteil?

BETTLER: Die dich suchen könnten, tanzen ...

JIMMY: Gib mir keine Rätsel auf.

BETTLER: Was tust du da?

JIMMY: Ich schreibe ein Flugblatt.

BETTLER: Ich meine ... Flugblätter sind wie Flugsand. Wenn
sie wehen, verstopfen sie Augen und Ohren, aber sie dringen

nicht ins Herz . . . Sag' einmal, Freundchen . . . Du bist deiner Leute sicher?

JIMMY: Es sind Arbeitsmänner!

BETTLER: Doch Menschen.

JIMMY: Arbeitsmänner halten ihr Wort!

BETTLER: Einige schon. Alle? . . . Das ist fraglich. Halten *alle* Menschen ihr Wort, sind *alle* Menschen mutig, aufrecht, treu, selbstlos? Nein. Warum sollten es alle Arbeitsmänner sein? Weil sie »Arbeitsmänner« sind? Du siehst sie, deucht mich, wie du sie sehen *möchtest*. Du hast dir neue Götter erschaffen, die heißen »heilige Arbeitsmänner«. Reine Götter . . . treue Götter . . . weise Götter . . . vollkommene Götter . . . Englische Arbeitsmänner von 1815, du Träumer! Freundchen, mit Göttern verbündet kämpfen, heißt zum Sieg kommen, wie eine Apfelblüte zum Apfel kommt. Erwache, erkenne, daß du mit kleinen Menschlein, gutwilligen, böswilligen, gierigen, selbstlosen, kleinlichen, großmütigen . . . kämpfst, und versuchs trotzdem! Wenn du mit denen den Sieg erkämpfst und sie sich kämpfend wandeln, will ich den Hut vor dir ziehen. Wenn ich wieder einen habe! Denn der deine ertrank. Er liegt warm. Wer die Menschen nicht sieht, wie sie sind, darf nicht von Verrat und Undankbarkeit sprechen, wenn er nicht verstanden wird und Backenstreiche einheimst.

JIMMY: Der Sieg der Arbeiter wird der Sieg der Gerechtigkeit sein.

BETTLER: Ich habe drei Regierungen erlebt. *Alle* Regierungen betrügen das Volk, die einen mehr, die andern weniger. Die weniger betrügen, nennt man gute Regierungen.

JIMMY: Du bist ein Graunzer, ein Knotterer, ein Nörgler, ein Krauterer.

BETTLER: Jimmy, du bist ein studierter Arbeiter . . . ein Aristokrat. Alle Aristokraten wollen regieren . . . wollen mächtig sein . . . auch die Arbeiter haben ihre Aristokraten. Werde nicht zornig, Freund . . . wenn du auch regieren willst, kannst du doch zu denen gehören, die gut, sogar sehr gut regieren werden.

174

JIMMY *(lacht. Nach einer Weile)*: Kennst du John Wible?

BETTLER: Den krummen Wible? . . . Meinst du den?

JIMMY: John Wible.

BETTLER: Sein Vater trank mich unter den Tisch. Und das will etwas heißen. Kam er betrunken nach Hause, schlug er Weib und Kinder. Den John warf er einmal wie eine Katze an die Wand. Fiel aber nicht auf seine Füße, sonder blieb liegen. Als er wieder auf seine Füße kam, war er krumm. Die Mutter erhängte sich, weil sie beim Bäcker ein Brot gestohlen hatte in ihrer Not und ins Gefängnis sollte. Der Bäcker sagte, es wären drei Brote gewesen, doch glaube du den Bäckern. Sie sagen auch, sie backen Roggenbrot. Allein der Roggen stinkt oft nach geriebenem Alaun.

JIMMY: Die Arbeiter achten John Wible?

BETTLER: Er kann herrisch sein.

JIMMY: Ich verstehe dich nicht.

BETTLER: Er kann herrisch sein, hat ein gutes Maulwerk und warf einmal nach dem Geschäftsführer mit einem Stein . . . im Dunkeln . . .

JIMMY: Sein Kind ist ein Krüppel?

BETTLER: Nicht verkrüppelter als die anderen Weberkinder. Die Hebammen sagen, man wisse bei der Geburt nicht mehr, ob die Kinder Knochen hätten. Sie fühlten sich an wie Gummi.

JIMMY: O könnte man die Kinder retten! Heilige kleine Kinder, preisgegeben erbarmungslosem Schicksal. Angefressen die künftige Generation im Mark!

*(Stille.)*

BETTLER: Jimmy . . . Freund . . . Deine Leute wollen heute . . . die Maschinen zerstören.

JIMMY: Du lügst.

BETTLER: Weil ich berichte, was du nicht hören *willst?*

JIMMY: Wo treffe ich sie?

BETTLER: In der Fabrik. Dorthin hat John Wible sie bestellt, um die Streikbrecher zu überfallen. Doch ich kenne den Fuchs Wible.

JIMMY: Leb wohl!

*(Jimmy eilt davon.)*

BETTLER *(ihm nachrufend)*: Freundchen, liebes Freundchen
. . . nimm dich in acht . . . glauben sie dir nicht mehr, hängen
sie dich auf . . . fühlen sie, daß sie unrecht taten, hängen sie
dich erst recht auf . . . Darf ich dein Hemd behalten, Jimmy?
Er hört nicht mehr . . . Ich will es an mich nehmen . . . Zwei
Jahre trug ich kein Hemd mehr . . . Wer ein Hemde trägt,
fühlt sich wie ein Lord . . .

*(Die Bühne verdunkelt sich.)*


## Zweite Szene

*(Mondnacht.*
*Spärlich erleuchteter Fabrikraum.*
*Gigantische Dampfmaschine und mechanische Webstühle in*
*einem Raum. An Webstühlen arbeiten Kinder und einige Wei-*
*ber. An der Dampfmaschine zwei Männer. Eine Symphonie*
*tönender Geräusche erfüllt den Raum. Man hört deutlich das*
*Surren der Transmissionen. Verschiedenartigste Summlaute*
*schwingen. Hellklingendes Singen schnellaufender Wellen.*
*Tiefes Brummen der Steuerhebel. Taktmäßiges klirrendes*
*Klappern der Schiffchen.)*

AUFSEHER: Neun Uhr! Anfangen!

AUFSEHER: Du! Was starrst du in die Luft?

KLEINES MÄDCHEN: Ich kann am Tage nicht schlafen, Herr
. . . und jetzt kann ich die Augen kaum aufhalten . . .

*(Aufseher schlägt das Kind mit einem Riemen. Wortlos setzt*
*das Kind seine Arbeit fort.*
*Ein kleiner Junge kommt zur Tür hinein.)*

AUFSEHER: Neun Uhr zwei Minuten. Zur Arbeit kommst du
zwei Minuten später, als die Hausordnung vorschreibt. Muß
dich ins Strafbuch schreiben. Marsch! Lohnabzug zwei Pence.

*(Kleiner Junge geht an seinen Platz.)*


176

AUFSEHER *(nach einer Weile)*: Neun Uhr zehn Minuten! Die Türe schließen!

*(Ein Weib schließt die Türe; kaum ist die Türe geschlossen, wird daran gepocht.)*

AUFSEHER: Wer dort?

STIMME VON DRAUSSEN: Mary Anne Walkley.

AUFSEHER: Neun Uhr zwölf Minuten zeigt die Uhr. Nach neun Uhr zehn wird niemand mehr eingelassen. Bis ein Uhr mußt du draußen warten. Eintragung in deine Strafrubrik, abgezogen ein halber Lohn.

STIMME VON DRAUSSEN: Ach Herr, ich bin unwohl heute . . . und . . . verlor . . . soviel Blut . . . unterwegs . . . und . . . ich versäumte mich . . .

AUFSEHER: Dein Blutverlust wird andere Gründe haben. Geht mich im übrigen nichts an. Mich geht die Vorschrift an! Vorschrift! Erster Paragraph der Ordnung!

*(Schritte entfernen sich.*
*Erneutes Klopfen an die Tür.)*

AUFSEHER: Wer dort?

STIMME VON DRAUSSEN: Ure.

AUFSEHER: Jawohl, jawohl. Öffne sofort.

*(Aufseher öffnet die Tür. Der Fabrikant Ure und sein Gast, Regierungsvertreter, treten ein. Aufseher voll kriecherischer Unterwürfigkeit.)*

URE: Alles in Ordnung?

AUFSEHER: Alles in Ordnung, Herr.

URE: Sind die Hände Vollzeitler?

AUFSEHER: Alle!

URE *(zu seinem Gast)*: Hier sehen Sie die Fabrik. Agenten fremdländischer Konkurrenz nennen sie auch »Schlachthaus« oder »Haus des Schreckens« – Hetzer lieben starke Worte. Es sei offen zugegeben: die Maschine zwingt Rebellenhände in Lenksamkeit. Gott sei Dank. – Betrachten Sie die Kinder, sehr verehrter Herr. Bemerken Sie da Müdigkeit, schlechte Laune oder gar Mißhandlung? . . . Wie heiter ihre Augen blicken! Wie sie sich am leichten Spiele ihrer Muskeln freuen! Wie sie die natürliche Beweglichkeit des jugendlichen Alters in vollem Maß genießen! Nach drüben schauen Sie! Entzückend ist die Hurtigkeit, mit der das kleine Mädchen die verrissenen Fäden wieder anknüpft! Wie alle diese lieben kleinen Kinder Freude zeigen, vor meinem Gast ihre Künste aufzuführen. Ein ästhetischer Genuß, nicht wahr?

GAST: Man hört von Stimmen, die den Kinderlohn zu niedrig finden.

URE: Gewäsch der Herren am grünen Tisch, die von den Erfahrungen der Praxis unberührt bleiben. Der Lohn *muß* so niedrig bleiben. Der niedrige Lohn ist des Fabrikanten einziges Abwehrmittel gegen gierige Eltern. Die schickten sonst uns ihre Kinder schon mit einem Jahr in die Fabrik. Es gibt keine schlimmeren Ausbeuter als Arbeitereltern. Die treiben geradezu Raubbau an der Arbeitskraft und Gesundheit der Kinder.

GAST: Durch Nachtarbeit wird die Gesundheit nicht geschädigt?

URE: Keineswegs. Im übrigen erlaubt uns die Konkurrenz nicht, Nachtarbeit auszuschalten. Entschlössen wir uns dazu, so wäre die Folge Stillegung des Werkes.

GAST: Im Parlament will man die Tages-Kinderarbeit auf die Zeit von dreizehn Stunden beschränken.

URE: Das Parlament! Das Parlament! Dies Gesetz bedeutet die Einschränkung der vollkommnen Arbeitsfreiheit! Man muß dem Arbeiter erlauben, so lange zu arbeiten, wie er es will.

GAST: Die Kinder haben Essenspause?

URE: Zu unserem aufrichtigen, herzlichen Bedauern können wir diese Einrichtung nicht durchführen. Bedenken Sie: man müßte den Maschinenkessel weiterfeuern. Ein Quantum Kohle wäre nackter Reinverlust.

GAST: Der Aufseher ist ein ehemaliger Arbeitsmann?

URE: Jawohl, ein ehemaliger Arbeitsmann. Dem Tüchtigen freie Bahn! . . . Sofern er anständig, gesund, gehorsam, fleißig ist. Mit Aufsehern, die ehemalige Arbeiter waren, machten wir die besten Erfahrungen. Sie lösen rasch alle Beziehungen

178

zu ihren früheren Kameraden und assimilieren sich. Sie sind gewissenhaft, zuverlässig, unbeugsam streng und leisten uns ausgezeichnete Dienste.

GAST: Ein erhebender Gedanke für die Leute. Wann, glauben Sie, wird dieser dumme Streik abgebrochen?

URE: Wir können es erwarten. Uns steht genug Material zur Verfügung, Arbeitslose, Waisenkinder aus dem Armenhaus zu Carlton, Kinder, die Maschinenarbeit kennen. – Es steckt in unserm Pöbel der verruchte Geist der Auflehnung. Die gefährliche Romantik englischer Freiheitsduselei, geschützt von eitlen, arbeitsscheuen Literaten. Wir wollen das Beste für unsere Arbeitsmänner. Auch sie sind getaufte Christen. So etwas vergißt man nicht. Wir sind doch Menschen. Und der Lohn? Der Lohn ist Undank, verehrter Herr . . . Kommen Sie . . .

*(Ure und sein Gast verlassen die Fabrik.)*

AUFSEHER: Weiterarbeiten und nicht gaffen! Du hast gesungen! Welches Lied?

KLEINER JUNGE: »Niemals, niemals werden Briten Sklaven sein . . .«

AUFSEHER: Ich trage dich ins Strafbuch ein. Ein Penny Lohnabzug . . . Was seh' ich . . . he!

*(Aufseher geht an einen Webstuhl, an dem Kleines Mädchen hingekauert eingeschlafen ist.)*

AUFSEHER: Wie voller Sünde ist die Welt . . . das Ding schläft ein am Webstuhl. – He!

*(Aufseher rüttelt brutal das kleine Mädchen. Dieses springt auf. Arbeitet automatisch weiter.)*

KLEINES MÄDCHEN: Ach, Herr, der weite Weg. Die Füße sind so wund.

*(Starkes Pochen an der Tür.)*

STIMME VON DRAUSSEN: Macht auf! Macht auf! Ein Haufen Weber, mit Stöcken, Pickeln, Spaten ausgerüstet, rückt gegen die Fabrik an!

AUFSEHER: Ihr bleibt am Webstuhl.

*(Zu einem Kind)*: Du läufst aufs Rathaus!

*(Zu einem andern)*: Und du gibst Kunde unserm Ingenieur.

*(Die beiden Kinder verlassen die Fabrik. Johlen der Menge brandet näher und näher.*

*An die Türe wird gepocht.)*

RUFE: Macht auf! Macht auf!

*(Die Tür wird eingedrückt. Menge, darunter Ned Lud, John Wible, Charles, Georges, Eduard, Albert, Artur, stürmt in den Saal.)*

RUFE DER MENGE: Streikbrecher Ihr! Streikbrecher! Zur Höll' mit Euch! Du Aufseher, du Deserteur!

*(Die an den Webstühlen tätigen Kinder und Weiber weichen scheu in eine Ecke.)*

RUFE DER MENGE: Es sind Kinder!

ALLE: Kinder!!

RUF: Der eiserne Mann!

*(Die Menge erblickt die Maschine. Überwältigt vom Wunder der Maschine, hält sie betroffen inne. Jähe Stille.)*

NED LUD: So mögen Gottes Mühlen mahlen . . .

*(Der Ingenieur eilt herein.)*

AUFSEHER: Herr Ingenieur! Herr Ingenieur . . . O Gott . . . O Gott . . . Der Fabrikant jagt mich davon . . .

INGENIEUR: Maschinen abgestellt!

*(Die Maschinen werden abgestellt, der Ingenieur springt auf eine Kiste.)*

INGENIEUR: Was wollt ihr tun?

Der guten Vorsehung einfältig trotzen?

Wie Sklaven tratet ihr den Webstuhl und harte Fron

Verkrümmte eure Leiber. Maschine ist Erlösung!

Auf lohender Esse zittert der dampfgeschwängerte Kessel . . .

Ein Griff! . . . und eingeschaltet ist Kraft in Maschine!

*(Aufseher schaltet die Maschine ein. Mit einem Ton, der wie Seufzen eines Menschen klingt, setzt das Werk ein.)*

INGENIEUR: Schwungräder atmen . . . dehnen sich . . .

Wirbeln im Rhythmus brausender Takte!

Riemen packen die Transmissionen . . .

Ein Griff! Gewechselt ist Rahmen der Fäden . . .

Ein Griff! . . . der Einschuß in rechter Form.

180

Nicht mehr Verfilzung, wenn Hände ermüdet . . .
Wie flinke Tauben huschen die Schiffchen . . .
Treiben Bobinen zu emsigem Tun.
Ein Griff! Gebändigt ruht die Maschine . . .
*(Aufseher schaltet die Maschine aus.)*
INGENIEUR: Geschaffen vom Geist des Menschen!
Gebändigt vom Geist des Menschen!
Wer wider die Maschine kämpft,
Kämpft wider göttliche Vernunft!
Der Dämon Dampf ist überwunden
Und beugt sich dem Gesetz der Zahl.
Die Kraft, die menschenklammernde,
Gestürzt vom Throne der Tyrannen,
Gehorcht dem früh'ren Untertanen Mensch.
Den Dingen waret ihr versklavt,
Jetzt seid ihr Meister, königliche Meister.
Der Schöpfung letzte hohe Stunde
Wölbt Freiheitsbogen des Triumphs:
Der Mensch ward Herr der Erde!
*(John Wible springt auf ein Gerät.)*
JOHN WIBLE: Ihr glotzt verstummt, zu Stein erstarrt . . .
Schaut euch die Ausgeburt der Hölle an und leiht nicht
Diesem Ureknecht das Ohr! Habt ihr vergessen,
Was euch Albert sagte?
CHARLES: Sie bindet uns, sie stückelt uns!
GEORGES: Sie fesselt uns, sie martert uns!
EDUARD: Wir waren freie Menschen!
WILLIAM: Wir waren Herren am Webstuhl!
ALBERT: Wir webten Gottesblumen in das Werk der Hände!
JOHN WIBLE: Ist dieser Hundedienst des Menschen würdig?
Stellt Automaten hin und keine Briten.
INGENIEUR: Was hilft es euch, zu kämpfen wider die Ma-
    schine?
In allen Städten Englands . . . auf dem Kontinent . . .
Beginnt sie ihr gewaltig Leben. Sie leuchtet Zukunft!
Fortschritt triumphiert!

181

JOHN WIBLE: Wer Unterwerfung unter die Maschine rät,
Der meint's nicht gut mit uns. Denkt an Ures Botschaft!

NED LUD: Vergeßt nicht Jimmy.

JOHN WIBLE: Jimmy riet Geduld! . . . Geduld! Geduld! –
Das ist die Sprache der Verräter.
Wenn Menschen sich verkaufen sollen für alle Ewigkeit –
Wer wagt es, da zu sagen: Geduld!
Was schert uns Parlament, was schert uns Staat!
Wir wollen kämpfen gegen unsern nächsten Feind.
Wir wollen kämpfen gegen die Maschine.
Wollt ihr Maschinenknechte werden?

DIE ARBEITER: Nein!

JOHN WIBLE: Arme? Beine? Schrauben? Hebel? Zangen?

DIE ARBEITER: Nein! Nein!

ALBERT: Wir wollen schaffen, wie wir früher schafften!

JOHN WIBLE: Dann werden wir ein Herrenleben uns erkämpfen.

NED LUD: Wir gaben Jimmy unser Wort!

JOHN WIBLE: Jimmy ist ein Verräter!

NED LUD: Das ist nicht wahr.

JOHN WIBLE: Henry Cobbett heißt der Schurke,
Der uns verriet und Ures Sklave wurde.
Jimmy Cobbett ist sein Bruder!

RUFE: So ist's! So ist's!

NED LUD: Henry Cobbett ist sein Bruder . . .

JOHN WIBLE: Was zauderst du? Wenn du nicht mit uns
Kämpfen willst . . . wenn du dich fürchtest, geh!

NED LUD: Mich fürchten? . . . Sieh, ich lächle.

JOHN WIBLE: Denk' an dein Weib!

CHARLES: An deine Kinder!

GEORGES: An den Teufel!

WILLIAM: An den Tyrannen Dampf!

EDUARD: Unsere Weiber kämpfen!

CHARLES: Drei Wucherkrämern legten sie das Handwerk.

TOM: Und wir schwätzen!

ARTUR: Was . . . was . . . gilt's zu tun?

JOHN WIBLE: Nun zeige, Lud, daß du zu uns gehörst.
Auflodert altes Ziel! Tod der Maschine!
*(Einige Sekunden jäher Stille. Ned Lud geht auf die Dampf-*
*maschine zu. Ingenieur, Aufseher, Streikbrecher, Weiber,*
*Kinder entfliehen.)*
NED LUD: Henry Cobbett ist sein Bruder . . .
Tod und Tod der Teufelsbrut!
*(Ned Lud schlägt zu, trifft den Einschalthebel der Maschine.*
*Das Werk setzt ein.*
*Die Webstühle beginnen zu arbeiten.*
*Bestürzung.*
*Die Arbeiter weichen scheu zurück.)*
CHARLES *(schreit)*: Ein Höllenwerk! Ein Dämon!
ARTUR *(nach einer Weile)*: Ich . . . ich . . . k . . . kann . . . nicht
. . . reden . . . so . . . so . . . wie John und Jimmy . . . Aber . . .
aber . . . Artur . . . der kann . . . seinen . . . Spaten nehmen . . .
und . . . und sich nicht fürchten . . . und . . . und seinen Mann
stellen . . . und . . . und . . . zuschlagen . . .
*(Artur haut auf die Dampfmaschine ein. Das Schwungrad*
*packt ihn.)*
ARTUR *(schreit gräßlich auf)*: Mu . . . Mu . . . Mutter!
EDUARD: Des Menschen Feind hat ihn zermalmt . . .
NED LUD: Des Menschen Feind hat ihn zu sich gezogen.
*(Fast alle sind in Lethargie versunken. Auch Ned Lud. Da*
*erblickt er einen Arbeiter, der ein Kupfergefäß stiehlt. Er er-*
*wacht aus seiner Erstarrung.)*
NED LUD *(packt den Arbeiter)*: Das Kupfer aus den Taschen,
Dieb! Beraubst im Krieg du deinen toten Feind? Wir sind im
Kriege, Bursche . . . Standrecht herrscht! Wer plündert, wird
erschossen! . . . Was lachst du? Lachst du, wenn du im Kriege
Menschen töten mußt? . . . Ein Spuk hat uns genarrt, ihr
Brüder!
*(Ned Lud stürzt sich auf die Maschine. Schlägt zu.)*
NED LUD: Du Hexe! Du Satansbrut!
*(Die andern, beschämt ob ihres Schreckens, stürzen mit ge-*
*doppelter Wut auf die Maschine. Zertrümmern sie.)*

RUFE: He, bind' mich, schwarzer Eisenmann! Du Juggernaut! Du Hundsfott! Brich mir das Rückgrat doch!

*(Draußen hat sich wildes Unwetter erhoben, das während des Aktes anhält. Sturm schlägt die Türen zu. Die Lampen verlöschen. Man hört ein stoßweises, wahnsinniges Lachen.)*

LACHEN: Hihuhaha . . . hihuhaha . . .

GEORGES: Allmächtiger Gott! . . . Die Maschine *lacht!*

LACHEN: Hihuhaha . . . hihuhaha . . .

RUFE: Fliehen! Fliehen!

LACHEN: Hihuhaha . . . hihuhaha . . .

RUF: Wo ist die Tür? . . . Wo ist die Tür?

LACHEN: Hihuhaha . . . hihuhaha . . .

RUFE: Sturm preßt die Tür! Sturm und Maschinen im höllischen Bund!

ALBERT *(visionär)*: Hihuhaha . . .

Ich aber sage euch, die Maschine ist nicht tot . . .

Sie lebt! sie lebt! . . . Ausstreckt sie die Pranken,

Menschen umklammernd . . . krallend die zackigen Finger

Ins blutende Herz . . . Hihuhaha . . . hihuhaha . . .

Gen die umfriedeten Dörfer wälzen sich stampfende Heere . . .

Hindorren die Gärten, verpestet vom schweflichen Hauch . . .

Und es wachsen die steinernen Wüsten, die kindermordenden,

Und es leitet ein grausames Uhrwerk die Menschen

In freudlosem Takte . . .

Ticktack der Morgen, ticktack der Mittag . . . ticktack der Abend . . .

Einer ist Arm, einer ist Bein . . . einer ist Hirn . . .

Und die Seele, die Seele . . . ist tot . . .

ALLE *(in magischer Andacht)*: Und die Seele, die Seele ist tot.

*(Stille.)*

RUF: Albert lacht! Albert ist besessen!

RUF: Besessen vom Geist der Maschine!

ALBERT: Hihuhaha . . . hihuhaha . . .

Aufstehen werden die Völker wider die Völker . . .
Getrieben vom gierigen Rachen, dem erzelechzenden!
Recht wird entrechtet! . . . Sitte entsittet!
Feind wird der Bruder! . . .
Und am Ende, am Ende Verfall . . . Verfall!
Aufstehen werden die Völker wider die Erde . . .
Morden die Tiere, die göttlichen Tiere . . .
Morden die Wälder, die göttlichen Wälder . . .
Schänden die allumfassende Mutter!
Und am Ende, am Ende Verfall . . . Verfall!

JOHN WIBLE: Fangt ihn! Er hat den bösen Blick! Er ist besessen!

RUFE: Schlagt ihn tot! Schlagt ihn tot!

*(Verwirrung. Man sucht Albert zu fangen. In der Dunkelheit rennen Arbeiter wider Arbeiter. Albert läuft hin und her. Verwirrung steigert sich. Sprecher Schlag auf Schlag.)*

ALBERT *(vorne)*: Maschine . . . Maschine . . . hihuhaha . . . hihuhaha . . .

RUF: Nicht mich! . . . Nicht mich! . . .

ALBERT *(aus dem Hintergrund)*: Ich Weiser des Neuen im Blute geboren . . .
Hihuhaha . . . hihuhaha . . .

RUF: Den drüben pack! . . . Den drüben pack! . . .

RUF: Nicht mich . . . Nicht mich . . .

ALBERT *(von oben)*: Nicht euer Feind . . . nicht euer Feind . . .
Hihuhaha . . . hihuhaha . . .

RUF: Er hat . . . mich ins Herz gestochen . . .
Mich . . . Jack Lodgers . . . mich . . . nicht Albert . . .

ALBERT *(wie aus der Ferne)*: Immer verfolgt . . . immer gekreuzigt . . .
Hihuhaha . . . hihuhaha . . .

NED LUD: Der jüngste Tag . . .

ALBERT *(mächtig singend)*: Aus der Tiefe rufe ich . . .
*(Minutenlang Stille.)*

GEORGES: Am Fenster hängt ein Mensch . . .

CHARLES: Ein Holzarm . . . es ist Albert . . .

185

NED LUD: Wen der Geist besaß, deß Leben ist erfüllt . . .
*(Stille. Jimmy stürzt herein.)*
JIMMY: Eidbrecher ihr! Eidbrecher!
RUFE *(sinnlos keifend)*: Schlagt ihm das Hirn ein! Reißt aus
dem Leib ihm das Gedärm!
JIMMY: Ihr! Ihr bracht den Eid. In England wuchs der Bund
. . . Ihr fielt ihm in den Rücken . . .
JOHN WIBLE: Leimruten sind die heuchlerischen Worte . . . Ist
dein Bruder Ures Geschäftsführer?
JIMMY: Was tut die Frage hier?
JOHN WIBLE: Antwort! Ja oder nein?
JIMMY: Ja.
RUFE: Verräter! Verräter!
JOHN WIBLE: Wer verhöhnte die Weiber, dein Bruder oder ein
Fremder?
JIMMY: Mein Bruder und doch ein Fremder.
JOHN WIBLE: Die Kette ist geschlossen.
RUFE: Er wollte uns dem Tyrannen Dampf ausliefern! Teu-
felsknecht! Teufelsknecht!
JIMMY: Laßt mich erklären.
RUFE: Schweig! Schweig!
NED LUD: Den Kopf hätt' ich gesetzt für diesen Mann.
JOHN WIBLE: Wollt ihr die Zunge leben lassen, die Zunge des
Verrats? Wollt ihr die Augen leben lassen, die Augen des
Verrats? Reißt ihm die Zunge aus dem Mund! Reißt ihm die
Augen aus den Höhlen!
NED LUD: Verräter du!
*(Schlägt Jimmy mit einem Faustschlag zu Boden. Jimmy
schaut ihn ruhig an.*
*Ned Lud weicht scheu zurück.*
*John Wible geht auf Jimmy zu. Speit ihn an.)*
JOHN WIBLE: Hier, wenn du Durst hast! Letzter Schluck, be-
vor du zur Hölle fährst!
JIMMY: Bestie! Bestie!
JIMMY *(sich aufrichtend)*: O Kameraden . . . Freie dünktet ihr
mich und waret Knechte!

Immer Knechte! Von Herren euer Weib gekauft . . .
Und ducktet euch . . . Ihr Knechte!
Gepreßt in Kriegsrock, rieft Hurra!
Und ducktet euch! Ihr Knechte!
Und eure Tat ist Tat des Knechtes,
Der sich auflehnt. Was wollt ihr?
Herrschen wie die Herren . . . Knechte!
Drücken wie die Herren . . . Knechte!
Wohlleben wie die Herren . . . Knechte!
Wer euch *hineinpeitscht* in Befreiung,
Dem nur folgt ihr . . . Knechte!
*(Stille.)*
JIMMY: Vergebt mir . . . Jähzorn schrie . . .
Ihr armen Brüder Knechte . . . War keiner,
Der's euch anders lehrte . . . Ihr kämpftet
Gegen den unrechten Feind!
O Brüder, wenn die Schaffenden von England
Abtrünnig werden ihrer heiligen Sendung . . .
Die Schaffenden des Kontinents, die Schaffenden der Erde . . .
Sich nicht zur großen Menschheitstat vereinen . . .
Aufrichten Weltgemeinschaft allen Werkvolks . . .
Den Menschheitsbund der freien Völker . . .
Dann, Brüder, bleibt ihr Knechte bis ans Ende aller Tage!
JOHN WIBLE: Ihr schweigt und schweigt und schweigt! Seid
ihr Memmen? Die Zunge aus dem Mund! Die Augen aus den
Höhlen!
*(Alle außer John Wible stürzen sich auf Jimmy. Erschlagen
ihn. John Wible kehrt sich um.
Stille.)*
NED LUD *(auf John Wible zugehend)*: John . . . warum . . .
warum hast gerade du nicht zugeschlagen?
JOHN WIBLE: Den ersten und letzten Schlag trieb ich ihm ins
Genick!
NED LUD: Das lügst du.
JOHN WIBLE: Bereust du, daß er tot ist?
NED LUD: Bereue nichts, da er Verräter war. Nur . . . ich

versteh's nicht, daß du dich abseits hieltest ... zuerst da
schriest du: Die Zunge reißt ihm aus dem Mund! Die Augen
aus den Höhlen!

JOHN WIBLE *(zitternd)*: Die Augen ... habt ihr es getan?

NED LUD: Du hast nicht einmal hingeschaut?

JOHN WIBLE: Ich ... ich ...

NED LUD: Ah ... ah ... jetzt verstehe ich ... Du Feigling ...
*(Ned Lud packt John Wible am Kragen. Schleift ihn zur
Leiche.)*

NED LUD: Totschlagen belfertest du ... und schlägst nicht
zu ...

JOHN WIBLE *(wimmert)*: Ich ... ich ... kann kein Blut sehen
... oh ... oh ... oh ...
*(John Wible winselt, weint.)*

NED LUD: Was? ... Was? ... Blut wolltest du saufen und
kannst kein Blut sehen! Blut! und Blut! und Blut! ... und
kannst kein Blut sehen ... Totschlagen riefst du und kannst
nicht totschlagen ... Du elendiger Feigling du ... ich möchte
dich würgen und mich ekelt, als wär' dein Hals ein einzig
grüner Schleim ... Was mögen wir getan haben? ...

BETTLER *(stürzt herein)*: Jimmy! Eine Nachricht!

NED LUD: Jimmy ist tot.

BETTLER: Ihr habt ihn erschlagen?

NED LUD: Ja.

BETTLER: Warum habt ihr ihn erschlagen?

CHARLES: Sein Bruder ist Ures Knecht.

BETTLER: Und er?

NED LUD: Sein Helfer.

BETTLER: Ihr Toren! Ihr Narren! Ihr blinden Säckel! Ihr habt
einen erschlagen, der Mutter und Bruder verließ ... Euretwillen! ... Der Pfründe verschmähte ... Euretwillen! Doch wen
erschlagt ihr nicht ... Ihr Menschenvolk!
*(Stille.)*

GEORGES *(nach einer Weile)*: Gemordet, und wissen nicht
warum.

WILLIAM: Gemordet, weil einer rief Blut.

EDUARD: Gemordet, weil einer rief Verrat.

NED LUD: Weil der da drüben rief Verrat! Was mögen wir getan haben?

GEORGES: Der da drüben?

NED LUD: John Wible.

GEORGES: Wo?

NED LUD: Da . . . da stand . . . doch Wible? . . .

WILLIAM: Schlich sich davon! Buckelte sich zur Tür hinaus! Floh!

NED LUD: Was mögen wir getan haben?

GEORGES: Lief vielleicht zum Ure! Winselt: ich habe nicht zugeschlagen! Paktiert gegen uns! Verrät die eigenen Brüder für dreißig Silberlinge!

BETTLER: Ob er euch für dreißig Silberlinge verrät, weiß ich nicht. Aber daß er euch verrät, weiß ich. Er paktiert mit Ure . . . gegen euch!

NED LUD: Was mögen wir getan haben?

BETTLER: Vorher, vorher hättet ihr an eure Brust schlagen sollen, ihr Herren! Warum ich kam . . . die Polizei rückt gegen die Fabrik an . . . Es ist genug, daß einer hingemordet wurde . . .

*(In diesem Augenblick wird an die Tür geklopft.)*

BETTLER: Zu spät!

STIMME DES OFFIZIERS: Ergebt euch! Die Fabrik umstellt!

NED LUD: So sperrt uns ein! Wir wissen, was wir taten!
Und wollen sühnen, daß wir den erschlugen,
Andere werden kommen . . .
Wissender, gläubiger, mutiger, als wir.
*Es wankt schon euer Reich, ihr Herren Englands!*
*(Tür wird geöffnet. Arbeiter verlassen die Fabrik. Man sieht, wie sie draußen von Polizei umstellt werden.*
*Eine Weile bleibt die Bühne leer.*
*Der alte Reaper und Teddy treten ein. Der alte Reaper hält seinen Stock geschultert, als trüge er ein Gewehr.)*

DER ALTE REAPER: Ist hier Gott?

TEDDY: Hier steht die Maschine . . .

DER ALTE REAPER: Es nahet die Entscheidung. Er, Er ist die Maschine!

TEDDY: Großvater, hier liegt ein Mensch . . . Großvater, es ist Onkel Jimmy . . .

DER ALTE REAPER (*zielt*): Piff! Paff!

TEDDY: Sieh doch . . . sieh doch . . . alles zerbrochen . . . alles zerbrochen . . .

DER ALTE REAPER (*erblickt die Leiche Jimmys*): Hurra! Hurra! Hurra!

TEDDY: Nach Haus . . . Ich hab' solche Angst . . .

DER ALTE REAPER: Nicht brauchen mehr Angst zu haben die Kinder . . . alles Elend hat ein Ende . . . Ich habe Gottes Sohn erschossen . . . Ich, der Sohn einer Leibeigenen . . . Heute Abend bei Untergang der himmlischen Sonne . . . Gottes Sohn erschossen . . . Da liegt er . . . Sohn unser, der du liegst im Turme, getroffen und erschossen. Man muß für ein Begräbnis sorgen . . . Auf den Gottesacker? Auf den Schindacker mit ihm!

Ach, wie er daliegt . . . ach, wie er daliegt . . . und die Augen . . . und die Augen . . . Du armer, lieber Gottessohn . . . Präsentiert das Gewehr . . . Du armer, lieber Gott . . . Ich hab die Tat erlebt . . . Und hab' sie überlebt . . . wie müde macht das Leben . . . Ich möchte sterben . . . Ach, du armer, lieber Gott.

(*Der alte Reaper beugt sich weinend über Jimmys Leiche und küßt sie.*)

DER ALTE REAPER: Und ich will den Vater bitten . . . Und er soll euch einen andern Tröster geben, den Geist der Wahrheit . . . Welchen die Welt nicht kann empfahen, denn sie siehet ihn nicht . . . und sie kennet ihn nicht . . . Ach, du armer, lieber Gott . . . Man muß für ein Begräbnis sorgen . . . man muß einander helfen und gut sein . . .

(*Die Bühne schließt sich.*)

# Der deutsche Hinkemann

*Eine Tragödie in drei Akten*

Geschrieben 1921/1922 im Festungsgefängnis
Niederschönenfeld

## Menschen der Tragödie

HINKEMANN
GRETE HINKEMANN, SEINE FRAU
DIE ALTE FRAU HINKEMANN
PAUL GROSSHAHN
MAX KNATSCH
PETER IMMERGLEICH
SEBALDUS SINGEGOTT
MICHEL UNBESCHWERT
FRÄNZE, GRETES FREUNDIN
BUDENBESITZER
VERSCHIEDENE ARBEITER UND ARBEITERINNEN
ALLERLEI TYPEN UND VOLK DER DEUTSCHEN STRASSE


Zeit: Um 1921
Ort: Kleine Industriestadt in Deutschland

Wer keine Kraft zum Traum hat,
hat keine Kraft zum Leben

# Erster Akt

## Erste Szene

*(Angedeutet: Küche einer Arbeiterwohnung, die zugleich als Wohnraum dient. Grete Hinkemann hantiert am Kochherd. Hinkemann kommt. Setzt sich an den Tisch. Seine rechte Hand, die auf dem Tisch liegt, umkrallt einen kleinen Gegenstand. Er starrt unaufhörlich auf diese Hand.)*
*[Hinkemann spricht weder »fließend« noch »pathetisch«. Immer hat seine Sprache das Ausdrucksschwere, Dumpfe der elementarischen Seele.]*

GRETE HINKEMANN: Hat Mutter dir Kohlen gegeben?

HINKEMANN *(schweigt.)*

GRETE HINKEMANN: Eugen! . . . ich fragte dich nur, ob Mutter dir Kohlen gab . . . Gib doch Antwort . . . Als ob er nicht im Zimmer wäre! . . . Eugen, sprich doch! . . . Am Verzweifeln bin ich! Kein Stückchen Holz! Keine Kohle! . . . Eugen, soll ich mit unserm Bett den Ofen anschüren?

HINKEMANN: Ein Tierchen . . . ein buntes kleines Tierchen . . . Wie sein Herzchen klopft . . . Mit den Händen spürt mans. Und sitzt in Nacht. Immer in Nacht.

GRETE HINKEMANN: Was hältst du in der Hand, Eugen?

HINKEMANN: Kannst du noch ruhig am Herd stehen? Fallen dir die Töpfe nicht aus den Händen? Spürst du nicht, wie eine große Finsternis sich über dich wirft? Ein Tierchen, ein Geschöpf der Erde, wie du, wie ich . . . eben noch seines Lebens froh . . . tirili tirili. Hörst dus jeden Morgen? tirili tirili . . . das ist die Freude am Licht . . . tirili . . . Und jetzt! jetzt! Ich kam hinzu, wie sie mit einer glühenden Stricknadel dem Tierchen die Augen blendete . . . *(Aufstöhnend.)* Oh! Oh!

GRETE HINKEMANN: Wer? Wer?

HINKEMANN: Deine Mutter. Deine leibliche Mutter. Eine Mutter! eine Mutter blendet mit rotglühender Stricknadel ihrem Distelfinken die Augen, weil so ein Zeitungsblatt geschrieben hat, blinde Vögel sängen besser . . . Ich habe ihr die Kohlen vor die Füße geschmissen, die zehn Mark, die sie mir gegeben, ich hab . . . Grete . . . ich hab deine Mutter gezüchtigt, wie man ein Kind züchtigt, das Tiere quält . . . Aber dann ließ ich sie los . . . Ein Gedanke zerrte mich. Schrecklich war der Gedanke, schrecklich! Hätte ich nicht früher das gleiche getan? Ohne Bedenken? Was war mir früher der Schmerz eines Tieres? Ein Tier, nun gut. Man dreht ihm den Hals um, man sticht es tot, man schießt es. Was weiter. Als ich gesund war, erschien mir das alles, als müßte es so sein. Nun ich ein Krüppel bin, weiß ich: Es ist etwas Ungeheuerliches! Es ist Mord am eigenen Fleisch! Schlimmer als Mord! Foltern bei lebendigem Leib! . . . Aber früher! . . . Wie mit Blindheit geschlagen ist der gesunde Mensch!

GRETE HINKEMANN: Was hast du angerichtet? . . . Gar keine Hoffnung ist mehr.

HINKEMANN: Denk doch: eine Mutter blendet ein lebendiges Geschöpf! Ich faß es nicht! Ich werde es nie fassen! Ich faß es nicht!

GRETE HINKEMANN *(geht hinaus.)*

HINKEMANN: Du mein armes Vögelchen du . . . Du mein kleiner Kumpel . . . Wie haben sie uns zugerichtet, dich und mich. Menschen haben das getan. Menschen. Wenn du sprechen könntest, Teufel würdest du heißen, was wir Menschen nennen! . . . Grete! . . . Grete! . . . Sie ist fortgegangen. Unsere Gesellschaft langweilt sie wohl. *(Sucht im Zimmer.)* Brosamen . . . einen Käfig . . . Einen Käfig? Damit einer dem andern seine Not weist? . . . Nein, nein, ich will nicht grausam sein. Ich will Schicksal spielen. Ein Schicksal, das gütiger ist als meines. Denn ich . . . ich habe dich ja lieb . . . lieb . . .

*(Hinkemann läuft hinaus. Kommt nach einigen Sekunden wieder zurück.)*

HINKEMANN: Klatsch! Ein rotes Fleckchen an der Steinmauer . . . Ein paar Federn fliegen . . . Aus! . . . *Ein Gedanke – und alles wankt!* Hätten sie mir früher einen gezeigt wie mich, ich weiß nicht, was ich getan hätte. Es gibt Umstände, da weiß

man nicht, was man tun würde, so wenig kennt man sich . . .
Vielleicht hätte ich gelacht . . . vielleicht hätte ich . . . gelacht!
Und sie? . . . Ihre Mutter hat einem Finken die Augen geblendet . . . Weißt du, was sie tun wird? *(Lacht irr auf. In schreiendem Singen.)* Ah . . . Ah . . .
*(Während Hinkemann singt, tritt Grete ins Zimmer, sieht ihn erschreckt an. Wie von Ekel geschüttelt, hält sie sich die Ohren zu. Plötzlich schluchzt sie laut auf.)*
GRETE HINKEMANN: Ach du lieber Herr Jesus . . . Ach du lieber Herr Jesus . . .
HINKEMANN *(erblickt Grete, wendet sich gegen sie in triebhafter Wut)*: Was denn . . . was weinst du denn, Weib? . . . Gib Antwort! . . . Was flennst du, sprich! . . . sprich! . . . Weinst du, weil ich . . . weil ich dich . . . Weil die Menschen mit Fingern auf mich deuten würden wie auf einen Clown, wüßten sie, wie es um mich bestellt ist? Weil mich der Heldenschuß einer verfluchten Kreatur zum elenden Krüppel . . . zum Gespött machte? Weil du dich meiner schämst? . . . Sag die Wahrheit . . . die Wahrheit . . . alles wankt . . . alles wankt . . . die Wahrheit muß ich wissen! *(Flehend. Innig.)* Warum weinst du?
GRETE HINKEMANN: Ich . . . ich hab dich lieb . . .
HINKEMANN: Liebst du mich oder . . . oder zittert nur Mitleid, wenn du meine Hand hältst?
GRETE HINKEMANN: Ich hab dich lieb . . .
HINKEMANN: Ein Hund war um einen sein Lebtag . . . man hat mit ihm gespielt als Kind . . . es war ein gutes Tier, ein treues Tier . . . es war ein Hund, der es nicht litt, daß einer uns was zuleide tat . . . Und nun bekommt dieser Hund die Räude. Sein Fell wird strubblig, die Augen eitern . . . man kann ihn nicht mehr anfassen, man möchte sich rein ekeln . . . wenn, ja siehst du, wenn da nicht eine Erinnerung wäre an den Hund von früher, der einen aus so merkwürdigen, aus so menschlichen Augen ansah, wenn man seines Lebens sich nicht mehr freuen konnte . . . Und dann bekommt man es nicht mehr fertig, den Hund zum Abdecker zu bringen . . . man duldet

ihn in der Stube . . . man duldet ihn, wenn er sich aufs eigene Bett legt . . .*(Aufschreiend.)* Grete! bin ich son Hund?

GRETE HINKEMANN *(hält sich die Ohren zu, verzweifelt)*: Ich halts nicht mehr aus! Ich nehm einen Strick! . . . ich mach den Gashahn auf! . . . Ich halts nicht mehr aus!

HINKEMANN *(hilflos)*: Ja, Gretchen, was hast du denn? Ich tu dir ja nichts. Ich bin ja ein verlorner Mann. Ich bin ja eine heimliche Krankheit. Ich bin ja ein Hampelmann, an dem sie solange gezogen haben, bis er kaputt war . . . Die Rente läßt uns nicht genug zum Leben und zu viel zum Sterben . . . Grete, ich würde ja meine eigenen Kameraden verraten, ich glaube, ich würde . . . Streikbrecher werden, wenn . . . wenn ich nur wüßte . . . wenns nur nicht würgte und würgte . . . Siehst du, hier hier sitzts wie ein Bündel aus lauter Stecknadeln und sticht und sticht: Du bist ein räudiger Hund für dein Weib . . . *(Leise, geheimnisvoll.)* Und Grete, seit heute . . . seit ich das bei deiner Mutter erlebte, seit der Gedanke da war, der schreckliche Gedanke . . . Da jagt es mich jagt es mich jagt es mich . . . Stimmen hör ich . . . Gesichter blecken mich an . . . Im Nacken sitzt ein Grammophon, das ist wie ein unheimlich Tier und grölt seine Musik mir in die Ohren: Eugen Lächerlich! Eugen Lächerlich! . . . Und dann auf einmal seh ich dich . . . Du stehst in einer Stube, ganz allein, du stehst am Fenster, während ich auf der Straße gehe . . . hinter der Gardine versteckst du dich . . . und deine Lungen plustern sich, dein Bauch kollert sich vor Lachen . . . *(Nach einer Weile, einfach.)* Gretchen, nicht wahr, du könntest nicht über mich lachen, das könntest du mir nicht antun?

GRETE HINKEMANN: Was soll ich dir nun sagen, Eugen? . . . Du glaubst mir ja nichts.

HINKEMANN: Ja! Ja, ich glaube es, Grete! Närrisch möchte ich werden vor Freude! Ich glaubs! . . . Ich schaff Arbeit! . . . Und wenn ich gleich mich ducken müßt wie ein Tier! . . .

*(Paul Großhahn kommt.)*

PAUL GROSSHAHN: Guten Abend zusammen.

HINKEMANN. GRETE HINKEMANN: Guten Abend.

PAUL GROSSHAHN: Lustige Gesellschaft! Kann man wohl das Lachen lernen?

HINKEMANN: Du brauchst es doch nicht zu lernen, Paule! Hast deinen Verdienst: wirst bald Werkmeister.

PAUL GROSSHAHN: Essig! Wegen Betriebseinschränkung adschö! Armes Volk ist schlechter dran als Vieh . . . Das wird wenigstens gemästet, auf die Wiese gebracht, und erst wenn es so recht fett, so recht kugelrund fett ist, wirds geschlachtet.

GRETE HINKEMANN: Sie versündigen sich am Herrgott.

PAUL GROSSHAHN: Wie kann armes Volk sündigen? Selbst wenn es sowas wie ein Jenseits gäbe, müßte das Volk die ewige Seligkeit gewinnen, einmal, weil es keine Zeit hat zu sündigen vor lauter Schuften und Schinakeln . . . und dann weil es dafür belohnt werden muß, daß es seinen Peinigern die Seligkeit auf Erden verschafft . . . Übrigens bin ich Atheist. Ich glaube nicht mehr an Gott. An welchen sollte ich denn glauben? An den Judengott? An den Heidengott? An den Christengott? An den französischen Gott? An den deutschen Gott?

HINKEMANN: Vielleicht sind sie alle zusammen im Drahtverhau hängen geblieben . . . die ewigen Schlachtenlenker.

GRETE HINKEMANN: Ich hab an Gottes Gerechtigkeit mein Leben lang geglaubt, und den Glauben kann mir keiner nehmen.

PAUL GROSSHAHN: Wenn Gott gerecht wäre, müßte er auch gerecht handeln, Frau Hinkemann. Und wie handelt der gerechte, liebe, gute Gott? Hä? Brauche ich es Ihnen noch zu sagen? Mit Gott für König und Vaterland, mit Gott für Menschenmord, mit Gott für Obergott Mammon. Alles gottgewollt. Man meint bald, wenn die Herren es nicht für nützlich halten, wenn sie sich schämen, »Ich« zu sagen, dann sagen sie »Gott«. Das klingt besser . . . und darauf fällt das Volk leichter herein . . . Den Glauben überlaß ich denen, die Profit draus schlagen. Wir kämpfen nicht um den Himmel, wir kämpfen um die Erde, wir kämpfen um die Menschen.

HINKEMANN: Um die Menschen kämpfen, das mag wohl gehen. Aber um die Maschine!! Die zerbricht uns unsere Knochen, ehe wir noch so recht aufgestanden sind. Mir graut vor jedem neuen Arbeitstag, und wenn ich morgens die Arbeit aufnehme, kann ich mir kaum vorstellen, daß man das den ganzen Tag aushalten soll. Und wenn abends die Fabrikglocke geht, stürme ich zum Fabriktor hinaus, als wenn ich besessen wäre!

PAUL GROSSHAHN: Mich drückt die Maschine nicht. Ich bin der Herr und nicht die Maschine. Wenn ich an der Maschine stehe, packts mich mit Teufelslust: Du mußt den Knecht da fühlen lassen, daß du der Herr bist! Und dann treibe ich das heulende und surrende und stöhnende Ding bis zur äußersten Kraftleistung, daß es Blut schwitzt ... sozusagen ... und ich lache und freue mich, wie es sich so quält und abrackert. So, mein Tierchen, rufe ich, du mußt gehorchen! Gehorchen! Und das wildeste Stück Holz laß ich die Maschine verschlingen und laß es sie formen nach meinem Befehl! Nach meinem Befehl! Sei ein Mann, Eugen, dann bist du der Herr.

HINKEMANN *(leise)*: Es gibt Fälle auf Erden, wo einer eher ein Gott werden kann als ein Mann.

GRETE HINKEMANN *(starrt Großhahn unverwandt an)*: Wie wild Sie blicken können, Herr Großhahn.

PAUL GROSSHAHN: Och ...

HINKEMANN: Der hat das Wildblicken gelernt, aber nicht an der Maschine.

GRETE HINKEMANN: Sondern?

HINKEMANN: Wo, willst du wissen? Bei den Frauensleuten.

PAUL GROSSHAHN: Was hat denn son Prolet von seinem Leben? Wenn er auf die Welt kommt, flucht der Alte, daß wieder ein Esser mehr da ist. Hungrig geht er morgens in die Schule, und wenn er abends ins Bett geht, zwiebelt ihm der Hunger das Gedärm. Na, und dann kommt er in die Fron. Er verkauft seine Arbeitskraft, wie man einen Liter Petroleum verkauft und gehört dem Unternehmer, dem Prinzipal. Er wird ... sozusagen ... ein Hammer oder ein Stuhl oder ein Dampfhebel oder ein Federhalter oder er wird ein Bügeleisen. Es ist doch so! ... Was bleibt sein einziges Vergnügen? *Die*

*Liebe!* Wo keiner ihm etwas dreinzureden hat? – *Die Liebe!* Wo er frei ist, wo er dem Herrn Unternehmer und Polizisten sagen kann: Hier ist meine Villa! Eintritt verboten!? – *Die Liebe!!* Sehen Sie, die reichen Leute haben so viele Sachen, mit denen sie sich amüsieren ... Badereisen und Musik und Bücher ... Aber unsereiner? Man liest ja auch eins ein Buch, aber doch nicht jeden Tag. Dazu haben wir in der Schule zu wenig gelernt, dazu fehlt es an Grips. Und Musik? Der Lohengrin ist ja ganz schön, aber wenn ich ins Varieté oder ne Operette gehen kann ... in den »Grafen von Luxemburg« ... oder in den »Walzertraum« ... oder in die »Lustige Witwe« ... kennen Sie die ... *(Singend.)* »Vilja, o Vilja, du Waldmägdelein« ... oder wenn der Musikautomat für zehn Pfennige einen Walzer spielt, und ich mit meinem Mädel eins tanzen kann ... ist es mir doch lieber ... Für uns Proleten ist die Liebe ganz was anderes als für die reichen Leute. Sie ist für uns ... sozusagen ... der Lebenskern. Wenn der angefault ist, dann lieber gleich einen Strick. Ist es nicht so, Eugen?

HINKEMANN: Du magst wohl recht haben ...

PAUL GROSSHAHN: Sie sind eine verheiratete Frau, Frau Hinkemann, man kann deshalb ein offenes Wort mit Ihnen reden. Was hätte unsereiner wohl vom Leben, wenn er nicht jeden Tag einmal bei seinem Mädchen sein könnte.

HINKEMANN *(beobachtet gespannt Grete.)*

PAUL GROSSHAHN: Was sagen Sie, Frau Hinkemann?

GRETE HINKEMANN: Was ich sage? ... *(Scheu.)* Alle Frauen sind nicht gleich.

HINKEMANN *(aufspringend)*: Ich schaff Arbeit, Grete, da kannst du dich drauf verlassen ... ich will dir doch was schenken können zu Weihnachten! ...

PAUL GROSSHAHN: Kannst dir den Weg sparen.

HINKEMANN: Abwarten, Paule! Auf Wiedersehen, Grete. *(Hinkemann verläßt das Zimmer. Einige Minuten Stille.)*

PAUL GROSSHAHN: Ein Mann wie ein Ringkämpfer. Ist doch jammerschade, daß der brach liegen muß. Und immer Humor. Sie sind wohl recht glücklich, Frau Hinkemann?

GRETE HINKEMANN *(sieht ihn starr an)*: Ja.

PAUL GROSSHAHN: Ich bin immer neidisch auf den Eugen, wenn ich Sie beide so sehe.

GRETE HINKEMANN *(stützt weinend den Kopf in ihre Hände.)*

PAUL GROSSHAHN: Was ist denn, Frau Hinkemann? ... Ich habe doch nichts Übles gesagt? Sie weinen ja ... Was ist denn? ... soll ich dem Eugen nachlaufen? Vielleicht erreiche ich ihn noch ...

GRETE HINKEMANN *(fassungslos aufweinend)*: Mein Kopf zerbricht! ... Mich können sie ins Irrenhaus schaffen! ... Ich schrei! ... Ich schrei! ...

PAUL GROSSHAHN *(besorgt)*: Sind Sie krank, Frau Hinkemann? Kann ich Ihnen helfen? Oder sind Sie gar in guter Hoffnung? ... Da bekommen manche Frauen die Fallsucht.

GRETE HINKEMANN: Ach du lieber Herr Jesus, ach du lieber Herr Jesus ... in andern Umständen ... *(Krampfhaft auflachend.)* in Umständen, daß ich froh wäre, wenn sie mich heut begraben täten ...

PAUL GROSSHAHN: Ist der Eugen nicht gut zu Ihnen? Schlägt er Sie?

GRETE HINKEMANN: Ich sags ... ich sags ... ich sags ... ich bin ein armes Menschenkind ... mein Eugen ... mein Eugen ... mein Eugen, der ist ja gar ... der ist ja gar kein Mann ...

PAUL GROSSHAHN: Sind Sie wirklich nicht krank, Frau Hinkemann? Vielleicht haben Sie Fieber?

GRETE HINKEMANN: Nee ... mein Eugen ... mein Eugen, den haben sie im Krieg draußen so zugerichtet ... und jetzt ist er ein Krüppel ... ich schäm mich ja so ... ich kanns nicht erklären ... Verstehen Sie mich doch, Herr Großhahn, er ist gar kein Mann mehr ... *(Hält sich wie erschreckt über sich selbst den Mund zu.)*

PAUL GROSSHAHN *(prustet einen kurzen, rohen Lachlaut.)*

GRETE HINKEMANN: Ach Herr Jesus ... was hab ich nu angerichtet? Was hab ich nu gesagt? Wie Sie mich jetzt auslachen ... pfui! pfui! Das hätt ich nicht gedacht ... das hätt ich Ihnen nicht zugetraut.

PAUL GROSSHAHN: Entschuldigen Sie, Frau Hinkemann, es kommt mir nur ... es kommt mir nur so die Kehle herauf ... Wenn ein Mann das hört, da muß er eben lachen. *(Entrüstet.)* Aber der Eugen, der ist ja ein Egoist! Was hält der Sie? Der liebt Sie nicht, sonst würde er Sie gehen lassen ... *(Großhahn streichelt Grete. Grete lehnt sich an ihn.)*

GRETE HINKEMANN: Das ist alles viel schwerer, wie Sie sich das denken, Herr Großhahn. Man findet sich nicht zurecht. Eben ist es hell, und dann ist es wieder finstere Nacht ... Der Mensch dauert mich so ... Was war das für ein Mann vor dem Krieg! Das blühende Leben! Aber heute ... nur noch grübeln kennt er. Er hadert mit Gott und hadert mit den Menschen ... Und wenn er mich anschaut, meine ich, er will mich durch und durch schauen, als ob ich ein Ding wäre und kein Mensch. Und manchmal, da fürchte ich mich vor ihm ... da mag ich ihn nicht leiden ... da ekelt er mich! ... *(Sich schüttelnd.)* Da ekelt er mich! ... Herr Jesus, wie soll das enden? ...

PAUL GROSSHAHN *(immer zärtlicher werdend)*: Weinen Sie nur, Frau Grete, weinen Sie nur ... Tränen, die man zurückhält, sind wie Steine, die einem auf dem Herzen liegen, hat meine Mutter selig immer gesagt ...

GRETE HINKEMANN: Sie werden ihm nichts verraten, Herr Großhahn? Ich ginge ins Wasser!

PAUL GROSSHAHN: Nichts werde ich ihm sagen, Grete. Kein Sterbenswörtchen. Da kannst du ohne Sorge sein. Ich hab schon einmal einen Monat Gefängnis auf mich genommen, weil ich versprochen hatte, reinen Mund zu halten ... Da kannst du ohne Sorge sein ... Du bist ein junges Weib ... guck mich mal an ... zum Teufel, du machst es nicht mehr ein Jahr, wenn du dich so weiter grämst ... Greteken ... Greteken ... *(Küßt sie.)*

GRETE HINKEMANN: Nu werde ich doch schlecht ...

PAUL GROSSHAHN: Schlecht? Wie kann schlecht sein, was aus der Natur kommt? ... sozusagen ... aus dem Blut ... Schlecht, mit dem Wort jonglieren die Pfaffen und die Kapitalisten . . . Schlecht wärst du gegen dich, wenn du einem Mann, der kein Mann ist, die Treue halten wolltest. Und überhaupt Treue. Auch ein Gottseibeiuns fürs arme Volk. Für die reichen Leute ist das längst ein Ammenmärchen. Mein Freund hatte sogar eine Liebschaft mit . . . einer Frau Kommerzienrat . . .

GRETE HINKEMANN: Ich höre jemand auf der Treppe . . . Wenn es Eugen ist . . .

PAUL GROSSHAHN: Dann will ich lieber gehen . . . Greteken, magst du mal zu mir kommen? Du weißt, wo ich wohne . . . Brauchst keine Bange zu haben, mich besucht niemand . . . Du kannst dein Herz bei mir ausschütten . . . sozusagen . . . Du kannst dich ruhig bei mir ausweinen . . . Kommst du zu mir?

GRETE HINKEMANN: Ich weiß es noch nicht . . .

PAUL GROSSHAHN: Erinnerst du dich noch, wie wir zusammen am großen Sandhaufen im Stadtpark Burgen bauten, Greteken? . . . Ich hatte schon ein Auge auf dich geworfen, als du noch eine kleine Milchdirn warst . . . Greteken, kommst du zu mir?

GRETE HINKEMANN *(schüttelt widerstrebend den Kopf.)*

PAUL GROSSHAHN *(plötzlich brutal)*: Ohne Ziererei . . . Du kommst! . . .

GRETE HINKEMANN: Ich . . .

PAUL GROSSHAHN: Du kommst!

GRETE HINKEMANN: Ja . . .

PAUL GROSSHAHN: Adschö auch, Greteken, adschö. *(Großhahn geht.)*

GRETE HINKEMANN *(allein)*: Man ist nur ein armes Weib. Und das Leben ist so verworren.

*(Vorhang.)*

# Zweiter Akt

## Erste Szene

*(Angedeutet: Vor einem grünen Wagen. Auf einem Klotz zwischen Gerätschaften sitzt der Budenbesitzer. Hinkemann steht vor ihm.)*

HINKEMANN *(weist auf ein Zeitungsblatt)*: Da!

BUDENBESITZER: Was . . . »da!«? . . .

HINKEMANN: Hier steht es doch. *(Liest langsam jedes Wort betonend.)* »Für sensationelle Nummer ein kräftiger Mann gesucht. Hoher Verdienst. Nur erstklassiges Menschenmaterial möge sich melden.«

BUDENBESITZER: Deswegen. Mal ins Licht, Mann. *(Betastet Hinkemann.)* Der Bikleps schwammig . . . Brust . . . Oberschenkel . . . Waden . . . schwammig. Aber gerade sowas habe ich gesucht. Das täuscht Bärenmuskeln vor. Prima! Primissima! Engagiert! Top!

HINKEMANN: Und was muß ich tun?

BUDENBESITZER: Ach so. Kinderleicht. Mal aufgepaßt! Volk ist keine Lämmerherde. Nur Friedensapostel glauben die Rosine. Haben keine Ahnung vom Geschäft. Volk will Blut sehen!!! Blut!!! Trotz zweitausend Jahren christlicher Moral! Mein Unternehmen trägt dem Rechnung. So harmoniert Volksinteresse mit Privatinteresse. Verstanden? Keinen Dunst natürlich. *(Greift nach einer Flöte.)* Was ist das? *(Spielt auf der Flöte einige Töne.)* Altjungfernfutter! Süßliche Schalmei! Zichorienbrühe mit Sacharin! Brrr! . . . Was ist das? *(Ergreift zwei Paukenschlegel. Beginnt auf einer großen Trommel zu pauken.)* Was ist das? *(Paukenwirbel.)* Volksmusik! *(Paukenwirbel.)* Rausch! *(Paukenwirbel.)* Ekstase! *(Paukenwirbel.)* Leben!

HINKEMANN: Wollten Sie mir nicht sagen? . . .

BUDENBESITZER: Mitten im Zug! Hier ein Käfig mit Ratten! Hier ein Käfig mit Mäusen! Kleines Vermögen drin! Ihre

Nummer: Beißen in jeder Vorstellung einer Ratte und einer Maus die Kehle durch. Lutschen ein paar Züge Blut. Geste! Weg! Volk rast vor Lust!

HINKEMANN: Lebendigen Tieren?! . . . Nein, Herr, ich muß ablehnen.

BUDENBESITZER: Quatsch! Achtzig pro Tag. Freie Kost. Alles in allem fünfzig Minuten Arbeit . . . Keine Vorurteile, Mann! Alles Gewöhnung. Und dann der Nebenverdienst! Mit Heiratsanträgen können Sie einheizen. Moralische Bazillen pfeffern Sie über Bord. Jungfrauenehre ist heute reparierbar. Dafür gibts Spezialärzte.

HINKEMANN *(gierig)*: Achtzig Mark . . .

BUDENBESITZER: Angebissen? Hahaha.

HINKEMANN: Entsetzlich . . . Le . . . ben . . . digen Tieren! . . .

BUDENBESITZER: Versuchen Sie doch ne andere Arbeit zu bekommen, Mann. Alles besetzt! Hahaha! Entweder – oder!

HINKEMANN *(schluckend)*: Es . . . ist . . . nur . . . um . . . meine . . . Frau . . . *(Herausstoßend.)* Wenn man von einem Menschen geliebt wird! Wenn man Angst hat, man könnte das bißchen Liebe verlieren! Unsereiner hat nicht viel Liebe! . . . Können Sie mich nicht sonstwo beschäftigen, Herr?

BUDENBESITZER: Entweder – oder!

HINKEMANN *(stammelnd, fast wimmernd)*: Och . . . och . . . och . . . och . . . achtzig Mark . . . och . . . Unsereiner . . . unsereiner! . . . Wien . . . Karussell muß man sich drehen! Immer rundum! Immer rundum! . . . Ich tus, Herr.

BUDENBESITZER: Na also! Könige, Generäle, Pfaffen und Budenbesitzer, das sind die einzigen Politiker: die packen das Volk an seinen Instinkten!

*(Bühne verdunkelt sich.)*

## Zweite Szene

*(Die Bühne ist dunkel.)*

PAUL GROSSHAHN: Du liebst mich?

GRETE HINKEMANN: Dich. Dich.

PAUL GROSSHAHN: Und der Eugen glaubt ...

GRETE HINKEMANN: Laß! laß Eugen! Ich hasse ihn, hasse ihn!

PAUL GROSSHAHN: Komisch, ihr Weibsbilder ... Warum liefst du nicht gleich fort, gleich, als er kam ... als dus erfuhrst?

GRETE HINKEMANN: Ach, ich weiß nicht. Ich weiß nichts mehr ... Ich glaube, ich schämte mich vor den andern.

PAUL GROSSHAHN: Armer Kerl eigentlich, wenn man nachdenkt.

GRETE HINKEMANN: Du sollst nicht nachdenken. Ich wills nicht.

PAUL GROSSHAHN: Schließlich ist Eugen mein Freund.

GRETE HINKEMANN: Du sollst nicht! Du sollst nicht!

PAUL GROSSHAHN *(nach einer Weile)*: Wie wars denn am ersten Abend? Hat er versucht?

GRETE HINKEMANN: O Paul ... schweig doch!

PAUL GROSSHAHN: Und wenn er gesund wäre, würdest du auch zu mir kommen? ...

PAUL GROSSHAHN: Warum bist du aufgestanden? Was tust du?

GRETE HINKEMANN: Daß dir Gott die Sprache nähme! Und mir! Und ihm! Und allen! Das Wort ward die Hölle!


## Dritte Szene

*(Angedeutet: Rummelplatz. Vor einer Bude, deren grellbemalte Wände das Getöse übertönen. Leierkastenmusik. Posaunen. Auf dem Podium vor der Bude eine tätowierte Frau und Hinkemann, der ein fleischfarbenes Trikot trägt.)*

DER BUDENBESITZER *(schnarrend, abgehackt sprechend)*:

Herren und Damen! Treten Sie nur immer näher . . . nurrr immer näher! Hören Sie! Sehen Sie! Staunen Sie! In erster Abteilung führen wir Ihnen vor: Monarchia, tätowierte Dame, die wundervollste Kunstwerke eines Rembrandt, eines Rubens . . . auf Vorderseite . . . und modernste expressionistische, futuristische, dadaistische Königsbilder . . . auf Hinterseite ihres nackten Körpers trägt! Dame entblößt nicht nur Beine, Dame entblößt nicht nur Arme, Dame entblößt nicht nur Rücken, Dame entblößt alle Körperteile, die anzuschauen nach Vorschriften des Gesetzes und der Kirche nurrr . . . Damen und Herren über achtzehn Jahre erlaubt ist. Als Einlage sehen Sie, wie Kind enthauptet wird, wahrhaft lebendes Kind! Das haben Sie noch nicht gesehen! Das sieht man nicht in Afrika, das sieht man nicht in Asien, das sieht man nicht in Australien, das sieht man einzig und allein in Amerika und in Europa! Zum Schluß *(auf Hinkemann deutend.)* Homunkulus, deutscher Bärenmensch! Frißt Ratten und Mäuse bei lebendigem Leibe vor Augen des verehrten Publikums! *Der* deutsche Held! *Die* deutsche Kultur! *Die* deutsche Männerfaust! *Die* deutsche Kraft! *Der* Liebling der eleganten Damenwelt! Zermalmt Steine zu Brei! Schlägt mit bloßer Hand Nägel durch stärkste Schädelwände! Erwürgt mit zwei Fingern zweiunddreißig Menschen! Wer ihn sieht, muß fliehen! Und wer flieht, muß sterben von seiner Hand! Den müssen Sie gesehen haben, wenn Sie Europa gesehen haben wollen! Aber Sie sehen noch mehr bei uns! Sie sehen Überraschungen, denen ich hier nicht spinnefeine, durchsichtige Unterröcke hochheben will und kann. Darrr . . . rrrum treten Sie ein! Sie zahlen heute keine Mark, Sie zahlen keine fünfzig Pfennige, Sie zahlen heute, da wir auf Massenbesuch rechnen, Kopf für Kopf dreißig Pfennige! Nurrrrrrr immer herrrrr–rrrein, Herren und Damen! Wer zuerst kommt, erhält beste Plätze! Kapelle gibt letztes Zeichen! Künstler begeben sich zur Bühne! *(Glockengebimmel.)* Kassa! Kassa!

MÄDCHEN *(auf Hinkemann deutend)*: Du, Therese, wenn man dem mal auf die Armmuskeln tippen könnte!

ANDERES MÄDCHEN: Oder auf den Brustkasten . . .

BUDENBESITZER *(der das Gespräch gehört hat)*: Jawoll, meine Damen, tippen Sie nurrr! Sie tippen nicht auf Pappe! Sie tippen nicht auf Kulissen! Sie tippen auf Homunkulus, *die . . .* fleischgewordene deutsche Kraft!

*(Es kommen Paul Großhahn und Grete Hinkemann in zärtlicher Umarmung. Sie blicken vorerst nicht auf die Bude. Während sie sprechen, ist Lärm und Getöse vor der Bude nicht hörbar. In gleicher Bewegtheit schaubar die Gesten der agierenden Menschen.)*

PAUL GROSSHAHN: Ist das Leben nicht schön, Grete? Man möchte rein aufjauchzen! Willst du noch einmal Karussell fahren, Grete? Das kannst du jetzt alles haben!

GRETE HINKEMANN: Das träum ich alles wohl nur . . . Das ist ja wie ein Märchen . . . Sechs Jahre vergraben in Kummer und Sorge und Leid. Wie eine Maus saß ich, die in ihrem Loch verkrochen liegt und sich nicht getraut ans Licht zu laufen. Nicht, daß ich große Ansprüche ans Leben stellte, Paule . . . das brauchst du von mir nicht zu glauben . . . Was ein Proletariermädchen ist, das sieht schon zuhaus, was es erwartet. Wenns gut geht, ein Leben voll Mühe, bis man alt wird und auf die Kinder angewiesen ist. Wenns schlecht geht, Zank, Streit, Prügel. Aber, daß es mir so ergehen sollt! . . .

PAUL GROSSHAHN: Jetzt beginnt ein ander Leben.

GRETE HINKEMANN *(zart)*: Du, Paule . . .

PAUL GROSSHAHN: Was denn, Grete?

GRETE HINKEMANN: Du . . .

*(Grete Hinkemann küßt Großhahn lang und innig.)*

PAUL GROSSHAHN *(selbstgefällig)*: Wie sich die Scham verliert . . . vor allen Leuten . . . das hab ich gleich gewußt . . . Scham, das ist auch nur son . . . Begriff . . . sozusagen . . .

*(Man hört die Stimme des Budenbesitzers.)*

BUDENBESITZER: Homunkulus, deutscher Bärenmensch! . . .

*(Die Stimme wird unhörbar.)*

GRETE HINKEMANN: Paul! Paul!

PAUL GROSSHAHN: Was schreist du denn so, Grete?

GRETE HINKEMANN: Schau mal dorthin, Paul! . . . Weißt du, wer das ist?

PAUL GROSSHAHN: Wer?

GRETE HINKEMANN: Der Akrobat im Trikot?

PAUL GROSSHAHN: Woher soll ich den wohl kennen? Das ist ein fahrender Schauspieler. Ein Heutehier – Morgendort.

GRETE HINKEMANN: Das ist er!

PAUL GROSSHAHN: Wer?

GRETE HINKEMANN: Eugen!

*(Man hört die Stimme des Budenbesitzers.)*

BUDENBESITZER: Frißt Ratten und Mäuse bei lebendigem Leibe vor Augen verehrten Publikums. *Der* deutsche Held! *Die* deutsche Männerfaust! Hommunkulus, mal mit Muskeln gedonnert! Achtung, verehrtes Publikum!

*(Hinkemann stellt sich in Ringerpositur und läßt seine Muskeln spielen.*

*Die Stimme wird unhörbar.)*

PAUL GROSSHAHN: Aber das ist ja ein erbärmlicher Betrug! So sieht der deutsche Held aus! Einer ohne . . . Ein Eunuch . . . Hahahaha! So mag der deutsche Heimatkrieger ausgesehen haben! So mögen die Etappenschreier, die Brüsseler Fettsäcke, die Zeitungskerls, die Kriegsgewinnler, die Durchhalterufer, die Revancheritter ausgesehen haben! . . . Du, der Budenbesitzer macht Profit mit Pappe!

GRETE HINKEMANN: Schweig still . . . schweig still . . . o wie kannst du herzlos sein! Und ich, was bin ich für ein Weib! Ich bin schlechter als eine arme Hure . . . Die verkauft ihren Körper, und ich verkaufe meinen Mann . . .

PAUL GROSSHAHN *(hält Grete Hinkemann fest im Arm)*: Schrei nicht so! Hör auf mit den Sentimentalitäten!

GRETE HINKEMANN: Hast es denn nicht gehört? Er ißt Ratten und Mäuse bei lebendigem Leibe! Der Mann konnt keiner Fliege was zuleide tun! Der Mann hat sich einmal an meiner Mutter vergriffen, weil sie ihrem Finken die Augen geblendet hat. Der Mann hat mir nicht erlaubt, eine Schlagfalle in der Küche aufzustellen, weil das eine sündhafte Quälerei für

Mäuse sei . . . Und nu ißt er lebendige Ratten und Mäuse . . .

PAUL GROSSHAHN: Brauchst ihn nicht mehr zu küssen von heut an!

GRETE HINKEMANN: Ich küsse ihn . . . hier . . . hier an dieser Bude . . . vor aller Augen küsse ich ihn! Wie habe ich an dem Mann gehandelt! Was konnte er für den Schuß! Schuld habe ich, daß ich ihn in den Krieg ziehen ließ! Schuld hat seine Mutter! Schuld hat eine Zeit, in der es sowas gibt!

PAUL GROSSHAHN: Halt dein Maul! Die Leute kieken schon auf uns. Komm weg! Es kann sein, daß er dich sieht.

GRETE HINKELMANN: Er soll mich sehen, meine Schande soll er sehen! Ich will mich auf die Knie werfen: ich bin von Gott verworfen. Ich bin ein Ungeziefer vor seiner Hand. Laß mich los, daß ich zu ihm laufen kann!

PAUL GROSSHAHN *(Grete an sich pressend)*: Und wenn dich wieder vor ihm ekelt?

GRETE HINKEMANN *(einfach)*: Dann will ich ihn um so tiefer lieben.

PAUL GROSSHAHN *(reißt Grete mit sich fort)*: Du bist wohl nicht recht gesund, Weib! Komm!

*(Man hört die Stimme des Budenbesitzers.)*

BUDENBESITZER: Herrein, Herrschaften! Sie sehen Überraschungen! *(Der Budenbesitzer geht in das Zelt hinein.*

*Die Bühne leert sich. Von allen Seiten kommen, konzentrisch angerückt, etliche einarmige und einbeinige Kriegsinvaliden mit Leierkästen. Unbekümmert singen sie das folgende Soldatenlied):*

Eine Ku - gel flog von hin - ten in die

treu - e Brust hii - nein und ich lieg in fremder

Er - de, holdes Lieb, juchhe! und den - ke dein.

211

*(Plötzlich bleiben sie stehen. Schlag auf Schlag ruft einer nach dem andern):*

»Mein Revier!«

*(Nicht einer macht Miene in eine andere Richtung zu gehen. Alle zusammen brüllen):*

»Mein Revier!«

*(Einige Sekunden Stille. Da keiner weicht, setzen sich alle, wie auf einen Befehl hin, wieder singend und spielend in Bewegung und marschieren aufeinander los. Als ob sie, revolutionsentflammt, eine Barrikade der Reaktion stürmen wollten, singen sie, dabei fanatisch orgelnd, das Lied):*

Nieder mit die Hunde, nieder mit die Hunde,

Nieder mit die Hunde von der Reaktion!

*(Die Leierkästen rumpeln unter Getöse gegeneinander. Vom Aufprall zurückgeschleudert, marschieren die Männer von neuem aufeinander los. Einige Polizisten kommen gelaufen. Man hört die Rufe der Polizisten):*

»Ruhe und Ordnung!«

»Staatsautorität!«

»Alte Soldaten!«

*(Jähe Stille, als ob ein wohlvertrauter Laut, der Ruhe heischt, an die Ohren der Invaliden drang. Militärische Kehrtwendung! Nach den verschiedensten Richtungen, aber immer im gleichen Radius, marschieren die Invaliden in strammer Haltung davon. Dabei dudelnd und martialisch singend):*

»Siegreich wolln wir Frankreich schlagen . . .«

*(Die Bühne belebt sich wieder.)*

EINE ARBEITERFRAU *(zu einer anderen):* Wenn ich diese Hemden auch ins Leihhaus trage, so brauchen Sie nicht zu glauben, daß ich keine Hemden mehr im Schrank habe . . . ich besitze sogar eine teure, pikfeine, seidene Mantilje . . . von meiner Großmutter her . . . Aber es ist nichts mehr von Wert im Haus . . . da müssen eben die Hemden herhalten . . . *(Gehen vorüber.*

*Großhahn und Grete Hinkemann auf der anderen Seite der Bühne.)*

GRETE HINKEMANN *(von Großhahn immer noch festgehalten. Sich sträubend)*: N . . . nein!

PAUL GROSSHAHN: Du kommst nicht mit mir?

GRETE HINKEMANN: N . . . nein!

PAUL GROSSHAHN: Und wenn er merkt, daß du schwanger bist?

GRETE HINKEMANN: Er wird mir verzeihen . . . er ist gut . . .

PAUL GROSSHAHN: Er wird dir den Buckel vollhauen!

GRETE HINKEMANN: Es ist mein Schicksal . . . Jetzt erkenn ich, wozu Gott mich bestimmt hat. Gott hat mich nicht ganz verstoßen. Gott hat mir eine Sühne auferlegt. Ich nehm sie demütig auf mich. Ich will Eugen dienen als wäre er mein Heiland.

PAUL GROSSHAHN: Ich werde zu ihm gehen . . . gleich . . .

GRETE HINKEMANN: Wir wollen beide zu ihm gehen . . .

PAUL GROSSHAHN: Und ihm sagen, daß du ihn betrogst . . .

GRETE HINKEMANN: Warum drohst du mir, Paul? Ich komm doch nicht mit dir. Mein Leben gehörte niemals mir. Als ich klein war, habe ich immer auf das Leben gewartet. Später sah ich es von weitem. Aber wenn ich danach greifen wollte, dachte ich auf einmal daran, daß ich grobe, schmutzige Hände hätte, und das Leben sah so aus, als ob es immer in seidenen Kleidern ginge . . . und da wagte ich nicht mehr die Hände unter der Schürze vorzuziehen. Warum sollte jedermann meine Hände sehen! Heute ist es mir, als ob das Leben auch schmutzig wär, und es sich nicht lohnte danach zu greifen.

PAUL GROSSHAHN *(in seiner Eitelkeit gekränkt und darum mit äußerster Gereiztheit)*: Dann scher dich zum Teufel, zimperliche Kuh! Gibt genug andere . . . Ich brauch nur den kleinen Finger auszustrecken . . . fliegen drauf wie Bienen auf blaue Blumen . . .

*(Werden fortgedrängt.*
*Der Budenbesitzer ist aus seiner Bude getreten. Mit ihm Hinkemann.)*

DER BUDENBESITZER: Damen und Herren! Treten Sie nur immer näher! Nurrr immer näher! Hören Sie! Sehen Sie! Staunen Sie!

*(Bühne verdunkelt sich.)*

## Vierte Szene

*(Angedeutet: Inneres einer kleinen Arbeiterwirtschaft. Schenktisch, hinter dem eine beleibte Wirtin mit energischen, freundlichen Gebärden bedient. An ungedeckten Holztischen sitzen die Gäste. Max Knatsch, Peter Immergleich, Sebaldus Singegott u. a. Zwei Arbeiter, ein Schieferdecker und ein Ziegeldecker, stehen am Schenktisch. Noch bevor der Vorhang aufgeht, hört man zankende Stimmen.)*

SCHIEFERDECKER: Und wenn hundertmal Revolution war! Da kann keine Revolution was ändern! Dekorationsmaler ist etwas besseres als Tüncher, Buchdrucker etwas besseres als Tapetendrucker, Zeitungssetzer etwas besseres als Tabellensetzer, Kupferschmied etwas besseres als Kesselschmied, herrschaftlicher Kutscher etwas besseres als gewöhnlicher Fuhrmann. Wir bleiben Schieferdecker und Ihr bleibt Ziegeldecker!

ZIEGELDECKER: Dumme Eitelkeit! Lächerlich! Dünkel! Wir setzen uns an einen Tisch mit Euch! Wenn wir auch nur lumpige Ziegeldecker sind und keine wohlgeborenen Schieferdecker, Ziegeldecker sind wir! Mit Stolz! Jawohl! Ziegeldecker!

SCHIEFERDECKER: Mit Schiefer arbeiten, das ist Kunst! Mit Ziegel arbeiten, das ist Tagelöhnerdienst!

ZIEGELDECKER: Wir müssen geradesoviel schuften wie Ihr. Da ist kein Unterschied.

SCHIEFERDECKER: Leistung machts! Wie war es denn vor dem Krieg? War unser Tariflohn nicht fünf Pfennig höher als der Eurige? Heißt das kein Beweis? Schieferdecker, bleib bei deinen Leisten! Wenn du heute von mir verlangtest, ich soll Ziegeldeckerarbeit tun . . . mein jüngster Sohn würde sich schüt-

214

teln vor Lachen! An meiner Ehre kann keiner ran! Auch keine Revolution!

*(Beide zahlen und gehen. Im Hinausgehen.)*

ZIEGELDECKER: Aufgeblasener Schieferdecker!

SCHIEFERDECKER: Simpler Ziegeldecker!

ZIEGELDECKER: Herr von Schieferdecker!

SCHIEFERDECKER: Der Neid! Der Neid! Du Ziegelbachulke!

MAX KNATSCH: Die Einigkeit des Proletariats. Das aufgeklärte Proletariat. Es gibt keine Klassenunterschiede im Proletariat. Potz Teufel! *(Bemerkt Hinkemann, der inzwischen eingetreten ist und sich an einem freien Tisch niedergesetzt hat.)* Eugen Hinkemann? Wie kommst denn du hierher?

HINKEMANN *(stoßweise. Rauh)*: Meine Kehle war so trocken. Ich hatte einen Geschmack drin wie von Tierblut ... einen ekligen Giftgeschmack, der meine Kehle zerbiß ... Ich mußte einen Schnaps trinken ... Herrgott, ich bin doch kein Abstinentenprediger, daß du dich zu verwundern brauchst!

MAX KNATSCH: Verwundern? I bewahre. Was soll ich mich denn wundern? Bei mir brauchts keinen »Giftgeschmack«, um mich ins Wirtshaus zu treiben. Wenn ich zu Haus die Küche sehe, die unser Salon ist, und unser Wohnzimmer, unser Waschraum und unser Trockenboden ... wenn ich die armseligen Kinder sehe ... wenn ich an die Frau denke, die Frau, die keift und keift ... dann mache ich auf der Treppe kehrt und gehe meinen Heilsweg ... zur Heinrichen! Zwar ... wir Männer sind nicht ohne Schuld. Maulfaul sind wir. Maulfaul. In jeder Versammlung reden wir zu fremden Menschen vom neuen wahrhaften Leben ... bei der eigenen Frau bringen wir kein Wort über die Lippen.

*(Während Knatsch spricht, ist Michel Unbeschwert gekommen.)*

MICHEL UNBESCHWERT *(hat die letzten Worte gehört, beginnt schon an der Tür)*: Ja, das Glück wohnt heute in den Palästen, in den Villen. Wo sie zwanzig Zimmer haben und ihnen die Wohnung zu eng ist. Dieser Krieg aber hat den Grundstein erschüttert. Schon knistert und knackt es, schon sieht man

Risse aufspringen in den Wänden, schon schlottern die Knie derer, die ein schlechtes Gewissen nicht schlafen läßt, schon hört man ihre Zähne klappern im bleichen Gesicht. Es wird Licht, Genossen!

SEBALDUS SINGEGOTT: Dein Licht ist nicht das wahre Licht. Dein Licht ist ein Flackern vor den Toren der himmlischen Burg. Du scheinst zu meinen, daß jeder Arbeiter Parteisoldat ist. Es gibt viele Arbeiter, die suchen ihr Ideal ganz wo anders. Das überseht ihr immer.

HINKEMANN: Du sprichst von Glück, Genosse Unbeschwert. Ich habe lange darüber nachgedacht, was denn nu eigentlich das Glück ist. Und . . . weißt du . . . ich bin zu dem Ergebnis gekommen, daß wir das Glück auch nicht *jedem* bringen können . . . das wahre Glück meine ich . . . daß das Glück etwas ist *(schwer atmend.)* was einer hat oder was einer nicht hat.

MICHEL UNBESCHWERT: Das sind bürgerliche Ideologien, Genosse Hinkemann. Deine Worte klingen mir wahrlich komisch. *(Mit dem Pathos des Versammlungsredners.)* Aus dem Schoße der historischen Entwicklung der Verhältnisse wird die neue Gesellschaftsordnung herausgeboren. So wie die Ostsee und die Nordsee immer mehr und mehr sich ins Land hineinfressen, ohne daß wir es im Inland merken, so werden wir in den sozialistischen Staat hineinwachsen, auch ohne daß wir es merken. Das ist keine Phantasterei! Das ist wissenschaftlich bewiesen! . . . Dann geht es analog den Parteibeschlüssen. Das ist sehr einfach. Wie sollte es an Glück fehlen? Da produzieren wir zuerst nicht mehr seidene Hemden, weil ein paar faule Dämchen seidene Hemdchen brauchen, sondern wir produzieren zuerst billige Wollhemden, damit die, die gar keine Hemden haben, sich wärmen und kleiden können. Es entstehen so Verhältnisse, die die Vernunft regelt. Mit drei Worten: eine vernünftige Menschheit . . . Und eine vernünftige Menschheit produziert ein glückliches Dasein. Damit springt die Menschheit aus dem Reich der Notwendigkeit ins Reich der Freiheit. Das ist doch sehr einfach. *(Gegen Knatsch gewandt.)* Jene aber, die glauben, sie können die historischen

Zwischenstufen überspringen – jene radikalen Sendlinge und Schwärmer aus dem Osten, die den Glauben an die Stelle der Wissenschaft setzen wollen . . .

MAX KNATSCH: Trifft euer Bannfluch, ich weiß schon. Wenn ihr nur eine Formel gefunden habt! Dir fehlt nur das Barett zum Pfaffen, mein Lieber. Wendet euch an den Willen der Menschen! Wenn die Menschen nicht revolutionären Willens sind, helfen alle »Verhältnisse« nicht! Und wenn die Menschen revolutionären Willens sind, können sie in allen Verhältnissen ein neues Leben beginnen. Gleich. Noch heute. Keine besonderen »Verhältnisse« brauchen sie abzuwarten. Aber ihr! Gehorchen: ja. Verantworten: nein. Übrigens habt ihr noch immer versagt, wenn die »Verhältnisse« reif waren und Taten verlangten.

SEBALDUS SINGEGOTT: Auch dein Licht ist nicht das wahre Licht, Max Knatsch. Ich bin aufgewacht, Genossen. Ich habe das Licht leuchten sehen und bin zu ihm gepilgert, zum himmlischen Licht.

PETER IMMERGLEICH: Mir ist alles gleich, wenn ich nur meine Ruhe habe . . . Meine Ruhe, wenn mir einer nimmt . . . alsdann!

MICHEL UNBESCHWERT: Du bist in keiner Partei Knatsch. Du bist Anarchist . . . Wer in keiner Partei ist, fühlt sich nicht verantwortlich. Mit dir lohnt es nicht sich zu streiten. Erst schaff dir ein Parteibuch an. Und du, Singegott, bist nicht aufgeklärt, bist nicht klassenbewußt. Ich sage noch einmal: die Verhältnisse! Alles andere ist einfach.

HINKEMANN (antwortet Unbeschwert): Vielleicht ist es einfach. Vieles ist ja so richtig, was du sagst . . . da hast du mir ganz aus der Seele gesprochen . . . das mit den Wollhemden und das mit den Seidenhemden . . . Der Mensch ist nicht gut, wenn er hungert . . . man muß ihm erst Obdach und Nahrung und ein bißchen Schönheit geben, ehe man von ihm verlangen darf, daß er gütig sei . . . Vielleicht bin ich zu schwerfällig, um alles fassen zu können, so klar zu sehen, so richtig zu begreifen wie du . . . Du bist Parteifunktionär, und du begreifst rascher ... *(Da Michel Unbeschwert sich getroffen fühlt und eine Geste des Ärgers zeigt.)* Nicht, daß ich etwas gegen die Partei sage. Für den Proletarier bedeutet die Partei etwas anderes als für den Bürger. Für den Bürger ist sie Partei, nichts weiter. Für den Proletarier ist sie ... trotz aller Flecken ... trotz aller Schmutzspritzer ... *mehr.* Seinen Menschenglauben, seine Religion bringt er der Partei ... Aber sage mir ... wenn ein Mensch nun krank ist ... von Natur krank und innen krank, unheilbar krank ... oder außen krank, unheilbar krank ... können dann vernünftige Verhältnisse einen solchen Menschen glücklich machen?

MICHEL UNBESCHWERT: Ich verstehe dich nicht ganz.

HINKEMANN: Ja, seit meiner Verwundung im Kriege meine ich selbst, ich bin ein bißchen verworren im Denken ... Jeden Tag, wenn ich morgens aufstehe, kostet es mich ungeheure Anstrengung, um in all das, was in mir ist, was mich anfällt, was auf mich einbricht, mich betastet, mich befühlt, durch ein paar Worte, ein paar Gedanken Ordnung hineinzubringen ... Das Leben ist so merkwürdig ... soviel drängt auf einen ein, was man nicht versteht, nicht erfaßt, wovor man sich geradezu bangt ... man sieht gar keinen Sinn ... man fragt sich, ob man das Leben überhaupt erfassen kann ... ob das nicht so ist, als wollte man sich unterstehen, ein Meer auszuschöpfen ... ob das nicht gerade so ist, als wollte man sich selbst begreifen, nicht wahr, das kann man nicht ... man kann sich nur ausleben, aber wenn man zurückschaut, ist es doch wieder ein anderes als was man lebte ... man sagt sich manchmal, man ist ein Stück Leben und lebt, damit basta ... wer »Wahrheit« herausstudieren will, der beginnt das gleiche wie jener Mensch, der aus einem wachsenden Zwetschgenbaum Wahrheit herausstudieren wollte ... Bis ich mich zurechtgefunden habe ... Morgens, wenn man aufsteht, ist Chaos in einem da und wenn man sich abens zu Bett legt, ist wieder Chaos da ... Wie vor der Schöpfung ist es ... Also ... ich will versuchen mich deutlicher zu erklären ... Also, wir haben doch soviel Krüppel seit dem Krieg. Was wird mit denen?

MICHEL UNBESCHWERT: Die werden natürlich genährt, geklei-
det, von der Gesellschaft unterstützt und können dann genau
so glücklich leben wie die andern Menschen.

HINKEMANN: Wenn einer zum Beispiel keinen Arm hat?

MICHEL UNBESCHWERT: Der bekommt künstliche Arme.
Wenn es ihm möglich ist zu arbeiten, wird ihm eine leichte
Arbeit zugewiesen.

HINKEMANN: Und wenn einer keine Beine hat?

MICHEL UNBESCHWERT: Dem hilft die Gesellschaft ähnlich
wie dem ohne Arme.

HINKEMANN: Und wenn einer krank ist an seiner Seele?

MICHEL UNBESCHWERT *(robust, unsentimental)*: Der kommt
in eine Heilanstalt, aber in keine solche Heilanstalt, wo die
Wärter glauben, sie haben ein Tier vor sich. Die Kranken
werden mit Liebe behandelt, sie werden gut behandelt, sie
werden wie Menschen behandelt.

HINKEMANN: Ich denke nicht an solche, die krank sind im
Kopf oder im Gehirn . . . Ich meine solche, die gesund sind
und doch krank in ihrer Seele.

MICHEL UNBESCHWERT: Das gibt es nicht! Wer einen gesunden Körper hat, hat auch eine gesunde Seele. Das sagt einem
doch die Menschenvernunft. Oder er ist im Gehirn krank,
und dann gehört er in eine Heilanstalt.

HINKEMANN: Dann eine andere Frage. Wenn nun einem . . .
der im Krieg war *(schluckend.)* zum Beispiel . . . zum Beispiel
. . . das Geschlecht . . . Geschlecht fortgeschossen wurde . . .
was . . . was würde in der neuen Gesellschaft mit dem geschehen?

*(Peter Immergleich gluckst ein leises Lachen.)*

MICHEL UNBESCHWERT *(sich mit einem Taschentuch den
Schweiß von der Stirn wischend)*: Was für verwickelte Fragen
du einem vorlegst! Mir wird ganz heiß . . . Da ist nichts dabei
zu lachen, Genosse Immergleich. So etwas kann vorkommen.

MAX KNATSCH: Weinen kann man darüber, aber nicht lachen.

SEBALDUS SINGEGOTT: Zu dem müßte das himmlische Licht
von selbst kommen aus barmherziger Liebe.

MICHEL UNBESCHWERT: Ja, wenn ich dir darauf antworten

soll . . . wenn ich dir darauf antworten soll . . . die materialistische Wissenschaft kennt, soweit mir bekannt ist, dieses Problem nicht . . . O ich Narr! Hahaha! Jetzt hab ichs. Die künftige Gesellschaft kennt gar keine Kriege. Das sagt doch die Vernunft! Das ist doch ganz einfach.

HINKEMANN: So einfach doch nicht. Wenn die neue Gesellschaft errichtet wird, können solche Krüppel da sein, wie werden die glücklich? Oder es kann einer bei der Maschine oder irgendwo sonst . . . sein . . . sein Geschlecht verlieren. Wie wird der glücklich?

MICHEL UNBESCHWERT: Ist wieder so eine Frage. Eine verteufelt verzwickte Frage.

MAX KNATSCH: Das sind Spitzfindigkeiten! Der Mensch ist am glücklichsten, wenn er an sowas nicht denkt. Und wir Proleten brauchen im revolutionären Kampf an solche Spitzfindigkeiten gar nicht zu denken. Die Menschen, denen sowas zustößt, sind eben Opfer. Das Proletariat hat ein Recht auf Opfer.

HINKEMANN: Der Ansicht bin ich auch. Aber man kann doch über solche Fragen reden. Solche Frage ist doch ein Stück Leben. Und weil wir schon drüber reden, will ich euch die Antwort geben. Ich will euch eine Geschichte erzählen . . . Es war einmal ein Mann. Kein besonderer Mann. Kein Führer. Einer aus der Masse. Ein Arbeiter. Es war ein Freund von mir. Ich mochte ihn gern. Mit zwanzig Jahren verheiratete er sich. Seine Frau hatte er in der Fabrik kennen gelernt. Es war ein stattliches Paar. Ich freute mich immer, wenn ich die beiden sah. Sie ein zartes Frauchen, er ein Kerl wie aus Stahl . . . Wohl noch kräftiger als ich . . . Und was er stolz war auf seine Kraft . . . Als der große »Heldenkrieg« ausbrach, zogen sie ihn ein. Als Infantristen. Kinder hatte er keine. Dazu langte der Lohn nicht. Als er noch zu Hause war, hatte er sein Weib lieb, das versteht sich. Aber erst da draußen im Feld glaubte er sie zu sehen wie sie war. So gut . . . so lieb . . . ihm wurde warm ums Herz, wenn er an sein Weib dachte. Er dachte immer an sie. Ein großer Wunsch kam so allmählich in ihm

auf: Ein Kind! Nein, zwei ... drei ... vier ... fünf Kinder!
Jungens! Mädels! Was mußte sein Weib für eine Prachtmutter
werden! Vergessen war, wie es wirklich in einer Arbeiterfami-
lie ausschaut, wenn viele Kinder da sind. Was wußten wir
vom Leben, von der Natur, von der Erde, vom Wald! Wir
lebten die Woche in der Fron. Und Sonntags gingen wir in ein
dumpfiges Kino und sahen uns verlogene Bilder an. Vom reichen Schloßherrn, der ein armes Mädchen aus dem Straßen-
schmutz zu sich heraufzog und anderes dummes Zeug. Herrgott, was führten wir denn für ein Leben! Ein Ersatzleben
wars, aber kein Leben! Ein Maschinenleben! ... Einmal in
der Schlacht bekam er einen Schuß. Einen Heimatschuß,
dachte er, und war ganz glücklich. Er hatte nämlich noch
keinen Urlaub. Als er im Lazarett aufwachte, betastete er seinen Körper. Er fühlte einen Verband am Bauch. Aha, dachte
er, ein Bauchschuß. Da hörte er aus dem Nachbarbette eine
Stimme: »Unser Eunuch wird auch schon wach. Der wird
staunen, wenn er sieht, wie sie ihn zugerichtet haben.« Meinen sie mich, dachte er. Warum sagen sie Eunuch? Ganz steif
blieb er liegen. Schloß schnell wieder die Augen. So schließt
man wohl die Augen, wenn man etwas Unangenehmes sehen
soll. Die Nacht schlief er nicht. Am nächsten Morgen erfuhr
ers. Erst brüllte er, brüllte tagelang ... wie ein gestochener
Eber ... Aber da plötzlich merkte er, daß sein Brüllen ein
schrilles Fisteln war. Und da verstummte er wieder. Er wollte
an seine Frau denken. Aber wenn er das zu tun versuchte,
schloß er gleich wieder die Augen und legte sich steif hin, als
ob er ohne Bewußtsein wäre, wie ers am ersten Tage nach der
Operation getan hatte ... Er wollte sich aufhängen. Ihm
fehlte die Courage ... Er kam nach Haus. Er kam zuerst zu
mir. Wir waren gute Freunde. Was sollte er tun? Wie es seiner
Frau sagen? Mir wurde es unbehaglich. So einer bist du jetzt,
dachte ich, so einer ... Ich hatte Mitleid mit ihm, allein ich
hatte auch ein bißchen Widerwillen gegen ihn. Wenn ich es
mir überlegte, fand ich seine Lage ... lächerlich. Ich wußte
keinen Rat. Ich beobachtete ihn. Ich beobachtete seine Frau.

Ich sah, wie er litt. Doch was sehen wir voneinander? Da sitzt du und da sitz ich. Ich sehe dich. *Wie* sehe ich dich? Ein paar Handgriffe sehe ich und ein paar Worte höre ich. Das ist alles ... Nichts sehen wir voneinander ... nichts wissen wir voneinander ... *(Ausbrechend.)* Er muß durch die Hölle gegangen sein! Er muß geblut haben, geblut! und geblut! ... Daß er leben konnte, es war ein Wunder ... Aber eines Tages kam er zu mir, und ich merkte gleich, er sah schöner aus. Man sagt es nicht von einem Mann, daß er schöner aussieht, doch es war so. Man hatte das Gefühl, er sei ein ganz anderer, einer, der reich ist, einer, der glücklich ist. Und der Grund? Sein Weib verachtete ihn nicht, sein Weib haßte ihn nicht, sein Weib verlachte ihn nicht ... Sie konnte tun, was sie wollte, sie war ein gesundes Weib und er ein kranker Mann ... Aber er wußte, sie hatte ihn lieb, trotz allem. Das Weib hatte ... wie soll ich es nur sagen ... man sollte es nicht für möglich halten ... Das Weib hatte ... seine Seele lieb.
*(Stille.*
*Paul Großhahn, der merklich berauscht ist, tritt ein.)*
PAUL GROSSHAHN: N Abend! Was hier eine Stille ist bei euch! Musik! Musik!
*(Paul Großhahn wirft ein Geldstück in den Musikautomaten. Der Musikautomat geigt, grölt, klappert, trommelt einen Militärmarsch. – Paul Großhahn hat sich an den Tisch von Hinkemann gesetzt.)*
PAUL GROSSHAHN: N Abend, Eugen!
HINKEMANN: N Abend.
PAUL GROSSHAHN *(mit der schweren Zunge des Betrunkenen)*: Daß deine Grete dich gehen ließ ... du ... haha ... du deutscher Held!
HINKEMANN: Was heißt das?
PAUL GROSSHAHN: Du fleischgewordene deutsche Kraft! haha! Frißt Ratten und Mäuse bei lebendigem Leibe! Haha!
HINKEMANN: Woher weißt dus, Paul? Sprich leise ... Es ist so furchtbar, was ich tue. Mit Worten läßt sich das nicht sagen. Furchtbarer ist es, als wenn ich mir selbst die Schlagader

durchbeißen müßte. Es gibt Taten, die niemals getan werden dürfen. Und doch tue ich eine solche Tat . . . Wie soll ich es dir erklären? . . . Die Grete ist kränklich! Unterstützung reicht nicht aus. Ich kann ja nichts dafür, daß wir arbeitslos sind. Aber weißt du, Frauen fassen leicht einen Haß gegen den Mann, wenn ihnen das Nötigste fehlt. Das brauchts doch nicht. Und darum . . . Du wirst Grete nichts erzählen, gib mir dein Wort, gib mirs.

PAUL GROSSHAHN: Das geb ich dir.

HINKEMANN: Grete ist so eigentümlich. Wenn sie hört, daß ich Rattenblut und Mäuseblut schlucke . . . ich weiß nicht . . . es würde sie ekeln . . .

PAUL GROSSHAHN (*plötzlich. In ehrlicher Entrüstung*): Du . . . das mit dem stärksten Mann, das mit dem deutschen Held ist Schwindel. Wenn die Polizei man nicht dahinter kommt!

HINKEMANN (*mißtrauisch*): Wie meinst du das?

PAUL GROSSHAHN: Wie ich das meine? Wie das ist! Warum ich dir mein Wort geben kann, will ich dir auch sagen. Grete hat dich nämlich schon gesehen.

HINKEMANN (*erregt*): Was hat sie gesagt? Hat sie geweint? . . . Sprich . . . sprich . . .

PAUL GROSSHAHN: Geweint? Da ist den Teufel was zu weinen! Sie hat gelacht! Erst hat sie sich geekelt . . . dann hat sie gelacht . . .

HINKEMANN (*fassungslos*): Erst hat sie sich geekelt, dann hat sie gelacht . . . Ge . . . gelacht . . . ge . . . lacht . . . hahaha . . . gelacht . . .

PAUL GROSSHAHN: Soll man nicht über einen lachen, der . . . der . . . haha . . . der sich als stärkster Mann ausgibt und ist doch gar kein Mann! Ist doch gar kein Mann!

HINKEMANN (*wieder sehr ruhig*): Wer . . . wer hat dir das gesagt?

PAUL GROSSHAHN: Wer? Grete.

HINKEMANN: Wann?

PAUL GROSSHAHN: Vor der Bude.

HINKEMANN: Wie kommt ihr vor die Bude?

PAUL GROSSHAHN: Soll das junge Weib wie eine Nonne leben? Wie wir vor die Bude kamen – was das für eine Frage ist! Schämen sollst du dich!

HINKEMANN: Schämen? Ich mich schämen?

PAUL GROSSHAHN: Vielleicht ich? Oder Grete? Wer gibt dir das Recht, deine Frau zu behalten? Überhaupt ist das ein gesetzlicher Scheidungsgrund! Sogar für die katholische Kirche, die sonst sowas wie Ehescheidung nicht kennt.

HINKEMANN *(ruhig, bitter lächelnd)*: Siehst du, das hatte ich ganz vergessen. Erst schickt mich das Vaterland hinaus und läßt mich zum Krüppel schießen. Und weil ich ein Krüppel bin, hat meine Frau den gesetzlichen Ehescheidungsgrund. Das hatte ich vergessen, daß die Welt so eingerichtet ist . . . Und was willst du tun . . . ich meine mit Grete?

PAUL GROSSHAHN: Was geht es dich an?

HINKEMANN: Du hast recht. Eigentlich geht es mich nichts an. Ich bin ein gesetzlicher Ehescheidungsgrund, so wie ich da sitze . . . Aber nehmen wir mal an, Grete sei ein fremdes Weib und ich dein Freund. Was hast du vor?

PAUL GROSSHAHN *(stier)*: Mein Vergnügen.

HINKEMANN: Grete ist doch keine Hur . . . Ich meine . . . wir können das ruhig annehmen, es wird auch so kommen . . . Der Mann gibt die Grete frei. Willst du sie als dein Weib nehmen?

PAUL GROSSHAHN: Das will sie gar nicht. Die sucht auch nur ihr Vergnügen. Daß dus weißt. Und wenn sie bei mir nicht genügend Vergnügen findet, dann lasse ich sie aufn Strich gehen . . . dann fahr ich zweispännig.

HINKEMANN *(leise, doch in geballtem Zorn)*: Du . . . Du Lump du!

PAUL GROSSHAHN: So . . . so . . . ein Lump bin ich.

MAX KNATSCH: Was habt ihr denn? Warum zankt ihr euch im Wirtshaus? Zankt euch zu Hause mit euern Frauensleuten!

PAUL GROSSHAHN: Wir zanken uns nicht, wir lachen nur.

MAX KNATSCH: Dann möchte ich hören, wenn ihr euch zankt.

PAUL GROSSHAHN: Wir waren nämlich auf dem Rummel und haben . . .

224

HINKEMANN *(packt Großhahn am Arm)*: Paul . . . nicht um meinetwillen, um Gretes willen, schweig!

PAUL GROSSHAHN: . . . und haben da den stärksten Mann von der Welt gesehen. Ein Bärenkerl! Der fraß Ratten und Mäuse bei lebendigem Leibe . . .

MAX KNATSCH: Nur Europäer können an sowas Gefallen finden!

PAUL GROSSHAHN: Und als ich den Kerl so richtig betrachte, da erkenn ich ihn und lache laut auf: der stärkste Mann der Welt war ein Bekannter von mir, dem sie beide . . . *(Gebärde.)* piff! paff! . . . es war gar kein Mann mehr, es war ein Eunuch! *(Alle, auch Sebaldus Singegott, auch Michel Unbeschwert, lachen wiehernd auf. Das Lachen bannt Hinkemanns weit aufgerissene wunde Augen.)*

PAUL GROSSHAHN *(in das Lachen der anderen hineinschreiend)*: Es war . . .

*(In diesem Augenblick steht Hinkemann von seinem Stuhl auf. Er steht im Kern einer Lichtgarbe.)*

HINKEMANN *(anfangs schwerfällig und trotz seiner Leidenschaft nach Worten suchend, zum Schluß in der Wucht großer Einfachheit)*: Es war Eugen Hinkemann! Nun lacht ihr doch! Alle, alle lacht ihr! Wie das Weib gelacht hat! Lacht nur weiter! So ein Schauspiel habt ihr noch nie erlebt! Seht her, hier steht ein leibhaftiger Eunuch! Wollt ihr mich singen hören? *(Mit Fistelstimme singend.)* »Warum denn weinen, wenn man auseinandergeht« . . . Sing ich nicht so gut wie ein geblendeter Distelfink? . . . Ihr Toren! Was wißt ihr von der Qual einer armseligen Kreatur? Wie müßt ihr anders werden, um eine neue Gesellschaft zu bauen! Bekämpft den Bourgeois und seid aufgebläht von seinem Dünkel, seiner Selbstgerechtigkeit, seiner Herzensträgheit! Einer haßt den andern, weil er in ner anderen Parteisekte ist, weil er aufn andres Programm schwört! Keiner hat Vertrauen zum andern. Keiner hat Vertrauen zu sich. Keine Tat, die nicht erstickt in Hader und Verrat.

Worte habt ihr, schöne Worte, heilige Worte, vom ewigen

Glück. Die Worte sind gut für *gesunde* Menschen! Ihr seht eure Grenzen nicht . . . es gibt Menschen denen kein Staat und keine Gesellschaft, keine Familie und keine Gemeinschaft Glück bringen kann. Da wo Eure Heilmittel aufhören, da fängt unsere Not erst an

Da steht der Mensch allein

Da tut sich ein Abgrund auf, der heißt: Ohne Trost

Da wölbt sich ein Himmel, der heißt: Ohne Glück

Da wächst ein Wald, der heißt: Hohn und Spott

Da brandet ein Meer, das heißt: Lächerlich

Da würgt eine Finsternis, die heißt: Ohne Liebe

Wer aber hilft da?

*(Einige Sekunden Stille. Hinkemann taumelt zur Tür hinaus.)*

MAX KNATSCH: Wohin läufst du?

HINKEMANN *(als ob ein Gesicht seine Stimme verzerrte)*: Gelacht hat das Weib!

*(Die nächste Szene spielt sich rasch ab. Die Bühne im Zwielicht. Die einzelnen Gestalten nur in ihren Konturen zu erkennen.)*

MICHEL UNBESCHWERT *(stürzt zur Tür hinaus)*: Hinkemann! Hinkemann! . . . Fort . . . Wenn man nur geahnt hätte . . . Die Schandwelt ist schuld, in der wir leben!

SEBALDUS SINGEGOTT *(ekstatisch)*: Ich habe das himmlische Licht ausgelöscht! Ich habe einen Menschen am Kreuz verhöhnt!

PAUL GROSSHAHN *(weinerlich lallend)*: Da muß man ihm doch zu Hilfe kommen . . .

PETER IMMERGLEICH: Daß dus weißt, Großhahn . . . Du bist ein Schuft!

MAX KNATSCH *(mit hartem Ruck aufstehend)*: Alles ist einfach! Nichts ist einfach! . . . Zahlen, Frau Heinrich!

*(Vorhang.)*

# Dritter Akt

## Erste Szene

*(Angedeutet: Eine Straße im Westend. Dämmerung. Nach Aufgehen des Vorhangs sieht man im Vordergrund Hinkemann an eine Laterne sich klammernd. Ein kleiner Junge tritt an Hinkemann heran.)*

KLEINER JUNGE: Schwester ist dreizehn Jahre alt.

HINKEMANN *(wie abwesend)*: Das kann wohl sein.

KLEINER JUNGE: Schwester ist schön. Schwester ist erst dreizehn Jahre alt.

HINKEMANN *(mechanisch)*: Hast du Hunger?

KLEINER JUNGE: Schwester hat ein extra Zimmer. Schwester ist erst dreizehn Jahre alt.

*(Hinkemann kauft von einer Waffelverkäuferin Waffeln. Gibt sie dem Jungen.)*

HINKEMANN: Deine Schwester ist erst dreizehn Jahre alt . . . Und wie alt bist du?

KLEINER JUNGE: Sieben Jahre . . . *(Beginnt die Waffeln zu essen.)* Dank auch schön . . . Aber mit Ihnen zu reden hat keinen Zweck . . . Ach, Sie sind so dumm . . . Sie verstehen mich ja nicht . . .

*(Der kleine Junge läuft fort. Die Laternen erhellen sich. Verkehr auf der Straße. Es kommt der Budenbesitzer im Frackpaletot und Zylinder, leicht angeheitert.)*

BUDENBESITZER: Was denn? Das ist doch . . . das ist doch Hinkemann. Hallo Hinkemann! Stellen Sie sich nicht so öffentlich auf die Straße. Raritäten dürfen sich nicht profanieren. Mann wie Sie darf nicht ohne Entrée genossen werden. Nummer wie Sie! Mit Ihrer Nummer wird Europa erobert! Mit Ihrer Nummer wird Amerika zum zweitenmal entdeckt . . . Was glotzen Sie denn so? Stehen ja da wien Gespenst.

HINKEMANN: Herr Direktor . . . Der Mord ist wieder in der Welt! Herr Direktor, sehen Sie sich doch um! Sehen Sie sich doch um! Ich bin nämlich auch sehend geworden, Herr Direktor. Mir haben sie den Star gestochen! Das grelle Licht! Nacht! Es werde Nacht! Es werde Nacht!

BUDENBESITZER: Mann, kommen wohl aus Schnapsbudike? Fusel wirkt! Hinkemann, aufgepaßt! Rat erfahrenen Mannes! Lieber eine Flasche Wein als fünf Liter Fusel. Ganz gutes Geschäft für Besitzer, sone Schnapsbudike, aber verteufelt schlechter Handel für Kunden.

HINKEMANN: Nee, Herr Direktor, der Besuch hat sich gelohnt. Mir haben sie den Star gestochen. Ich bin sehend geworden! Bis auf den Grund sehe ich! Bis auf den nackten Grund. Die Menschen sehe ich! Die Zeit sehe ich! Herr Direktor, der Krieg ist wieder da! Die Menschen morden sich unter Gelächter! *Die Menschen morden sich unter Gelächter!*

BUDENBESITZER: Na denn schön, wenn Sie sehend geworden sind. Dann müssen Sie auch sehen, daß kein Mensch mehr an Krieg denkt. Mit Kriegsgreuel-Panoptikum verdienen Sie heute keine zehn Pfennig mehr. Aus! Jetzt ist Kultur Trumpf in Europa! Hundertprozentig kann man dran verdienen! Wie das sich wieder regt. Wie das tanzt und juchzt und sich auf Schenkel klatscht! Machen Sie nur Augen auf. Man muß was leisten! Leistung! Das ist Schlüssel zu unserer Zeit! Gleichgültig was! Weltboxer! Volksführer! Valutaschieber! Wettbankdirektor! Sechstagerenner! Borgeschgeneral! Shimmytänzer! Fachminister! Revancheagitator! Sektfabrikant! Prophet! Meistertenor! Völkischer Wotanidenhäuptling! Judenfresser! Geschäft blüht! Man muß Konjunktur ausnützen! Selbst mit schwarzer Schmach kann man sich heute gesund machen! Nötige Quantum Ethos bekommt man gratis geliefert. Haha! Mal in Hamburg ne Negerin gekitzelt ... Rasse, sage ich Ihnen! ... Also morgen wieder pünktlich!

HINKEMANN: Herr Direktor, damit ist es aus.

BUDENBESITZER: Er macht Witze! Köstlich! Jetzt wo Sie so schön im Zug sind! Jetzt wo Sies nach Musik machen können. *(Singend.)* »Treulich geführt« ... ratsch! Den ersten Biß! ... *(Singend.)* »Ziehet dahin«! ... meine Herrschaften, hier wird

Blut geleckt! . . . *(Singend.)* »Wo euch der Se-e-egen der Liebe bewahr« . . . Wer will nochmal, wer mag nochmal? . . . Homunkulus, Katzenjammer ausgeschlafen!

HINKEMANN: Nichts für ungut, Herr Direktor . . . ich kann nicht mehr kommen . . . Ich habe auch noch Vorschuß, Herr Direktor. Es muß alles geordnet werden . . . Mir soll man nicht nachsagen, daß ich fremde Menschen um Geld betrogen habe. Alles muß seine Ordnung haben.

BUDENBESITZER: Was? Ihr Spleen da ist Ernst? Nee, Freundchen, Spaß bleibt Spaß und Ernst bleibt Ernst. Wer hat Kontrakt unterschrieben für die ganze Saison! Sie oder ich? *(Brutal.)* Mann, ich lasse Sie durch Polizeigewalt zur Arbeit zwingen. Mann, Kontrakt ist Fundament bürgerlicher Gesellschaft. Mann, Sie tasten heiligste Güter der Nation an. Mann, Staatsmacht steht hinter mir. Da wird nichts draus, Mann! Entweder Sie sind morgen pünktlich zur Stelle oder Sie kommen per Polizeischub. *(Die Stimme verändernd.)* Keine Sperenzchen, Hinkemann, ich meins gut. Ich will Sie vorm Gefängnis bewahren.

HINKEMANN: Sehen Sie, Herr Direktor, Sie sprechen vom Gefängnis. Die Ratten und Mäuse, denen ich die Kehle durchbeißen mußte, sitzen im Gefängnis, bevor sie aufs Schafott kommen. Und manche Menschen sind in Freiheit und sitzen doch im Gefängnis und haben nichts verbrochen . . . wie die Tiere im Käfig. Ist ein vergittertes Fenster und läßt kein Licht rein. Sind Mauern, daran stirbt das Leben. Sind Ketten, die wachsen ins Fleisch. Mich können Sie nicht schrecken, Herr Direktor. Und überhaupt, Herr Direktor . . . *(Schreiend, haßerfüllt.)* Sie . . . Sie sind der Satanas! Der Satanas sind Sie! Sie füttern die Menschen mit Blut! Sie nehmen den Menschen die Scham! Ich . . . ich . . . och ich . . . aber werden andere kommen, die werden Sie! die werden Sie . . . Wissen Sie auch, daß es eine Frau gibt, die lachte über Homunkulus? Und die Frau ist meine Frau. *(Verbissen.)* Hat am längsten gelacht, das Weib. Wird jetzt weinen, das Weib. Aber . . . Wachs ist in den Ohren, Wachs . . . aus Gelächter geknetet und aus Spott.

BUDENBESITZER *(verdutzt)*: Seh sich einer das an! Tapert Kerl die Zeit umher, als ob er keine drei Silben sprechen könnte, und jetzt hält er Hetzreden! . . . Was tu ich? Was bin ich? Ich nütze dem Staat wie jeder solide Geschäftsmann . . . *(Jovial.)* Sind ja nicht ernst zu nehmen, Hinkemann. Sind ja berauscht, Hinkemann. Morgen sprechen wir uns wieder. Rin ins Vergnügen und gestrampelt! Oder man kommt unter die Räder. Mensch mit Ihren Talenten! . . . Auf morgen, Sie Clou der Saison! Auf morgen! *(Der Budenbesitzer geht davon.)*

HINKEMANN *(allein)*: Morgen . . . wie er das sagt . . . Morgen. Als ob es ein Morgen geben müßte. O ich sehe! ich sehe! O das Licht! O meine Augen . . . meine Augen . . .

*(Hinkemann bricht zusammen. Zeitungsjungen laufen über die Bühne.)*

ERSTER ZEITUNGSJUNGE: Extrablatt! Große Sensation! Eröffnung der Viktoriabar! Nackttänze! Jazzband! Französischer Sekt! Amerikanische Mixer!

ZWEITER ZEITUNGSJUNGE: Abendausgabe des Generalanzeigers! Letzte Sensation! Judenpogrome in Galizien! Brand der Synagoge! Tausend Menschen bei lebendigem Leibe verbrannt!

EINE STIMME: Bravo! Alle Juden nach Galizien!

DRITTER ZEITUNGSJUNGE: Tria Trei! Schönste Filmdiva des Kontinents! Tria Trei spielt Hauptrolle im Verbrecherdrama: »Lustmörderin der vierzig Männer!« Sensationell! Brutal! Peitscht Gefühle!

*(Im Vorübergehen.)*

EIN LIEBESMASCHINCHEN: Er war so nett, so naiv . . . da blieb ich die ganze Nacht . . . ich habe mich mit den paar Mark begnügt . . .

IHR KONTROLLZÄHLER: Paar in die Fresse, wenn du nächstes Mal wieder wie ne Pastorentochter, bloß aus Liebe . . .

LIEBESMASCHINCHEN: Aber wo ich doch krank bin . . .

*(Vorüber.)*

VIERTER ZEITUNGSJUNGE: Pest in Finnland! Mütter ertränken ihre Kinder! Sensationelle Berichte! Rebellion des Proletariats! Unsere Regierung entsendet Hilfe zur Aufrechterhaltung Ruhe und Ordnung! Hundert Panzerautos auf Weg nach Finnland!

FÜNFTER ZEITUNGSJUNGE: Neuer Geist in Deutschland! Wiedererwachen sittlichen Empfindens! Unsere Zeit im Zeichen Christi! Aufführung rührenden Filmdramas »Passion unseres Herrn Jesu Christ!« Berühmte Glin Glanda Hauptrolle Heiland! Film kostete zweihundert Millionen Mark! Als Einlage Boxkampf zwischen Carpentier und Dempsey!

SECHSTER ZEITUNGSJUNGE: Größte Erfindung zwanzigsten Jahrhunderts! Levizit! Wunder der Technik! Unerhörtes Giftgas! Fliegergeschwader imstande größte Stadt mit Menschen und Tieren vom Erdboden zu tilgen! Erfinder zum Ehrenmitglied der Akademien aller Länder ernannt! Vom Papst in Adelstand erhoben!

SIEBENTER ZEITUNGSJUNGE: Dollar sinkt! Dollar sinkt! Geburtenzuwachs in Aussicht! Letzte Berechnungen Statistischen Amts! Großer Jubel bei Bevölkerungsprofessoren!

ACHTER ZEITUNGSJUNGE: Wettbank fürs arme Volk! Hundert Prozent Dividende! Lösung der sozialen Frage! Lösung der sozialen Frage!

*(Zwei alte polnische Juden gehen über die Bühne.)*

ERSTER JUDE: Was soll ich Ihnen sagen? Se haben uns geschlagen, se haben uns gerissen aus de Betten bei schwarzer Nacht, se haben genommen unsere Frauen und Mädchen . . . Gott hat uns geschlagen mit Leiden.

ZWEITER JUDE: Wie heißt Leiden? Wir sind das auserwählte Volk! Heißt mer ä auserwähltes Volk! Auserwählt! Auserwählt fir Leiden! Was fir ä gute Gnade hat uns gegeben Gott!

*(Vorüber.)*

DIE ALTE WAFFELVERKÄUFERIN: Verleumden Sie nicht den neuen Messias, lieber Herr, verleumden Sie ihn nicht. Er gibt uns alten Weibern die Hoffnung wieder. Die Morgenröte geht auf. Das verheißene Zionsreich ist nahe.

KÄUFER: Und nimmt Ihnen Ihre letzten Spargroschen.

DIE WAFFELVERKÄUFERIN: Was liegt daran, lieber Herr, was

liegt an dem Papierplunder. Kann es einem alten Wrack wie mir noch viel schlechter gehen? Mich schrecken die Plagen dieser Welt nicht. Ich habe sie gekostet bis zur Neige. O, meine Seele dürstet nach Erlösung. Ich weiß, daß das Zionsreich nahet . . .

*(Vorüber.*

*Ein Händler drängt sich an einen Stehumlegekragen mit Monokel.)*

HÄNDLER: Neuestes Mittel gegen Männerschwäche »Der Mensch ist jut«.

STEHUMLEGEKRAGEN MIT MONOKEL: Äh . . . ich frequentiere »Jemeinschaft«.

HÄNDLER: Wird nicht mehr fabriziert. Hat sich als unrentabel erwiesen. Eiweißloser Zimt. »Jemeinschaft« heute Schutzmarke für Stiefelwichse.

*(Vorüber.)*

RUFE: Hier liegt ein Mann!

Ein Schlaganfall!

Polizei!

EINE STIMME: Das ist Homunkulus vom Rummelplatz! Das macht das viele Rattenblut! Das ist kein Wunder nicht!

EIN GUMMIKNÜPPEL: Wohl son Spartakistenbiest . . . In Mittelborussien . . . äh . . . kurzer Prozeß . . . dem Aas einen Revolver in die Hand gedrückt . . . Mußte sich erschießen oder eins mit dem Kolben! Vorher auf Befehl: »Deutschland, Deutschland über alles« . . . Hähähä . . . Gesindel muß wieder parieren lernen . . . Stiebel ins Genick . . .

EIN FLAMMENWERFER: Unser Freikorps auch nie Jefangene jemacht. Befehl: Auf den nächsten Acker . . . Tritt auf die Zehen, daß er aufsprang . . . eins in den Dez . . . nachher eben Fluchtversuch jewesen . . .

*(Von allen Seiten laufen Straßendirnen herbei.)*

ERSTE DIRNE: Homunkulus kann bei mir schlafen. Bringen Sie ihn zu mir. Ich geb ihm Wein, da erholt er sich.

ZWEITE DIRNE: Nein . . . zu mir bringen Sie ihn!

DRITTE DIRNE: Zu mir! Zu mir!

VIERTE DIRNE: Du olle Nutte! Zu dir am allerletzten! Du hast ja nich mal ein Kontrollbuch nich! Mach du, daß du dich schwingst!

*(Dritte und vierte Dirne prügeln sich. Aus einer Nebenstraße gewittert Militärmusik. Erst Trommeln und Pfeifen. Dann Blasmusik mit großen Pauken. »Präsentiermarsch«.)*

GEKREISCH: Soldaten! Soldaten! Hurra! Hurra!

*(Alle verlassen Hinkemann und rennen fort. Die Straße ist völlig leer. Selbst die Laternen sind ob des Soldatenereignisses klein und dunkel geworden. Die Militärmusik verklingt in der Ferne. Hinkemann erhebt sich.)*

HINKEMANN: Und über mir der ewige Himmel . . . Und über mir die ewigen Sterne . . .

*(Bühne verdunkelt sich.)*

## Zweite Szene

*(Angedeutet: Wohnung Hinkemanns. Max Knatsch steht wartend am Tisch. Hinkemann kommt, in der Hand einen eingewickelten Gegenstand. Seine Augen haben einen fiebrigen Glanz, seine Gesten sind im Gegensatz zu früher fahrig.)*

MAX KNATSCH: Ich hab auf dich gewartet, Hinkemann . . . Ich wollte dir die Gründe sagen, warum . . .

HINKEMANN: Hats nicht nötig, Herr Nachbar. Gründe überzeugen nicht. Hier beweist das Gefühl . . . Weißt du, was ich hier in der Hand trage?

MAX KNATSCH: Wie sollte ich . . .

HINKEMANN: *Den* Grund! Keine Gründe. *Den* Grund! Ich bin an einem Schaufenster vorübergegangen, und wie ich hineinblicke, weiß ich nicht, ob ich auflachen soll oder aufweinen. Ich mache meine Augen zu, weil ich denke, ich träume vielleicht. Als ich sie wieder aufmache, liegt das Ding immer noch im Schaufenster. Ich gehe in den Laden und frage, warum sie das ins Schaufenster tun. Das ist ein Priapus, sagt der Verkäufer. Und als ich nicht verstehe, meint er, den hätten die alten

233

Griechen und Römer als Gott angebetet. Wohl die Frauen, frage ich. Nein, antwortet der Mann, Frauen und Männer. Ob er verkäuflich wäre? Ja. Auf Abzahlung? Abzahlungsgeschäfte kannten sie nicht. Ich entschuldige mich, man ist das so gewohnt als Arbeiter. Ich habe meine Uhr dagelassen und habe den Gott erstanden.

*(Hinkemann hat aus der Papierhülle einen kleinen erzenen Priap entnommen. Stellt ihn auf den Herd. Zündet eine Kerze an und stellt sie daneben.)*

MAX KNATSCH *(gutmütig zuredend)*: Du fühlst dich nicht wohl, Hinkemann . . . man siehts dir an . . . Du bist krank . . .

HINKEMANN: Sehr wohl.

MAX KNATSCH: Weißt du . . . ich meine doch . . . ich bleibe bei dir, bis deine Frau kommt.

HINKEMANN: Wenn zwei übers Kreuz . . . stirbt ein Jud.

MAX KNATSCH: Wie meinst du das?

HINKEMANN: Gleich! Hast du schon mal Menschen auf der Straße gesehen?

MAX KNATSCH: Komische Fragen legst du einem vor.

HINKEMANN: Immer geht man durch die Straßen wie ein Blinder. Und auf einmal *sieht* man. Knatsch, es ist furchtbar, was man sieht. Die Seele sieht man. Und weißt du, wie die Seele aussschaut? Nichts Lebendiges ists. Die eine Seele ist ein Speckgenick, die zweite eine Maschine, die dritte ein Kontrollzähler, die vierte ein Stahlhelm, die fünfte ein Gummiknüppel . . . Hast du schon mal einem Distelfinken die Augen geblendet? *(Ohne Knatschs Antwort abzuwarten.)* Die Sünden der Mütter rächen sich bis ins vierte Glied. Heißt es nicht so? . . . Gute Nacht Knatsch. Nichts für ungut . . . Ich weiß schon, ich weiß schon . . . Der Grund . . . Die Gründe . . .

MAX KNATSCH: Es wäre vielleicht besser, ich bliebe.

HINKEMANN: Geh nur . . . geh nur . . . Grete kommt gleich . . . Im Wirtshaus, das war nur der Schnaps . . .

MAX KNATSCH: Dann . . . gute Nacht, Eugen.

HINKEMANN: Gute Nacht, Max . . . Eine Frage noch. Wie lange bist du verheiratet?

MAX KNATSCH: Dreiundzwanzig Jahre.

HINKEMANN: Du wolltest dich einmal scheiden lassen?

MAX KNATSCH: Den Gedanken hatte ich wohl. Aber man hat sich aneinander gewöhnt. Die Kinder sind der Kitt.

HINKEMANN: Der Kitt – die Kinder ... Scheidung, das ist Trennung von Bett und Tisch, nicht wahr?

MAX KNATSCH: Es lautet so.

HINKEMANN: Und deine Frau ist fromm?

MAX KNATSCH: Sie versäumt keine Messe ... Was will man tun? Gut, soll sie in die Kirche gehen, wenns ihr Spaß macht ... *(An der Tür.)* Gute Nacht, Eugen.

*(Max Knatsch geht. Hinkemann allein.)*

HINKEMANN: Es ist kein Gott außer dir. Wie sie sich belügen und betrügen und sich weismachen, sie beten den Gekreuzigten an. Zu dir beten sie! Jedes Ave ist dir geweiht, jedes Vaterunser ein Rosenkranz um deine Nacktheit, jede Prozession ein Tanz zu deinen Ehren! Du trägst keine Maske, du hüllst dich nicht in heuchlerische Worte, du bist das A und das O, der Anfang und das Ende, du bist die Wahrheit, du bist der Gott der Völker ... Du hast deinen Knecht verstoßen, mein Gott, aber dein Knecht hat dir einen Altar errichtet ... Ha, ich glaube, er lacht! Lach zu, lach immer zu! Die Menschen haben über mich gelacht und hatten keinen Grund. Nun lache du ... immerzu! Du hast das Recht zu lachen.

*(Geräusch auf der Treppe.)*

HINKEMANN: Grete kommt ... Es wird Nacht und blind werden meine Augen ...

*(Die alte Frau Hinkemann tritt ein.)*

DIE ALTE FRAU HINKEMANN: Guten Abend.

HINKEMANN: Du bists ... Guten Abend, Mutter. Was führt dich her zu dieser späten Stunde? Seit wann gehst du am Abend auf die Straße? Lockt dich die warme Sommernacht? ... Die Schwalben flogen heute tief. Es wird Gewitter geben.

DIE ALTE FRAU HINKEMANN: Er ist zurückgekommen.

HINKEMANN: Wer?

DIE ALTE FRAU HINKEMANN: Der Vater.

HINKEMANN: Welcher Vater?

DIE ALTE FRAU HINKEMANN: Dein Vater.

HINKEMANN: Mutter, was redest du? Mein Vater ist gestorben als ich ein halbes Jahr alt war. Wie oft hast du es mir erzählt!

DIE ALTE FRAU HINKEMANN: Ich habe dich belogen. Wohl ist er gestorben. Für mich ist er gestorben. Ein halbes Jahr warst du alt. Ich nährte dich noch an dieser Brust, die welk und runzlig heute ist. Da kam er eines Abends nach Haus. Angetrunken. An seinem Arm ein Weibsbild. Eine, die er auf der Straße aufgelesen hat. »Weib«, schrie er mich an, »geh heute zu deinen Eltern und schlafe dort. Ich brauche junges Blut ins Bett. Mich friert bei dir, seit du ein Junges geworfen hast« . . . Ich habe ihn angestarrt. Und plötzlich . . . da stand nicht mehr mein Mann vor mir, da stand ein Tier, ein fremdes Tier und wollte mir wehe tun und wollte mein Kind mir nehmen. Ein Küchenmesser packte ich und hielt es ihm vor die Brust . . . Er lachte mich aus, nahm sein Mensch und ging davon. Er ist nicht wiedergekommen in dieser Nacht. Er kam auch die nächste Nacht nicht wieder. Er hat mich zurückgelassen, als ob er mich nie gekannt hätte. Ich ging auf die Straße . . . um Brot zu verdienen für dich. Ich war nicht häßlich in meiner Jugend. Und heute . . .

HINKEMANN: Heute?

DIE ALTE FRAU HINKEMANN: Kam er zurück. Verlumpt, zerfleddert, verfilzte Fetzen auf dem verlausten Leib. Aufgedunsen, krank, zitternd tastete er in meine Kammer. Ich habe ihn am Schritt erkannt, als er die Treppe heraufstieg. Was willst du bei mir nach neunundzwanzig Jahren, fragte ich ihn. »Wirst du mich nicht schlagen?« lallte er wie ein böser Narr. Und dann: »Ich bin zurückgekommen, um bei dir zu sterben.«

HINKEMANN: Und was hast du ihm zur Antwort gegeben, Mutter?

DIE ALTE FRAU HINKEMANN: Er solle sich ausziehen und sich ins Bett legen. Reine Wäsche finde er in der Kommode, warmes Wasser auf dem Herd, Seife in der Schublade.

HINKEMANN: So hast du ihm vergeben, Mutter?

DIE ALTE FRAU HINKEMANN *(hart)*: Nein, und ich werde ihm nicht vergeben. Ich will ihn pflegen bis an sein Ende. Das ist meine Pflicht als Mensch. Wenn er dann stirbt, will ich ihm die Augen zudrücken, kein Fremder soll es mir tun ... Aber wenn sie ihn im Leichenwagen zum Friedhof hinausfahren, dann will ich die Fenster verhängen und die Türen verschließen und nicht hinter seinem Sarg hergehen. *(Triumphierend.)* Fremde Menschen sollen ihn begraben! Das wird meine Rache sein für das, was er mir angetan!

HINKEMANN *(nach einer Pause)*: Was war das Bitterste, Mutter? War es, daß er den Lohn vertrank, während du Hunger littest?

DIE ALTE FRAU HINKEMANN: Nein.

HINKEMANN: War es, daß er eine fremde Straßendirne sich nahm?

DIE ALTE FRAU HINKEMANN: Nein.

HINKEMANN: War es, daß er in dein Bett mit ihr sich legen wollte?

DIE ALTE FRAU HINKEMANN: Nein.

HINKEMANN: So war es, weil er lachte, als deine Seele sich wehrte im großen Schmerz?

DIE ALTE FRAU HINKEMANN: Das war es, Eugen.

HINKEMANN: So tust du recht, Mutter. Ich will den Vater nicht sehen, und ich will wie du nicht hinter seinem Leichenwagen hergehen.

*(Stille.)*

DIE ALTE FRAU HINKEMANN: Eugen ... ich brauche einen Anzug für den Vater.

HINKEMANN: Hier nimm mein Sonntagsgewand, Mutter.

*(Hinkemann entnimmt dem Schrank einen Anzug. Gibt ihn der alten Frau Hinkemann.)*

DIE ALTE FRAU HINKEMANN: Er wird ihm passen ... Weißt du, der Vater war immer sehr eigen mit seinen Anzügen ... Ist Grete zu Haus?

HINKEMANN: Sie wird wohl bald kommen, Mutter ... Mut-

ter, du trägst dein Leid und ich trag meins. Du kannst es sagen
. . . aber ich, ich kann es nicht einmal sagen, ich müßte fürchten ausgelacht zu werden.

DIE ALTE FRAU HINKEMANN: Jeder muß sein Leid tragen. Es
wird ihm nichts geschenkt. Das Leben ist stärker als wir,
Eugen. Das Leben hat mit uns kein Mitleid . . . Ich muß nach
Haus. Der Vater wird hungrig sein. Gute Nacht.

HINKEMANN: Gute Nacht auch, Mutter.

*(Die alte Frau Hinkemann geht.)*

HINKEMANN: Das war das Bitterste, daß er über sie gelacht
hat, als ihre Seele wund sich wand in Not. Hast dus gehört, du
großer Gott? Bist du zufrieden? Zwei Menschen haben dir
geopfert . . . Der Vater wurde dein Ritter von der Huren-
schleppe, das Weib dein gurrendes Lachtäubchen. Sollen wir
Freudentänze aufführen? Befiehl nur! ich kann alles! Rattenblut trinken für zwanzig Pfennig Eintritt, tanzen für zwei
Menschenleben. Hahaha!

*(Hinkemann beginnt mit schlenkernden Armen, erst langsam,
dann in rasendem Tanzrhythmus vor dem Priap von einem
Bein auf das andere zu springen.)*

HINKEMANN: Lustig! Lustig! Hoppla! Hoppla! Immer herein,
meine Herrschaften! Kassa! Kassa! Die Menge machts! Hohoho! Hohoho!

*(Hinkemann sinkt auf einen Schemel nieder. Nach einer Weile
tritt Fränze ein.)*

FRÄNZE: Guten Abend. Grete nicht hier?

HINKEMANN: Nein.

FRÄNZE: Wie du traurig dasitzest . . . Die Luft weht süß im
warmen Sommerabend . . . Ich geh jetzt tanzen . . . willst du
mitkommen?

HINKEMANN: Du Mensch! Ach so, entschuldige . . . ich war
mit meinen Gedanken nicht hier.

FRÄNZE: Du, Eugen . . .

HINKEMANN: Ja.

FRÄNZE: Du, Eugen . . .

HINKEMANN: Sprich!

FRÄNZE: Du bist immer noch der stärkste von allen . . . der schönste . . .

HINKEMANN: Und?

FRÄNZE: Ich meine nur so . . .

HINKEMANN: Und?

FRÄNZE: Wenn man die Grete betrachtet . . . wie die launisch geworden ist . . . Sie ist ja meine Freundin, aber ich beneide dich nicht . . . *(Nahe bei Hinkemann.)* Du, Eugen . . . Du, Eugen . . . komm doch mit. Sagst nachher der Grete, du hättest eine Parteiversammlung gehabt, sagst . . . ach, so versteh mich doch!

HINKEMANN: Wollen wir . . . wollen wir beisammen bleiben heute Nacht? Das meinst du doch? Der Abend ist warm. Auf den Treppengängen stolpert man über brünstige Katzen. Im Stadtpark weht die . . . Luft . . . süß . . .

FRÄNZE: Es ist so warm, daß man auf den Bänken im Stadtpark schlafen kann . . . Du, Eugen . . .

*(Fränze schlängelt sich um Hinkemann, küßt ihn. Hinkemann stößt sie fort, lacht laut auf.)*

FRÄNZE *(wütend)*: Glaubst du, daß ich dir nachlaufe?

HINKEMANN: Lauf dir nur selber nach, Weibchen. Im Stadtpark laufen viele Männer. Kater und Katzen, Hunde und Hündinnen sind läufig. Die Luft weht süß.

FRÄNZE *(keifend)*: Ein andermal kommst du zu mir!

*(Fränze läuft hinaus.)*

HINKEMANN: Hahaha! Der tote Hinkemann ist noch ein Gott! Auf dem Marktplatz steht ein nackter Bronzemann. Wie Fliegengeschmeiß mögen sie ihn umgirren! . . . Immer herein, meine Herrschaften! Sie sehen Überraschungen! . . . Und ich soll ein gesetzlicher Scheidungsgrund sein!

*(Einige Sekunden Stille. Grete tritt ein.)*

GRETE HINKEMANN: Guten Abend, Eugen.

HINKEMANN *(ohne aufzublicken)*: Da sprach der Herr zu Kain: Wo ist dein Bruder Habel? Er sprach: Ich weiß nicht, soll ich meines Bruders Hüter sein?

GRETE HINKEMANN: Ich bin es, Eugen.

HINKEMANN: Er aber sprach: Was hast du getan? Die Stimme deines Bruders Blut schreit zu mir von der Erde.

GRETE HINKEMANN: Ich habe dir ein paar Blumen gekauft, Eugen . . . es ist unser Hochzeitstag heute . . .

HINKEMANN: Es gibt Menschen, die haben eine Larve, daß sie über einen lachen können und dann schön tun in einem Atemzug . . . Ich danke dir, Grete. Du bist sehr freundlich, Grete. Wie bunt die Astern sind! Wie wohl einem die Farben tun! Es war schön, unser Hochzeitsfest . . . unsere Brautnacht . . . es war sehr schön.

GRETE HINKEMANN: Es war Frieden.

HINKEMANN: Ja, und dann war Krieg. Du hast gesagt, ich bin stolz auf dich, daß du bei der Garde dienst. Und als ich in den Krieg zog, hast du geweint. Weintest du aus Freude, daß ich bei der Garde diente?

GRETE HINKEMANN: Was für Hoffnungen wir uns machten!

HINKEMANN: Ja, Hoffnungen so bunt wie die Astern. Aber wenn im Krieg irgendwo in einem Garten Astern blühten und Menschen schossen Granaten in den Garten, dann war es aus mit der Buntheit. Das ist bei Pflanzen so wie bei Tieren und bei Tieren so wie bei Menschen. Kein Unterschied . . . Ich war ein strammer Kerl und hab gelebt und hab mir keine Gedanken gemacht! Du warst immer eifersüchtig.

GRETE HINKEMANN: Ja.

HINKEMANN *(hart)*: Aber heut brauchst du nicht mehr eifersüchtig zu sein, heute kannst du . . . lachen!

GRETE HINKEMANN *(beginnt zu weinen.)*

HINKEMANN: Na, lach nur zu! Du weinst? Spiel kein Theater! Lache, Weib, lache! Du hast das Lachen gelernt. Du kannst lachen, wenn einer seine nackte, schwielige Seele in den Straßenkot legt! Spar dir dein Weinen auf! Ach so . . . erst muß ich singen! *(Singt mit Fistelstimme.)* »Vilja, o Vilja, du Waldmägdelein«. Warum lachst du nicht? *(Erschöpft.)* Ich habe doch auf den Knopf gedrückt.

GRETE HINKEMANN *(mit flachen Händen, deren Finger angstvoll gespreizt sind, abwehrend)*: Mann, wie du mich anschaust . . . Mann, ich fürchte mich vor dir . . .

240

HINKEMANN: Fürchten? Unsinn! Wie kannst du dich vor mir fürchten, vor mir, der gar kein . . . der gar kein . . .

GRETE HINKEMANN *(hastig, demütig)*: Nein, nein, ich fürchte mich auch gar nicht. Ich habe dich lieb, und wie sollte ich mich da fürchten?

HINKEMANN: Weib, die Wahrheit!

GRETE HINKEMANN: Ich will sie sagen.

HINKEMANN: Seit wann? Seit wann? Ich weiß alles.

GRETE HINKEMANN: Ich war schlecht, Eugen.

HINKEMANN: Du lügst nicht?

GRETE HINKEMANN: Ich war schlecht. Ich bin ein schwaches Weib. Es hat mich überkommen. Ich habe dich lieb gehabt und habe dich doch nicht lieb gehabt. Es war unrecht von mir. Ich weiß nicht, ob du mich noch lieb haben kannst . . .

EUGEN HINKEMANN: Daß du mit Paul gingst, wie kann ich da etwas dreinreden? Es war dein gutes Recht, wenn du ihn liebst.

GRETE HINKEMANN: Nein . . . nein . . .

HINKEMANN: Aber du mußt schnell gehen, Grete, schnell! . . . Oder nein . . . ich gehe . . . Ich stelle keine Ansprüche. Die Möbel gehören dir. Adschö.

GRETE HINKEMANN: Eugen! O du! . . . Du mein lieber armer Mann! Ich habe dich verraten für ein paar Silberlinge . . . Ich habe an dir gehandelt wie ein schlecht Mensch!

HINKEMANN: Du! . . . Du! . . . Du Weib du! Wer hat dich das Lügen gelehrt in diesen letzten Wochen? Oder war ich taub früher? Wußte ich nicht, wer in meinen Wänden wohnt? Hat sich die Natur verkehrt? Einen Schmetterling glaubte ich zu beherbergen, und ist ein Wurm daraus geworden! Ein Wurm mit Augen, die heucheln können wie eine arme Straßenhure, die so tun muß um ihrer Notdurft willen. *(In Raserei.)* Faß mich nicht an! Laß meine Hände los! Du magst dich geekelt haben vor meinem zerschossenen Körper, aber jetzt, Weib, jetzt ekle ich mich vor dir! Deine Hände sind Kröten, eklig und schleimig! Deine Brüste, deine runden, vollen, kleinen Brüste sind wie fauler Schlamm! Dein Mund, dein roter, süßer

241

Mund ist eine stinkende Kuhl! Deinen Körper, deinen gesunden Körper, deinen gesunden blühenden Körper . . . ich mag ihn nicht mehr sehen! In all seiner Gesundheit verwest er! Wie totes Aas ist er vor meinen Augen!

GRETE HINKEMANN *(auf den Knien)*: Schelte mich! . . . schelte mich! . . . schlag mich! . . . schlag mich! . . . ich habs verdient!

HINKEMANN: Wie du da vor der Jahrmarktsbude standest und hörtest, wie man deinen Mann ausstellte gleich einem wilden Tier . . . wie dein Mann kleinen unschuldigen Tieren die Kehle zerbiß . . . um Geld zu verdienen für dich! Lebendigen Tieren die Kehle zerbiß! . . . Da standest du mit deinem Beischläfer vor der Bude und hast . . . gelacht! gelacht!

GRETE HINKEMANN: Das ist nicht wahr . . . bei Gott nicht wahr!

HINKEMANN: Ich mag kein Wort mit dir sprechen. Du lügst nicht wie ein Mensch. Du lügst wie ein Teufel. Adschö!

*(Hinkemann wendet sich zum Gehen.)*

GRETE HINKEMANN: Sprich, Eugen, sprich . . . nur bleib hier . . . Ich will alle Schuld auf mich nehmen . . . ja, ich habe gelacht vor der Jahrmarktsbude . . . ich habe gelacht . . . so: hahahaha! . . .

EUGEN HINKEMANN: Und dafür mußt du sterben, Weib. Nicht dafür, daß du einen anderen nahmst – das war dein Recht . . . nicht dafür daß du mich belogst – das nahmst du dir als Recht . . . sterben mußt du, weil du mich verlacht hast vor der Jahrmarktsbude! Eine Mutter kann ihr Kind erwürgen, und keiner braucht einen Stein auf sie zu werfen. Würde sie aber ihr Kind erwürgen und dann höhnisch lachen, weil dem Kind die geschwollene Zunge aus dem Halse hängt . . . Qualen sollten sie brennen bis ans Ende aller Tage! Ich bin gnädig mit dir, Weib. Ich lasse dich nicht leiden bis ans Ende aller Tage . . . Was kniest du nieder vor mir! Vor dem knie nieder . . . vor dem, der dein Gott ist. Bete zu ihm! . . . bete!

*(Hinkemann schleift Grete vor den Priap. Sein Atmen ist ein Ächzen geworden.)*

HINKEMANN *(nach einigen Sekunden)*: Was . . . was starrst du

242

mich so an? . . . Wie blicken deine Augen drein? . . . Ich will kein Mensch heißen, wenn in deinen Augen ein Falsch ist! . . . Die Augen kenne ich! . . . Die Augen habe ich gesehen in der Fabrik . . . die Augen habe ich gesehen in der Kaserne . . . die Augen habe ich gesehen im Lazarett . . . die Augen habe ich gesehen im Gefängnis. Das sind die selben Augen. Die Augen der gehetzten, der geschlagenen, der gepeinigten, der gemarterten Kreatur . . . Ja, Gretchen ich dachte, du bist viel reicher als ich, und dabei bist du ebenso arm und ebenso hilflos . . . Ja, wenn das so ist, wenn das so ist . . . dann sind wir Bruder und Schwester. Ich bin du und du bist ich . . . Und was soll nun werden?

GRETE HINKEMANN: Ich will dich nie mehr verlassen.

HINKEMANN: Das ist nicht die Frage, Grete. Das liegt jetzt hinter uns. Was haben wir damit zu schaffen. Wie ist es gleichgültig, wenn du mit einem andern gehst, wie ist es gleichgültig, wenn du mich belügst, wie ist es gleichgültig, wenn du über mich lachst. Es hilft dir nichts. Und wenn du in seidenen Kleidern gingst und hättest eine Villa und kämest aus dem Lachen gar nicht mehr heraus – alles gleich, du bleibst eine ebenso arme Kreatur wie ich. In dieser Stunde habe ich es erkannt . . . Laß mich allein, Grete . . .

GRETE HINKEMANN: Jetzt soll ich dich allein lassen?

HINKEMANN: Immer mußt du mich allein lassen. Und immer muß ich dich allein lassen.

GRETE HINKEMANN: Was soll denn nun werden?

HINKEMANN: Einmal, vor sechs Jahren, ging es mir arg schlecht. Der Hunger ließ mir das Wasser im Munde zusammenlaufen, wenn ich einen Menschen essen sah! Was das für ein Gefühl war, Grete, wenn ich über die Kinderspielplätze in den Stadtbezirken der reichen Leute ging, und vor mir ein kleiner Junge mit zufriedenem Mund in sein großes Butterbrot biß! Wie einem da die Gier kam! Wie dann der Hunger auf einmal gar nicht mehr so weh tat! Der Junge, der kaute, brachte mich zum Rasen! Ich wäre fast ein Mörder geworden, nur um den Jungen nicht mehr kauen zu sehen!

GRETE HINKEMANN: Eugen, was heißt das alles? Ich verstehs nicht mehr.

HINKEMANN: Ich bin lächerlich geworden durch eigene Schuld. Als ich mich hätte wehren sollen, damals als die Mine entzündet wurde von den großen Verbrechern an der Welt, die Staatsmänner und Generäle genannt werden, habe ich es nicht getan. Ich bin lächerlich wie diese Zeit, so traurig lächerlich wie diese Zeit. Diese Zeit hat keine Seele. Ich hab kein Geschlecht. Ist da ein Unterschied? Gehen wir jeder unsern Weg. Du den deinen. Ich den meinen.

GRETE HINKEMANN: Eugen, was heißt das alles?

HINKEMANN: Daß ich nicht weiß, wie lange das bei mir anhält, was ich da erkannt habe. Die lebendige Natur vom Menschen ist stärker als sein Verstand. Der Verstand ist nur ein Mittel zum Selbstbetrug.

GRETE HINKEMANN: Und was wird mit mir?

HINKEMANN: Du bist gesund. Ein Kranker hat hier nichts zu suchen auf dieser Erde, so wie sie da eingerichtet ist . . . in der jeder nur gilt, was er *nützt*. Entweder er ist gesund, dann hat er auch eine gesunde Seele. Das sagt der gesunde Menschenverstand. Oder er ist im Gehirn krank, dann gehört er in eine Irrenanstalt. Es stimmt nicht ganz, aber es ist auch nicht falsch. Ein Kranker kann nichts mehr tun, er ist wie gelähmt in seinem Blut. Seine Seele, die ist wie der tote Flügel einer Lerche, wie ein Adler in den Schaugärten, dem man die Sehnen zerschnitt . . . leb wohl, Grete, ich wünsch dir ein gutes Leben.

GRETE HINKEMANN: Was hast du vor, Mann . . . Was hast du vor? . . . Du willst mich allein lassen? . . .

HINKEMANN: Es ist nicht um meine Krankheit . . . es ist nicht um meinen zerschossenen Leib . . . Ich bin durch die Straßen gegangen, ich sah keine Menschen . . . Fratzen, lauter Fratzen. Ich bin nach Haus gekommen, ich sah Fratzen . . . und Not . . . sinnlose, unendliche Not der blinden Kreatur . . . Ich habe die Kraft nicht mehr. Die Kraft nicht mehr zu kämpfen, die Kraft nicht mehr zum Traum. Wer keine Kraft zum Traum hat, hat keine Kraft zum Leben. Der Schuß, der war wie eine Frucht vom Baume der Erkenntnis ... Alles Sehen wird mir Wissen, alles Wissen Leid. *Ich will nicht mehr.*

GRETE HINKEMANN: Du willst dir ein Leids antun! ... Eugen ... Eugen ... ich habe gar nicht gelacht! Eugen! So hör doch! Ich habe gar nicht gelacht. Du ... Ich bleib bei dir. Immer! Immer! Alles wird wieder gut. Wir zwei. Keiner wird frieren. Ich bei dir. Du bei mir ...

HINKEMANN: Du hast nicht gelacht ... Schau mich an, Grete ... Ich glaube dir, Grete ... O du. *(Küßt sie zärtlich.)* Alles wird wieder gut ... Ich bei dir ... Du bei mir ...

GRETE HINKEMANN *(sich an ihn schmiegend)*:
Sommer wird sein und Stille im Wald ...
Sterne und Gehen Hand in Hand ...

HINKEMANN *(sich von ihr lösend)*:
Herbst wird sein und Welken im Laub ...
Sterne ... und Haß! ... und Faust gegen Faust! ...

GRETE HINKEMANN *(aufschreiend)*: Eugen!

HINKEMANN *(müde)*: Ich weiß zuviel.

GRETE HINKEMANN *(wie ein hilfloses Kind weinend)*:
Laß mich nicht allein ... Ich gehe irre im Dunklen ... Ich tu mir weh ... Ich falle ... Alles ist wund an mir ... Wie es schmerzt! Wie es schmerzt! ... Oh ... Oh ... Ich habe solche Angst vorm Leben! Denk doch! *allein!* Im Leben allein! In einem Wald voll wilder Tiere allein! ... Keiner ist gut. Jeder nagt an Deinem Herzen ... Nicht allein lassen!! Nicht allein lassen!!! Gott hat mein Schicksal bestimmt. Ich gehöre zu dir.

HINKEMANN: Was gegen die Natur ist, kann nicht von Gott sein. – Versuch es, Grete, versuch es ... kämpf du ... du bist gesund ... fang ein neues Leben an ... kämpf für eine neue Welt ... für unsere Welt ...

GRETE HINKEMANN *(mit zuckenden Schultern)*: Wenn ich ... wenn ich selbst wollte ... ich kann es nicht mehr ... Ich hab nicht den Mut, ich bin wie zerbrochen. *(Verzweifelt.)* Mein Gott, ich finde mich nicht mehr zurecht. Wir sind in einem

Netz, Eugen, in einem Netz. Eine Spinne sitzt da und läßt uns nicht los. Sie hat uns eingesponnen. Ich kann meinen Kopf kaum noch bewegen. Ich versteh das Leben nicht mehr . . . ach erlöse uns von dem Übel, du mein Heiland Jesu Christ . . .
*(Grete geht mit schweren Schritten hinaus.)*
HINKEMANN *(allein)*: Wo ist der Anfang und wo das Ende? Wer will das bei einem Spinngewebe sagen?
*(Hinkemann packt den Priap und wirft ihn in den Herd.)*
HINKEMANN: Du Lügengott! Du armseliger Schlucker! . . .
*(Nach einer Pause.)*
Wenn die Dinge so stehen, wer hat ein Recht, den anderen zu richten? Jeder ist verdammt, sich selbst zu richten . . .
Erlösung! Erlösung! Auf allen Straßen der Welt schreien sie nach Erlösung! Der Franzos, der mich zum Krüppel schoß, der Neger, der mich zum Krüppel schoß, schreit vielleicht nach Erlösung . . .
Ob er noch leben mag? Und *wie* wird er leben? . . . Ist er blind, ohne Arm, ohne Bein? Er tat mir weh, und ein anderer tat ihm weh . . .
Wer aber tat uns allen weh? . . . *Ein* Geist sind wir, *ein* Leib. Und es gibt Menschen, die sehen das nicht. Und es gibt Menschen, die haben das vergessen. Im Krieg haben sie gelitten und haben ihre Herrn gehaßt und haben gehorcht und haben gemordet! . . . Alles vergessen . . . Sie werden wieder leiden und werden wieder ihre Herrn hassen und werden wieder . . . gehorchen und werden wieder . . . morden. So sind die Menschen . . . Und könnten anders sein, wenn sie wollten. Aber sie wollen nicht. Sie steinigen den Geist, sie höhnen ihn, sie schänden das Leben, sie kreuzigen es . . . immer und immer wieder . . .
Wie ist das sinnlos! Machen sich arm und könnten reich sein und brauchten keine himmlische Erlösung . . . die Verblendeten! Als ob sie so tun müßten im blinden Wirbel der Jahrtausende! Nicht anders könnten. Müßten. Gleich Schiffern, die der Mälstrom an sich reißt und *zwingt* einander zu zermalmen . . .

*(Draußen Stimmengewirr. Die Tür wird aufgerissen. Ein Haufen Menschen dringt ein. Allen voran Max Knatsch.)*

MAX KNATSCH: Aufn Hof ... aufn Hof ... aufn Hof ... deine Frau ... hat sich heruntergestürzt ... Kiek nicht hin ... Kiek sie nicht an ... es ist ... furchtbar ...

*(Leute tragen in eine Decke gehüllt die Leiche von Grete Hinkemann herein.)*

HINKEMANN *(mit starrem Blick und mechanischen Gebärden)*: Laßt mich allein, laßt mich allein ... laßt mich allein mit meinem Weib ... *(Flehend.)* Ich bitt euch drum.

*(Alle verlassen das Zimmer. Hinkemann geht an die Tischschublade. Entnimmt ihr einen Knäuel Bindfaden. Mit sachlicher Ruhe knüpft er die Bindfaden zu einem Strick.)*

HINKEMANN: Sie war gesund und hat das Netz zerrissen. Und ich steh noch hier ... ich steh hier, kolossal und lächerlich ... Immer werden Menschen stehen in ihrer Zeit wie ich. Warum aber trifft es mich, gerade mich? ... Wahllos trifft es. Den trifft es und den trifft es. Den trifft es nicht und den trifft es nicht ... Was wissen wir? ... Woher? ... Wohin? ... Jeder Tag kann das Paradies bringen, jede Nacht die Sintflut.

*(Bühne schließt sich.)*

# Der entfesselte Wotan

*Eine Komödie*

Geschrieben in der heiteren Kraft wachsenden Vorfrühlings
im Jahre 1923 im Festungsgefängnis Niederschönenfeld

Den Pflügern

## Figuren:

GOTT WOTAN

WILHELM DIETRICH WOTAN, ein Friseur

MARIECHEN, seine Frau

FREMDER HERR

JUNGER ARBEITER

SCHLEIM, ein stellenloser Kaufmann

VON WOLFBLITZ, ein Offizier a. D.

GRÄFIN GALLIG, ein ältliches Hoffräulein a. D.

VON STAHLFAUST, ein Korpsgeneral a. D.

KARAUSCHEN, ein Bankier

ERNST VON BUSSARD-BALDRIAN, ein königlicher Heldendarsteller a. D.

REPORTER

POLIZIST

KELLNER

EIN WALLENDER OBERLEHRER-VOLLBART

IMMER BERAUSCHTE BÜRGER

# Wotanisches Impromptu

## Walhall

*(Auf einem feuerschnaubenden Rappen Gott Wotan. Er schwingt ein Lasso.)*

GOTT WOTAN: Come on! Mein teurer Wilhelm Dietrich
   Wotan,
Verneige dich vor dem geschätzten Publikum!
*(Wotan, vom Lasso herangezogen, tritt vor. Er ist bekleidet mit einem Wildkatzenfell, quer über seine nackte Brust geschürzt; mit einem Bardenhelm, geziert von mächtigen Hörnern. An seiner linken Seite hängt ein mordstrumm Schwert. An seiner rechten Seite ein mordstrumm Trinkhorn. Wilhelm Dietrich Wotan verneigt sich.)*
GOTT WOTAN: Nur ohne Scheu! Es ist genau so klug
Wie einst! Mach den Versuch!
Drück eine Krone dir aufs Haupt,
Und jenes Volk, das eben lächelnd deiner spottet,
Rutscht bäuchlings in gebührender Distanz,
Brüllt Heil! und Hoch!
Knallt auf die treuen Männerbrüste
Und lechzt nach deinem huldvoll blöden Blick.
*(Wilhelm Dietrich Wotan schüttelt den Kopf.)*
GOTT WOTAN: Du magst nicht? – Edle Seele!
Mit stolzer Geste winkst du: »Nein!
O Volk, mach deinen Dreck allein!«

Doch kann ich ganz dich nicht entlassen:
Beginn, bevor ins Zeitenlose du verschwindest,
Im zweiten Kreis den bunten Erdengang.
Was einst Tragödie, werd zur Posse,
Was einst gekrümmtes Leid, werd zum Gelächter,
Spiel du, ein Epigone deiner selbst,
Dein majestätisch Spiel.

O Publikum! Lach nicht zu früh!
Einst lachtest du zu spät
Und zahltest deine Blindheit mit lebendgen Leibern.
Lach nicht zu früh!
Doch – lach zur rechten Zeit!
Versteh es, wer verstehen mag.

Nun eile dich, mein Sohn.
Laß dir von meinen lieblichen Walküren
Ins teutsche Trinkhorn füllen teutschen Met,
Flack dich aufs Bärenfell die letzte Nacht.
Und morgen früh, wenn Frigga rosig lächelt,
Weckt dich der lichte Baldur zur befohlnen

## HELDENFAHRT.

*(Während die Bühne sich verdunkelt, hört man unter Heurio
und Feurio und Hörnerklang die wilde Jagd über die Bühne
gewittern.)*

# Allegro

## Frisörladen

*(Wotan liest. Mariechen am Fenster.)*

WOTAN *(lauschend)*: Ich höre immer Drosseln schlagen.

MARIECHEN: Jetzt im März! Die Hühner gackern.

*(Ein Kunde, fremder Herr, tritt ein.)*

MARIECHEN: Wilhelm, ein Kunde.

WOTAN: Womit kann ich dienen?

FREMDER HERR: Rasieren.

*(Fremder Herr setzt sich. Wotan schlägt Schaum.)*

WOTAN *(den fremden Herrn einseifend)*: Der Herr fremd?

FREMDER HERR: Entfremdet.

WOTAN: Hahaha! Verstehe!

FREMDER HERR: Was?

WOTAN: Vollste Diskretion! Mein Gewerbe gab mir . . .

FREMDER HERR: Hundewitterung?

WOTAN *(pathetisch)*: Goldfühligkeit des Herzens. *(Den Einwurf beachtend.)* . . . Hundewitterung . . . Sehr gut! Sehr gut! Hundewitterung! Ausgezeichnet! . . . Der Herr reisen?

FREMDER HERR: Über den Ozean.

WOTAN: In Trikotagen?

FREMDER HERR: Ward es Mode, auf Unterkleidung Wert zu legen?

WOTAN: Was meinen Sie? Meier und Sohn bezieht aus Paris . . . Tätigte er Aufträge in neuen Novitäten?

FREMDER HERR: Treibt man hier Kuppelei öffentlich? Bordelle das Gespräch ehrsamer Bürger?

WOTAN: Hahaha! Verstehe! Verstehe! Er bestellte gewiß seidene . . . ich darf doch? seidene Höschen . . . Jawohl, mein Herr, eine Schande! Der Sohn! Alles der Sohn! Jedes Jahr drei neue Anzüge! Stoff aus England! Schneider aus Frankreich! Die Mädchen im Geschäft keine hiesigen. Man munkelt . . . mein Herr, man munkelt . . . *(flüstert ihm ins Ohr!)*

MARIECHEN *(die gierig gehorcht, lüftet die Portiere, stößt etwas um, erschrickt.)*

WOTAN *(sich drehend)*: Mariechen, störe nicht! Was willst du? Störe – nicht – – du siehst doch, daß Beschäftigung mir die schäumende Richtung weist! Daß mich der Herr seines Vertrauens würdigt! Mein Herr, mich begleitet eine Gattin durchs Leben, die den Verkauf von Pariser Akzidentien nicht duldet.

*(Mariechen ab.)*

FREMDER HERR: Zum Teufel, wozu das Geschwätz! Erzählen Sie die Nuditäten Ihrem Spritzenkommandanten!

WOTAN *(reißt die Augen auf)*: Wo auf Erden findet Verdienst seine Stätte, da der Himmel nicht einmal Tugend belohnt. Aber meine Nachrichten geben Fingerzeige . . .

FREMDER HERR: Bitte nachrasieren!

WOTAN: Verfeinern Ihre Absatzmöglichkeiten! *(Plump, zudringlich.)* Und Ihnen kanns doch gleich sein! Bekommen bei Pariser Waren gewiß Extraprozente . . . Puder gefällig?

*(Fremder Herr erhebt sich ruckartig.)*

WOTAN: Bay-Rum? Essig? . . . Das Haar etwas durchkämmen? Frisur nach Offiziersart meine Spezialität. Heute die beste Garantie zur Anknüpfung neuer Verbindungen! Man vermutet den Reserveoffizier, und das erleichtert wesentlich.

FREMDER HERR: Eigentlich sollten Sie von mir eine Maulschelle erhalten.

WOTAN *(zurückweichend)*: Mein Ehrenwort! Ich bewahre Diskretion!

FREMDER HERR: Für wen halten Sie mich, Bursche? Dieses Erlebnis lüftet noch einmal mit satanischem Gelächter die Fratze Europas! . . .

Ich will Ihrer schnüffelnden Neugierde die Antwort geben! Heute nacht besteige ich den Dampfer nach Rio de Janeiro! Ich kehre Ihrem Land den zernarbten Rücken! Sühlen Sie sich weiter im Morast Ihres gepriesenen Fortschritts! Ich habe den großen Strich gezogen! Mich ekelt vor diesem Land, das dem

Untergang seinen klaffenden Schoß gegen Goldmark feilbietet und an Sintflutorgien geil sich kuppelt.

Urwald, wie meine Seele inbrünstig dich erwartet! Siedlung ... Farm ... Acker ... Bauer wieder – verbrüdert tiefer jedem Moskito als dem Menschengeschmeiß von Europas Kultur!

Sühlen Sie sich weiter, Mann! Rüsseln Sie den Geruch ungelüfteter Schlafzimmer! Filtrieren Sie ihn auf Flaschen Ihrer schäbigen Beredsamkeit, und lassen Sie sich dafür in Devisen bezahlen!

Mein letztes Goldstück Ihnen – ekelhafte Europäer! O Urwald ... o Erde ...

*(Fremder Herr verläßt den Laden.)*

WOTAN *(allein)*: Falschmünzer ... Oder Narr ... Oder Abonnent in Krauses Lesezirkel exotischer Romane ... Kam *doch* von Meier junior! *(Gähnt. Dreht das Polsterkissen auf dem Stuhl vorm Spiegel um. Nimmt ein Buch.)* O Urwald ... o Erde ... *(liest.)* ...

MARIECHEN *(hereinstürzend)*: Wilhelm!

WOTAN: Wilhelm Dietrich!

MARIECHEN: Nun ja, Wilhelm Dietrich.

WOTAN: Du siehst, ich lese.

MARIECHEN: Um 8 Uhr: Ich lese. Um 9 Uhr: Ich lese. Den ganzen Tag: Ich lese. Und auch die ganze Nacht: Ich lese.

WOTAN *(laut lesend)*: »Emilie, steilte sich sein Schrei, rasender Quinten voll, in azurene Nacht! Emilie! Dirne du! Maria du! Aphrodite du!« Seine Mannheit riß sich hoch zu Gott ... »Emilie!« ... Blutiges Messer psalmte: »In Ewigkeit« und choralte: »Amen« –

MARIECHEN: Wotan, mach mich nicht unglücklich. Jeden Pfennig zu Krause! Was sollen dir Romane! Romane schreiben Leute, die ehrlich Handwerk scheuen ... Wilhelm, erzähl! Dein Gesicht verrät mir ... Wieviel Dutzend bestellte Meier für die Hurenmenscher?

WOTAN: Mein Ehrenwort gab ich als Pfand.

MARIECHEN: Aber meine Ehre gab ich dir ohne Pfand. Unbefleckt verließ ich vor dreizehn Jahren ...

WOTAN: Schweig! Ich ahne, was Unsittliches sich entblößen will!

MARIECHEN: Wie du mir vorkommst ...

WOTAN: O Urwald! ... O Erde! ...

MARIECHEN *(gekränkt, schnippisch)*: Meinetwegen ... Gib mir den Verdienst.

WOTAN *(läßt schnell das Geldstück verschwinden)*: Welchen?

MARIECHEN: Des Tages, der Woche!

WOTAN: Ein Kunde.

MARIECHEN: Der aber zahlte.

WOTAN: Vergaß es.

MARIECHEN: Der Mann bringt mich ins Grab!

WOTAN: Mariechen ...

MARIECHEN *(weinend)*: Ach du ... siehst nicht, wie mir die Hände zittern vor Mattigkeit. Glaubst, der Bäcker leiht mir noch? Oder der Fleischer? Heute früh drohte der Hauswirt mit dem Gerichtsvollzieher: Zahlen wir nicht die Miete, müssen wir ziehen zum ersten ...

WOTAN: Ich weiß. Europa stinkt.

MARIECHEN: Der Stadtrat meint, Kanalisierung käme zu teuer.

*(Tür wird aufgerissen. Man erblickt eine Hand, die Zeitung fallen läßt.)*

STIMME: Morgenpost!

WOTAN *(nimmt die Zeitung auf, liest)*: Dollar ... Dollar ... Aktien ... Dividende ... Gründung einer Aktiengesellschaft ... Gründung einer Kommanditgesellschaft. Gründung einer Genossenschaft. Ausbeutung von Goldminen in Kanada. Und wieder Gründung ... Aha! Am 15. verläßt der Auswandererdampfer Hamburg. Der Herr von Meier junior bestätigt sich. O Urwald ... O Erde ... Weib, Europa zieht über den Ozean.

MARIECHEN: Was nützt es mich.

WOTAN *(jäh)*: Ein Licht leuchtet auf in Not und Neid und Nacht.

MARIECHEN: Und verlöscht. Und verlöscht.

WOTAN: Ein Mann hieß Noah! Ein andrer wird Wotan heißen!

MARIECHEN: Treib keinen Spott mit Gottes Wort.

WOTAN: Auf! Die Arche öffnet ihre Tore.

MARIECHEN: Den Gerichtsvollzieher schickt er uns auf den Hals!

WOTAN: Nach uns die Sintflut!

MARIECHEN: Der Teufel den Krause!

WOTAN: Rettung ballt sich! Gnade choralt! Wir wandern aus!

MARIECHEN: Eher Scheidung!

WOTAN: Der edle Mensch hat nichts mehr zu suchen in Europa! Der Schuft gedeiht hier, der Heuchler setzt Speck an, der Schieber polstert den Hintern mit französischen Schinken! Frauen bekleiden die lustseuchezerfressenen Beine mit seidenen Unterhosen . . . Mariechen, in Europa wohnt kein Gott nicht mehr.

MARIECHEN: Schön hast du das gesagt, Wilhelm.

WOTAN: Pack ein, Mariechen, der Tag geht zur Neige.

MARIECHEN: Woher aber, Wilhelm, das Geld für den Dampfer?

WOTAN: Pah, das Geld! Das Geld! Ich heiße Wilhelm Dietrich Wotan.

MARIECHEN: Ach, Wilhelm, du kennst die schlechten Menschen.

WOTAN: Wenn ein Mensch wie Wotan auswandert, wandert er nicht allein aus. Alle gründen! Warum soll ich beiseite stehen! Auch ich gründe. Eine Auswanderer-Kommanditgesellschaft! Eine Auswanderer-Aktiengesellschaft! Eine Auswanderer-Genossenschaft! Genossenschaft, *(den Ton nach Weintrinkerart schmeckend.)* ein Melos, wie Wiener Walzer! Mariechen, man wird mich bestürmen! Schon um des Melos willen! Tausende werden Aufnahme in meine Arche heischen! Ich kenne meine Mission!

MARIECHEN: Es wird uns keiner begleiten. Denk an deine Erfindungen!

WOTAN: Auf dem Patentamt unterschlagen!

MARIECHEN: An deine Gedichte!

WOTAN: Von Redakteuren verfälscht und gestohlen!

MARIECHEN: An deine Denkmalpläne!

WOTAN: Wohin du blickst, Wotans Ideen!

MARIECHEN: An dein Buch gegen die sieben Welträtsel!

WOTAN: Wann je ließ Wissenschaft den schlichten Mann aufkommen?

MARIECHEN: An deinen Trank gegen den Tod!

WOTAN: Die Polizei von Pfuschärzten gegen mich gehetzt!

MARIECHEN: Und jetzt? Wird man nicht wieder dich verfolgen?

WOTAN: Warum haben sie mich verfolgt? Mich haben sie um die Ideen bestohlen! Mich denunziert! Gegen mich intrigiert! Mich kartätscht! Mich gemäht, mich gesichelt, mich gefällt! Wie eine germanische Eiche mich ruchlos gefällt ... Um meine Ideen auszubeuten! Wie sie meine Erfindungen ausbeuteten! Wie sie alles ausbeuteten, mit teuflischer Hinterlist ausbeuteten, was meinem Schöpferschoß göttlich sich entrang! Die Juden stecken dahinter! Die dreihundert Weisen von Zion! Ich hätte europäische Mission, ich hätte eine Weltmission erfüllt – sie werden das Judenjoch pfeilern! Sie werden ihre krummen Nasen mit Gold umpanzern! Sie werden das blauäugige Heldenweib in ihr schmutziges Bett zerren! ... Schweig, o schweig, Weib! Du rührest an: die dunkelste Schmach der Menschheit! Begraben! In meiner Seele begraben! Nie, nie mehr ein Wort davon! Wenn du meiner Treue würdig bleiben willst, Weib!

MARIECHEN: Wird mans nicht machen wie früher? Hats dich nicht genug Geld gekostet?

WOTAN: Früher! Was geht mich früher an! Gestern Tod, heute Geburt. Der edle Mensch gebiert sich jeden Tag! Der edle Mensch löst nie sich von des Gottes Nabelschnur ... Wer kennt mich in dieser Stadt! Die drei Kunden, die kamen, seit wir hier wohnen? Alle drei – Fremde!

MARIECHEN: Wen wird Auswanderung locken?

WOTAN: Alle! Alle! Alle sag ich dir. Jeder Bürgersmann will dem Untergang entrinnen. Jeder Bürgersmann der Sintflut! Jeder Bürgersmann erschrickt vor der nächsten Stunde! Jedem Bürgersmann ward das Leben zum Alp! Alle werden sie mitkommen, die vom Zeitensturm aus dem Nest geworfen, verstoßen und verjagt wurden. Dem Offizier stiehlt man sein Recht auf Krieg. In Brasilien kann er Krieg führen gegen Eingeborene nach Herzenslust! Dem Rentner sein Recht auf Golddividende. Wo bekommt er sie? In Brasilien. Dem Beamten stiehlt man Titel und Orden. Dem Adel Ministerposten. Ehrwürdigen Jungfrauen die Judenmission. Der Jugend, der Jugend: Soldatenspiel und Heldenverehrung und Räuberlust. Ich werde Europa retten in Brasilien!

MARIECHEN: Wenn sie aber doch . . . wenn die Regierung . . . die Polizei . . . die Herren verbieten, wenn . . .

WOTAN: Sie werden sich hüten! Ich lege den Finger an ihre wundeste Stelle! Was haben sie getan! Phrasen geklingelt und Taten getatet und Blut verspritzt, daß Gott erbarm! Und wohin haben sie uns geführt? Ich sage dir, Weib, ein Otterngezücht hat uns in Irrnis und Wirrnis, in Chaos und Wüste geleitet. Den Wanst sich vollgefressen, mit obdachlosen Prinzessinnen gehurt und den Hungerfurz uns blasen lehren. Mariechen, schweig und glaube! So kann es nicht mehr weitergehn! Der Mob hat versagt, der schlichte Frisör, er wird Europa retten . . .

MARIECHEN: Wie anfangen, Wilhelm?

WOTAN: Es muß etwas geschehn!

MARIECHEN: Was?

WOTAN: Des starken Mannes Anfang: Tat!

MARIECHEN: Wir verkaufen unsre Habe?

WOTAN: Wir brücken die Brücke!

MARIECHEN: Übers Meer?

WOTAN: Über den Abgrund!

MARIECHEN: Zwischendeck?

WOTAN: Passagiere ins Paradies!

MARIECHEN: Ach! Du folterst mich!

261

WOTAN: Was willst du wissen?

MARIECHEN: Wie dus anfängst!

WOTAN: Mein Plan aufsteilt sich grenzenlos!

MARIECHEN: Erzähl!

WOTAN: Ich schreibe an die brasilianische Regierung! Ich lasse mir einen Urwald zur Rodung übergeben! Ich gründe eine Farm! Ich gründe ein Farmerdorf! Ich gründe eine Farmerprovinz! Ich werbe an: alle, die es ernst meinen! Die Europa den narbigen Rücken kehren wollen! Heute noch setze ich ein Inserat in die Zeitung! Ich lasse Plakate drucken! Ich halte Versammlungen ab! Ich werde sprechen! Ich werde reden! Ich werde berauschen! Die Herzen aufspalten! Ich werde siegen!

MARIECHEN: Aber wenn du den Urwald nicht bekommst?

WOTAN: Nicht bekommst! Der Urwald mir so gut wie sicher! Ich kann treuen Gewissens sagen: Ich besitze den Urwald schon! Die brasilianische Regierung wird ihre Arme öffnen in jubelnder Ekstase: Willkommen, teutscher Pionier! . . . Alles scheitert daran, daß man nicht gleich beginnt. Noch heute beginne ich! In diesem Laden eröffne ich das Büro der Genossenschaft für brasilianische Auswanderer! − Es ist eröffnet. − Mariechen, bittest du um Aufnahme? Entscheide dich!

MARIECHEN: Wie Gott will, Wilhelm. *(Küßt Wotan.)* . . .

*(Ein Kunde, junger Arbeiter, betritt den Laden.)*

JUNGER ARBEITER: Entschuldigen, wenn ich störe. Bitte, ein Stück Seife.

WOTAN: Seife! Seife! Was habe ich mit Seife zu schaffen! Ich habe eine Mission zu erfüllen!

Europa geht unter, da will er Seife! Junger Mann, auf dem Leichenfeld Europas fordern Sie Seife!

JUNGER ARBEITER: Leichenfeld?

WOTAN: Europa!

JUNGER ARBEITER: Was liegt an *Eurem* Europa! Jedes Leichenfeld wird Brachfeld. Zum Brachfeld kommt der Pflüger . . . Na, will mir woanders Seife kaufen.

*(Junger Arbeiter geht.)*

WOTAN: O armes verhetztes Volk! Mariechen, der Zeiger

steht auf Mitternacht. *(Küßt Mariechen.*

*Zwei Kunden, von Wolfblitz und Schleim, betreten den Laden.)*

VON WOLFBLITZ: Hm . . .

SCHLEIM: Pardong . . .

WOTAN: Treten Sie ein, meine Herren!

SCHLEIM: Haarschneiden nach Offiziersart.

VON WOLFBLITZ: Bart stutzen.

WOTAN *(dabei seinem hängenden Schnurrbart die »Es ist erreicht«-Fasson gebend)*: Es hat sich ausgestutzt! Jawohl, meine Herren! Mörsern Sie nicht Granatlöcher in die milde Frühlingsluft! Seit heute früh befindet sich hier das Büro der Genossenschaft brasilianischer Auswanderer. Mir, Wilhelm Dietrich Wotan, ward übertragen von der hohen brasilianischen Regierung ein gewaltiger Urwald samt Holz, Getier und Pflanzenwelt! Wollen Sie sich einzeichnen, meine Herren? Mariechen, gib die Liste!

MARIECHEN: Jetzt, wo Kunden kommen?

*(Mariechen geht betreten ab. Wotan folgt ihr.)*

VON WOLFBLITZ: Urwald . . . gut!

SCHLEIM: Ihnen gesagt, der Urwald! Meschugge!

VON WOLFBLITZ: Zum nächsten.

*(Schleim und von Wolfblitz gehen.)*

WOTAN *(zurückkommend)*: Die Liste! . . . *(bemerkt, daß die Kunden davon.)* Davongepirscht! Tut nichts. *(Lauschend.)* Ich höre immer Drosseln schlagen.

MARIECHEN *(hinter der Bühne)*: Die Hühner gackern.

VON WOLFBLITZ *(hastig eintretend, sich scheu umsehend)*: Sagen, Herr Wotan, wirklich wahr, das mit der Genossenschaft?

WOTAN: Log je mein männlicher Mund?

VON WOLFBLITZ: Von Wolfblitz mein Name, Leutnant a. D. im königlichen Leibpionierregiment.

WOTAN: Ausgezeichnet! Kommen wie gerufen. Können wir gerade gebrauchen. Sie müssen nämlich verstehen, daß mir nur mit Fachmännern gedient wird. Ich gründe eine Genossenschaft von Fachmännern. Ihnen übertrage ich den pionierlichen Vorbruch, das Pionierministerium, Einbruch in Gefilde keuscher Erde, symbolisch gesprochen. *(Reicht ihm die Liste.)* ...

VON WOLFBLITZ: Gestatten ... eigentlich nur Auskunft gewollt ...

WOTAN: Gestatte alles. Schreiben Sie nur ruhig. Ich drehe mich um. Wenn Beäugen Sie stört ... Nicht jeder Jünger der Schreibkunst absolvierte mit Erfolg ... Machen Sie ruhig drei Kreuze. Mit dem Schreiben haperts auch bei mir. Tut nichts. Bald liegt Europas Bildungsdünkel hinter uns.

VON WOLFBLITZ *(zeichnet sich ein)*: Nun denn: Vorwärts!

WOTAN: Männerfaust schlägt ein in Männerfaust! Das Weitere durch den Mund der Presse!

VON WOLFBLITZ: Habe die Ehre, Herr ... Herr Urwaldinspektor.

WOTAN *(bescheiden abwehrend)*: Nur Genossenschaftsdirektor, bitte.

VON WOLFBLITZ *(schlägt Hacken zusammen)*: Herr Direktor.

WOTAN *(verbeugt sich.)* ...

VON WOLFBLITZ *(geht, nicht ohne an der Tür noch einmal Hacken zusammenzuschlagen)*: ...

WOTAN *(in die Küche rufend)*: Mariechen, der erste!
*(Schleim tritt ein.)*

SCHLEIM: Zu mir können Sie ja reden, Herr Wotan.

WOTAN: Jedem, der es ernst meint, öffnet sich mein Mund.

SCHLEIM: Viel wird Ihnen das auch nicht einbringen.

WOTAN: Das Heil der Seele.

SCHLEIM: Davon abgesehen?

WOTAN: Ich bedarf irdischer Titel und Würden nicht mehr.

SCHLEIM: Respekt! ... Unter uns. Herr Wotan, wie hoch ziffert das Gründungskapital?

WOTAN: Die Welt gibt mir Kredit.

SCHLEIM: Wer bürgt?

WOTAN: Ich.

SCHLEIM: Das läßt sich hören. Wer sonst?

WOTAN: Die . . . brasilianische Regierung . . . das . . . brasilianische Konsulat . . . Stinnes . . .

SCHLEIM: Wer lebt, wird sehen. Entschuldigen Sie, Herr Wotan: Der einfache Mann sieht gerne, nehmen Sie mirs nicht übel, Unterlagen in bar.

WOTAN: Ja, Verehrtester, glauben Sie, ich gründe auf Wechsel? Ein Wotan tut das nicht. Der brasilianische Bundesrat eröffnete mir einen Bankvorschuß von . . . hundert Millionen! . . . *(zieht das Goldstück aus der Tasche.)* In Gold!

SCHLEIM *(betrachtet es)*: Es sollen Wunder geschehen in der Welt. Warum nicht Sie! Meier und Sohn fingen in Lumpen an. Ich danke Ihnen, Herr Wotan. Ich bin überzeugt. – Sie werden mich nicht für aufdringlich halten: Wenn Sie einen Geschäftsführer brauchen? Ich weise prima Referenzen vor. Lehrzeit bei Schulz & Co. Drei Jahre Reisender in diskreten Artikeln. Vier Jahre Prokurist bei erstklassigen Verlegern. Von zehn Dichtern immer fünf an Hungerschwindsucht, vier im Irrenhaus gestorben. Einer starb normal. Unser Verlag hat sich dennoch rentiert.

WOTAN: Bei wirklichen Verlegern?

SCHLEIM: Die Revolution haben wir verlegt. Alle Sünden wider das Blut haben wir verlegt. Den teutschen Geist haben wir verlegt. Wir haben eine Sendung erfüllt. Wir haben unsere Kasse gefüllt.

WOTAN: Ihre Abstammung?

SCHLEIM: Was fragen Sie mich nach meiner Abstammung! Fragen Sie mich nach meiner Gesinnung! . . . Meine Mutter war Germanin.

WOTAN: Und Ihr Vater? Ich muß meine Hände rein halten.

SCHLEIM: Die Gesinnung entscheidet! Was kann ich für meinen Vater!

WOTAN: Er lebt noch?

SCHLEIM: Ich verkehre nicht mit Judenzern. Ich fühle mich als Arier.

WOTAN: Sind Sie völkisch organisiert?

SCHLEIM: Manne des Bundes Teutobold. Ich habe die Fehme geleitet.

WOTAN: Herrlich! Zeichnen Sie sich ein. Sie können sich als engagiert betrachten.

SCHLEIM: Zu gütig ... Herr Wotan, einem verheirateten Mann werden Sies nicht verweigern: Darf ich um einen kleinen Vorschuß bitten?

WOTAN: Aber, mein Lieber, versteht sich von selbst. Daran hätten Sie mich nicht zu erinnern brauchen. *(Mit großer Geste.)* Voilà: zwanzig Goldmark, pränumerando!

SCHLEIM: Nobel! Nobel! sag ich!

*(Mariechen tritt ein.)*

WOTAN: Herr ... wie heißen Sie schnell, Herr?

SCHLEIM: Schleim, zu dienen.

WOTAN: Herr Schleim, unser neuer Geschäftsführer.

MARIECHEN *(macht einen Knix)*: ...

SCHLEIM: Ist mir ein Vergnügen.

*(von Wolfblitz tritt ein.)*

VON WOLFBLITZ: Gestatten ... *(bemerkt Schleim, räuspert sich.)* ...

WOTAN: Reden Sie nur! Herr Schleim, der neue Geschäftsführer.

VON WOLFBLITZ *(steife Verbeugung)*: ...

SCHLEIM *(süßlich)*: Ich dachte, heimgegangen.

VON WOLFBLITZ: Gestatten ... wollte nur ... wollte nur ... Ausweis ... Patent meiner Bestallung ...

WOTAN: Wenn Ihnen einer ohne Stempel genügt. Der Stempel wird von ... von der brasilianischen Regierung beglaubigt.

VON WOLFBLITZ: Genügt vollkommen.

WOTAN *(zu Mariechen)*: Nämlich der Leiter unseres exotischen Pionierparks.

VON WOLFBLITZ: Ehrt mich, gnädige Frau.

MARIECHEN *(knixt tief)*: ...

SCHLEIM: Herr Wotan, Sie werden in mir Ihren treuesten Diener finden. Ich bin firm auf Arrangements.

WOTAN: Auf Organisation?

SCHLEIM: Auf alle menschlichen Prothesen. Auf Zeitungsinserate, Plakate, öffentliche Meinung, Saalmiete, geneigte Presse, Staat. Lassen Sie mich nur machen. Ich bin firm. Ich habe ein Ethos. Ich bin Ihr Mann.

WOTAN: Glänzend! Auf Wiedersehen, meine Herren. Ich erwarte Sie morgen früh um acht Uhr.

*(von Wolfblitz und Schleim gehen.)*

MARIECHEN *(schluchzend)*: Wotan, mir schwant Schlimmes.

WOTAN: O über die Kleingläubigkeit der Röcke! Trägst du seidene Unterhöschen oder gediegene Hosen aus Barchent? Wenn Männer wie Wolfblitz, königlicher Oberleutnant a. D., und Schleim, Oberprokurist der größten Verleger Deutschlands, sich mir zur Verfügung stellen? Ha?

MARIECHEN: Wenn so feine Herren. Dann muß es wohl keine Schande bringen.

WOTAN: Schande? Ehre! Würden! Titel! Ruhm!!! – Richte das Abendbrot, meine Liebe.

MARIECHEN: Pellkartoffeln und Kunsthonig.

WOTAN: Tut nichts. Farmern wir erst drüben in Brasilien, gibts die delikatesten Dinge. Zum Beispiel als Vorspeise: Alligatorensuppe.

MARIECHEN: Auf was du alles kommst!

WOTAN: Walfischkoteletts.

MARIECHEN: Nein, Wilhelm!

WOTAN: Büffelfilet.

MARIECHEN *(selig)*: Bananen!

WOTAN: Fürs Gesinde! Für uns: Ananas mit Schlagrahm!

MARIECHEN: Wilhelm!

WOTAN: Mariechen! ... *(Küßt sie. Dann mit gewaltigem Bardenpathos.)* Frisches Linnen aufs Bett!

MARIECHEN: Im alten schliefen wir kaum sechs Wochen.

WOTAN: Knausere nicht, Mariechen. Nicht mehr kommt dir das zu. Erhabener Zweck erfordert erhabene Mittel.

MARIECHEN: Sag nur warum!

WOTAN: Frisches Linnen! Ein reines Jägerhemd! Ich strotze

267

vor Mannheit! Mein Blut rast auf! Ich blühe! Lösch die Lampe im Schlafzimmer! Ich gedenke in dieser Nacht einen jungen Wotan zu zeugen!

*(Vorhang.)*

# Andante

Ankleidezimmer
*(Wotan – in Unterhosen, in Mitte des Zimmers. Wotans behaarte Brust nackt. Auf dem Tisch liegt ein Gehrockanzug und ein indischer grauseidener Kittel. Herein stürzt von Wolfblitz.)*

VON WOLFBLITZ: Gab Befehl, Türen zu! Es keilen sich erregte Massen. Hunderte finden keinen Einlaß!

WOTAN *(Geste)*: . . .

*(Herein Schleim.)*

SCHLEIM: Was hab ich Ihnen gesagt, Herr Wotan? Arrangieren wir drei Parallelversammlungen. Nein, Sie müssen sich mit einer begnügen. Wenn Schleim rät, lassen Sie ihn handeln! Glauben Sie, ich mach verlorene Sachen?

WOTAN *(Geste)*: . . .

VON WOLFBLITZ: Fabelhafte Entdeckung! Unter Zuhörern mein früherer Korpskommandant. Ergebene Gratulation, Herr Direktor.

SCHLEIM: Auch ein Grund zur Gratulation! Aufsichtsrat verkrachtester Aktiengesellschaft pfeift heute auf ausgediente Generäle. Sie sind unmodern, Herr von Wolfblitz. Sie verstehen die Sehnsucht dieser Zeit nicht. Einem älteren Mann werden Sie erlauben das auszusprechen.

VON WOLFBLITZ *(Verbeugung)*: . . .

SCHLEIM: Nur kaltes Blut, Herr Wotan! Arrangement klappt! Im rechten Moment belegte Brötchen, auf dem Steilpunkt der Ekstase Militärkapelle . . . Aber was seh ich, Herr Wotan! Noch in Unterhosen! Der Mann am Vorhang wartet auf Order Klingelzeichen!

*(Es klopft. Die Tür wird zaghaft geöffnet.)*

MARIECHEN *(weinerlich)*: Wilhelm!

WOTAN *(Geste)*: . . .

SCHLEIM: Nein, Frau Direktor, die Situation erlaubt kein Manifest ehelicher Gefühle.

VON WOLFBLITZ: Gnädigste Frau, Ihr Mann im tiefsten Negligé ...

MARIECHEN *(sehnsüchtig)*: Wilhelm!

*(Schleim schließt die Tür.)*

SCHLEIM: Herr von Wolfblitz, wenn Sie schon in Ihrem gewohnten Ressort versagen!

VON WOLFBLITZ: Mein Auftrag: Tadelloser Gehrock binnen 24 Stunden. Gehrock pünktlich da. Und was mit ihm? Dieser grauseidene Fuhrmannskittel!

SCHLEIM: Von mir bestellt, Herr von Wolfblitz. Ich merke wiederum: Sie verstehen die Sehnsucht dieser Zeit nicht. Was soll ihr das Gewand eines Offiziers a. D.

VON WOLFBLITZ: Ich dachte an Mussolini.

SCHLEIM: Rabindranath Tagore erhielt den Nobelpreis. Hunderttausend schwedische Kronen! Ihnen gesagt, Herr von Wolfblitz!

VON WOLFBLITZ: In schwarzer Würde des Gehrocks birgt sich der geborene Herr.

SCHLEIM: Die Seele betet zu indischen Nouveautés.

*(Vom Saal her steigendes Getöse der Zuhörermassen.)*

SCHLEIM: Hören Sie? Hören Sie? Man darf Erwartung nicht für eine Balletttänzerin halten! Erwartung, die länger als Minuten Pirouetten wirbelt, überschlägt sich. Und der Effekt: lahme Handgelenke!

VON WOLFBLITZ: Herr Direktor Wotan soll entscheiden.

SCHLEIM *(geringschätzig)*: Ihnen ähnlich! Machen wir ein Kompromiß. Ihr Korpsgeneral will den Diktator, die Seele der Frauen will Exotisches. Herr Wotan soll sich gestreifte Hosen, Gehrockweste und gebügelte Wäsche anziehen, darüber aber soll er den indischen Kaftan werfen. Einverstanden, Herr Wotan? Reden Sie! Jehova hat im brennenden Dornbusch gesprochen.

WOTAN: Meine Herren, lassen Sie mich zurücktreten ins Dunkel ... Meine Herren, ich bin krank ...

VON WOLFBLITZ: Herr Direktor!

SCHLEIM: Ins Licht, Herr Wotan! Im Licht der Welt gesundet das Genie!

270

WOTAN: Meine Herren . . . ein Göttliches . . . die Stunde versagt sich mir . . .

SCHLEIM: Vorgesorgt! In meinem Arrangement auch für Menschliches vorgesorgt. Dort zweites Paar Unterhosen. Non olet!

*(Schleim zwingt Wotan, sich anzuziehen. Getöse lauter.)*

WOTAN *(sich anziehend):* O Urwald! O Erde!

*(Wotan, Schleim und von Wolfblitz ab.*

*Mariechen kommt. Kuschelt sich in eine Ecke.*

*Wortfetzen dringen herein . . .*

*Bühne wandelt sich in Landschaft vor Urwald.*

*Das folgende Bild muß wie ein Moritat-Traumspuk, von Leierkastenmusik bedudelt, vorbeigleiten. Möglichst als Film.*

*Wotan bestampft die Landschaft.*

*Angetan mit weißer Frisörjacke, Kürassierstiefeln und Tropenhelm. In der einen Hand mit Kreuz und Insignien der Frisörzunft [Becken und Roßschweif] geschmückte Kriegsflagge an mächtigem Schaft.*

*In der anderen Hand reckengewaltige Streitaxt.*

*Hinter Wotan Schleim im Priesterornat.*

*Wotan kniet vor Schleim nieder.*

*Schleim segnet Wotans Streitaxt.*

*Wotan erhebt sich sichtlich ergriffen.*

*Aus dem Urwald stürzen Eingeborene.*

*Trutzig bedräut sie Wotan mit geschwungener Streitaxt.*

*Eingeborene lassen beim Anblick Wotans des Helden zitternd gespannte Bogen fallen und werfen sich demütig vor ihm nieder.*

*Wotan setzt den Eingeborenen seinen Fuß auf den Nacken.*

*Eingeborene errichten rasch einen Thron.*

*Wotan pflanzt die Fahne in die Landschaft.*

*Präsentiert davor die Streitaxt.*

*Eingeborene, jetzt mit Ketten beladen, führen dunkelhäutige Jungfrauen herbei.*

*Wotan läßt sie, tätschelnd, sich malerisch gruppieren.*

*Winkt! . . . Majestätische Herrschergeste! . . .*

*Ein Photograph tritt in Aktion.*
*Tanz der Jungfrauen vor Wotan.*
*Es ertönt ein Klageruf Mariechens.)*
MARIECHEN: Wilhelm!
*(Bühne verfinstert sich. Sichtbar nur der Thron, auf dem ein Eingeborener, mit farbigen Federbüschen geziert, sitzt.*
*Wotan, jetzt mit Ketten beladen, steht dienernd vor ihm, schlägt Schaum, seift ihn ein.*
*Angstruf Mariechens.)*
MARIECHEN: Wotan! Wotan! . . .
*(Bühne wandelt sich, während Mariechen ruft, in Ankleide-zimmer. Mariechen, in die Ecke gekuschelt, lauscht . . .*
*Vom Saal her Bravorufe . . . Klatschen . . .*
*Gesang des Flottenliedes . . .*
*Bläserkapelle setzt begleitend ein . . .)*

*(Bühne verdunkelt sich.)*

\*

Hotelsalon
*(Eintreten Wotan, Schleim, von Wolfblitz, Bankier Karau-schen, Gräfin Gallig, General a. D. von Stahlfaust und andere.)*
SCHLEIM *(der von nun an bis zum 3. Akt Monokel trägt)*: Herr Hauptmann von Wolfblitz, die Honneurs bitte! Die Herrschaften, die Herrn Direktor Wotan privatissime spre-chen wollen, bitte ich in das nächste Zimmer. Im nächsten Zimmer dampfgewärmte Garderoben! Parfümierte Toiletten gleich rechts!
*(Im Zimmer bleiben Wotan und Schleim.)*
SCHLEIM *(zum Kellner)*: Sekt kaltstellen! En avant! Französi-scher! Pomery!
KELLNER: Sehr wohl!
SCHLEIM: Vater im Himmel! Welch ein Effekt! Welch eine Begeisterung! Welch eine blühende Begeisterung! Gerochen

hab ich Rosen und Nelken, Tulpen und Narzissen. Gar nicht gerechnet die künstlichen Gerüche. Kellner, lassen Sie die Droschke auskehren! In Körben die Begeisterung hierher! Das Zimmer soll blühen von Begeisterung! Was stehen Sie, was fingern Sie! Glauben Sie, wir laufen Ihnen weg?

KELLNER: Pardon, das Mahl!

SCHLEIM: Extra Menü.

KELLNER: Wieviel Kouverts bitte? . . .

SCHLEIM: Nach Bedarf, mein Lieber. Los!

*(Kellner geht.)*

SCHLEIM *(zu Wotan)*: Der Gehrock für Sie! Jetzt Gehrock. Wie Ihnen die Kleidung stand! Diktator und Jesus in einer Person!

WOTAN *(auszieht indischen Kittel, anzieht Gehrock. Zögernd)*: Wer bestellte den Salon?

SCHLEIM: Sollen wir die Herrschaften im Frisörsalon empfangen? Sie müssen repräsentieren, Herr Wotan.

WOTAN: Man wird uns die Rechnung präsentieren.

SCHLEIM: Das Gold aus Brasilien!

WOTAN *(nach Pause)*: . . . Befriedigung alter Gläubiger . . .

SCHLEIM: Das Goldstück?

WOTAN: Mein letztes.

SCHLEIM: Ach so.

WOTAN: Herr! Ihr hinterhältiger Verdacht . . .

SCHLEIM: Leise, Herr Wotan! Keine Gemütsbewegung! Sie verkennen die Situation! Was liegt daran, ob Sie Goldkredit bekamen oder nicht! Dieser Abend hob Sie auf der Menschheit Höhen. Vorsitzender der europäischen Auswanderergenossenschaft. Jeder Kredit zu Ihrer Verfügung! Man wird sich glücklich schätzen, Ihnen Kredit zu geben. Ein Wort, und Herr Bankier Karauschen stellt Ihnen sein Scheckbuch zur Verfügung.

WOTAN *(beruhigter)*: . . . Ah . . . Schleim, welch ein Erfolg!

SCHLEIM: Karuso habense die Droschke ausgespannt. Vor Ihnen habense gekniet.

WOTAN: Ah . . . Sphärenmusik! Sphärenmusik! *(jäh, ängst-*

*lich.)* Also Sie glauben, Herr Schleim, die Genossenschaft ist gegründet?

SCHLEIM: Gegründet? Sie blüht! blüht! blüht! wächst! gedeiht!

WOTAN: Und ich bin der Vorsitzende?

SCHLEIM: Vom Vertrauen des Volkes erwählt. Hinter Ihnen die Massen!

WOTAN: Herr Schleim, brauchen wir nicht Genehmigung? Statuten? Polizeiliche Erlaubnis?

SCHLEIM: Jede Genossenschaft braucht Genehmigung vom Gericht.

WOTAN: . . . Fordert das Gericht Zeugnisse . . . Beweise . . .?

SCHLEIM: Ihr Brief vom brasilianischen Bundesrat genügt!

WOTAN: Ich glaube . . . verloren. Im brandenden Schicksalsge-schehen der letzten Tage . . . verloren . . .

SCHLEIM *(mißtrauisch werdend)*: Die Briefhülle?

WOTAN: Auch verloren. Mit verloren.

SCHLEIM *(immer mißtrauischer)*: Wenn keinen Brief vom bra-silianischen Bundesrat, so besitzen Sie vielleicht einen Brief vom Konsulat? . . . Es braucht keine Bestätigung zu sein. Angebot?

WOTAN: Meine Weltanschauung, niedere Amtspersonen aus-zuschalten.

SCHLEIM: Aber Sie werden doch irgendein Schreiben haben! Von einem Verwandten aus Brasilien?

WOTAN: Nein.

SCHLEIM: Von einem Agenten?

WOTAN: Es lag in meinem Plan . . .

SCHLEIM *(Wotan durchschauend)*: Einem Agenten zu schrei-ben! *(Wotan, der aufbrausen will, nicht zu Worte kommen lassend.)* Das erschwert! Das erschwert! Wir schaukeln überm Abgrund!

WOTAN: Sie wollen mich verlassen? Mich lächerlich machen vor der öffentlichen Meinung?

SCHLEIM: Ach, lächerlich machen. Wer kann sich in Deutsch-land lächerlich machen? Niemand. Das Volk hat keinen Instinkt für den Himmel, darum hat es keinen Instinkt für die Erde. Und es vergißt rasch.

WOTAN *(Geste)*: ... Nicht der Schein eines Beweises gegen mich!

SCHLEIM: Wir müssen den Schein eines Beweises für uns haben. Ich heiße Schleim. Wir bluffen! *(Klopft Wotan plump vertraulich auf die Schulter.)* Ohne Sorge, Wotanchen, Schleim hat schon brenzlichere Chosen parfümiert. Bluff, das Edelparfüm der bürgerlichen Welt. Wer daran riecht, niest Amen und öffnet das Portemonnaie.

WOTAN *(da Hoffnung ihn schwellt)*: Herr! Ihre Zweifel kränken meine Ehre. Wenn ein teutscher Mann sich verbürgt, ihm zueigen warte der Urwald, dann wartet er auf ihn! Mein Brief vom brasilianischen Bundesrat ...

SCHLEIM: Ver ... lo ... ren. Freilich: verloren. Steigen Sie nicht wieder zu Roß, Herr Wotan. Blücher soll vor der Schlacht bei Leipzig seinen Feldzugsplan verloren haben. Er hat trotzdem Napoleon besiegt. Wer wird uns etwas weigern? Wir sind ab heute eine Macht. Eine Realmacht! Vor Realmächten beugt man sich. Wir telegraphieren sofort ans brasilianische Konsulat. Der brasilianische Konsul wohnt in Deutschland, telegraphieren wir lieber an die Regierung, die wohnt in Brasilien.

WOTAN: Die brasilianische Regierung wird es sich zur Ehre anrechnen! Ich verbiete Ihnen mit subalternen Konsulatsstellen zu verhandeln. Drahten Sie sofort an die brasilianische Regierung! Drahten Sie dringend! Drahten Sie höflich! Drahten Sie wie ein Mann von Welt!

SCHLEIM: Ich disponiere.

WOTAN: O Schleim, in meinem Kopf ballen sich Ideen! Ich werde Pläne auftürmen für Brasilien, berauschende Pläne! Sie wissen doch, daß ich einmal Erfinder werden wollte. Ich hatte einen Zeppelin konstruiert, zehn Jahre vor Zeppelin! Ich hatte einen Fokker erahnt, zehn Jahre vor Fokker! Die Zeit verstand mich nicht.

SCHLEIM: Ab morgen, ab morgen, Herr Wotan, wird man Sie

verstehen, Realmächte versteht man immer, Erfolg ist eine Realmacht. Für alle! alle!! sage ich Ihnen. Jetzt Privataudienzen! Beherrschen Sie die Lage! Jeder wird Ihnen sein Herz ausschütten wollen. Lehren Sie mich nicht die Menschen kennen! Zur Gräfin Gallig sprechen Sie religiös! Zum Herrn Bankier Karauschen materiell! Zum General Stahlfaust markig! Zum Gefängnisaufseher wie ein Mann aus dem Volke! Bevor schlichtes Volk kommt, ziehen Sie die geflickte Jacke hier an. Sie verstehen! Wo Sie keine Antwort wissen, schweigen Sie. Machen Gesten! Da rede ich. Das Wichtigste: Zuhören! Hören Sie gut zu, und jeder glaubt, er habe den ersten Menschen gefunden, der ihn verstand. – Jetzt religiös! Ich rufe. Herr von Wolfblitz, Herr Direktor bittet die Gräfin von Gallig.
*(Eintritt Gräfin Gallig.)*
GRÄFIN GALLIG: Mein großer Bruder!
WOTAN *(sehr sanft)*: Schwester.
GRÄFIN GALLIG: Jesaia sprach: Ich bin satt der Brandopfer von Widdern und des Fetten vom Gemästeten und habe keine Lust am Blute der Farren und Böcke . . . Großer Bruder, Vorträge vernahm ich und Reden sonder Zahl. Heute aber fand ich den Menschen! Den Menschheitsmenschen! Den Gottesmenschen! Den Opferer! Den Heiland! Gott selber bricht ein in Menschenwelt. Das große Ich strahlt auf am Firmament! O nehmen Sie mich auf in Ihren Bund!
WOTAN *(ganz Friseur)*: Sie sind aufgenommen, mein schönes Fräulein. Ich bin sehr eingenommen, mein schönes Fräulein.
SCHLEIM *(hinter Wotan)*: Religiös! Religiös, Herr Wotan!
WOTAN *(schwitzend)*: Du bist aufgenommen in den Bund der brasilianischen Pilger, Schwester.
GRÄFIN GALLIG *(hinausgehend)*: O Prophet! O Heiland!
SCHLEIM: Sie übertrafen sich selbst, Herr Wotan! Was soll ich Ihnen sagen vor Rührung . . . Herr von Wolfblitz, Herr Direktor bittet Herrn General von Stahlfaust! . . . Jetzt markig!
*(Eintritt General von Stahlfaust.)*
GENERAL VON STAHLFAUST: Von Stahlfaust, Korpsgeneral a. D.

WOTAN *(verbeugt sich.)*

GENERAL VON STAHLFAUST: Meine Hochachtung! Ein Mann!
Ein ganzer Mann! Wir brauchen Männer! Auch im Urwald
brauchen wir Männer. Auch im Urwald Ruhe und Ordnung!
Bitte ergebenst mich als schlichtes Mitglied der Genossenschaft aufzunehmen! Als schlichtes Mitglied! Brauche es nicht
zu betonen, denn was bin ich noch! Früher standen Regimenter vor mir stramm, heute verhöhnt mich jeder Bube. Gott hat
es gewollt. Alter Soldat darf nicht klagen. Nur eine Frage:
Anerkennen Sie Prinzip Gehorsam?

WOTAN *(ganz Friseur)*: Zu dienen, Herr General! Ergebenst zu
dienen, Herr General!

SCHLEIM: Mehr Herrscher, Herr Wotan!

WOTAN *(Geste)*: . . .

SCHLEIM *(bellend)*: Herr Wotan meint, unser Volk . . . zugrunde! . . . weil Gehorsam verlernte! statt bewährten Füh-
rern gehorchen!

GENERAL VON STAHLFAUST: Bravo! Mein Vertrauen! Verlange
vom Mann meines Vertrauens eiserne Faust! Keinem darf er
Rechenschaft schulden für Tun und Treiben! Keinem Komitee! Keinem Parlament! Keinem Paragraphen! Verräter an La-
ternenpfahl! Diktator! Neues Geschlecht in Urwäldern Brasiliens! Soldatische Zucht! Und Haß! Urwald – Diktator!

SCHLEIM *(hinter Wotan)*: Schlußeffekt! Denken Sie an Cäsar!

WOTAN *(zögert. Geste)*: . . .

SCHLEIM *(bellend)*: Herr Direktor Wotan duldet keinen Widerspruch!

GENERAL VON STAHLFAUST: Zu Befehl! *(Entreißt seiner ge-
schwellten Brust eine Brieftasche.)* Mein Sparkonto Ihnen!
*(General von Stahlfaust geht.)*

SCHLEIM *(geringschätzig)*: Sparkonto! Schätzen wir hundert
Mille. Schlechte Papiere. Trotzdem verbucht . . . Herr Bankier
Karauschen! Materiell, Herr Wotan! Materiell! Stellen Sie
sich vor, Gott gebe Ihnen Order, per sofort die Mauern Jeri-
chos umzublasen.

*(Bankier Karauschen tritt ein.)*

BANKIER KARAUSCHEN: Wenn ich Ihre kostbare Zeit in Anspruch zu nehmen mir erlaube ... Das Interesse an Ihrer jungen Unternehmung ... Ihr Geschäftsführer glaubte, es könnten Verbindungen ...

WOTAN: Wenn Sie mir einen kleinen Vorschuß ...

SCHLEIM: Herr Wotan meint, ob der angekündigte Goldvorschuß der brasilianischen Regierung bei Ihnen deponiert werden könnte ... sowie der Vorschuß eintrifft?

WOTAN: Schon seit Monaten erwarte ich das Gold.

BANKIER KARAUSCHEN: Ehrt mich. Ich bin ein Kaufmann, Herr Wotan. Ein nüchterner jüdischer Kaufmann.

WOTAN: Bitte! Juden grundsätzlich ...

SCHLEIM *(leise zu Wotan, hastig)*: Sie dienen der Zukunft! Alle Mittel sind erlaubt! Wir brauchen Geld!

WOTAN: Furchtbar! ... Der erste Jude, den ich kennenlerne. Und gleich der erste mein Verbündeter? Unfaßlich!

BANKIER KARAUSCHEN: Der Tag hat für mich zwei Seiten: Eine Debetseite, eine Kreditseite. Auf der Debetseite Ziffern, auf der Kreditseite Ziffern. Aber der Mensch lebt nicht allein von Ziffern. Der Mensch braucht einen Traum. Meiner heißt: Brasilien. Herr Wotan, lächeln Sie nicht über mich alten Mann. Als Knabe hat mein Herz sich verzehrt in Sehnsucht: Brasilien. Ich wollte durchbrennen. Mir fehlte der Elan. Anstatt aufs Schiff ging ich zu Markus Kompagnie und lernte Bank. Menschen wie ich wollen immer aufs Schiff und landen immer vor Ziffern. Meinen Traum hab ich für mich behalten. In einer Schublade liegt er verwahrt. Mein Heiligtum. Meine Reliquie ... Ich hab Sie sprechen hören, Herr Wotan. Mein Herz, obwohl ich an Fettsucht leide, aber nicht schlimm, meint der Arzt, wurde weit. In mir hat was geweint. Meine Jugend bei Markus Kompagnie hat geweint ... Vielleicht, daß ich mich doch noch aufschwinge und zu Ihnen rüber komme in einem Jahr ... in zwei Jahren ... Bis dahin mein Rat, meine Tat. Sie haben Ihren Traum, ich hab meine Ziffern. Verfügen Sie über meine Ziffern, ich erquick mich an Ihrem Traum.

WOTAN *(begeistert)*: Wahlverwandtschaft! Wahlverwandtschaft, Herr Bankier! Wahlverwandtschaft! Auch ich fühlte die höhere Berufung, auch ich wollte aufs Schiff und landete vorm Schaum . . .

SCHLEIM *(hinter Wotan)*: Reden Sie nicht! Ich flehe: Reden Sie nicht!

WOTAN *(verbeugt sich)*: Vorm Traum. Es hat mich gefreut, Herr Bankier.

BANKIER KARAUSCHEN *(hinausgehend zu Schleim)*: Ein gediegener Mann, der Herr Wotan, ein gediegener Mann.

SCHLEIM *(zu Wotan)*: Eine Perle, der Itzig! Eine Perle! Einen Stich hat er auch! Scheint an Religion zu leiden. Eine Goldgrube für uns, der Dreckjude!

WOTAN *(ehrlich entrüstet)*: Der Mann ein Ehrenmann, Herr Schleim! Ein Idealist! Eine Ausnahme unter den Juden! Den Mann würde ich gratis rasieren sein Leben lang!

SCHLEIM: Herr Wotan! Ihr Gefühl in Ehren! Realpolitik! Realpolitik! Gefühl muß schweigen, wo Zukunft uns verpflichtet.

VON WOLFBLITZ *(tritt ein)*: Schon vierunddreißig, die Herrn Direktor Wotan sprechen wollen.

SCHLEIM: Noch heute Nacht?

VON WOLFBLITZ: Sie dringen darauf.

SCHLEIM: Quatsch! Kredit haben wir. Sollen morgen in der Villa Wotan vorsprechen. Oder besser: Ich geh hinaus. Ich buche ihre Wünsche. Bei Ministern macht mans ebenso. *(Schleim hinaus.)*

VON WOLFBLITZ: Herr Direktor Wotan . . . gestatten . . . einem Begeisterten . . . Mit Ihnen an den Nordpol!!

WOTAN: Guter Mensch. Vorläufig nach Brasilien.

*(von Wolfblitz geht. Mariechen tritt ein.)*

WOTAN: Ma . . .

MARIECHEN *(legt Finger an den Mund. Bedeutet ihm zu schweigen. Nähert sich Wotan, greift nach seiner Hand, küßt sie)*: Großer du!

WOTAN *(gerührt, schweigt)*: . . .

*(Mariechen geht hinaus. Schleim hinein.)*

SCHLEIM: Was für eine Menge! Ich lese vor: Herr Assessor Biersimpel wünscht, daß keine Juden und Judenstämmlinge mitkommen. Herr Zuchthausaufseher Neuland beruft sich auf Referenzen. Frau Konsistorialrat von Schimmelmark fragt an, wann die Mission in Angriff genommen werde. Chemiker Gelbkreuz stellt seine Patente gegen Eingeborene zur Verfügung. Bordellbesitzerin Gretchen Nudel fragt, wie es mit den Kontrollmädchen stehe. Empfiehlt ihr Sortiment . . .

WOTAN: Der Erfolg bestätigt sich! Europa heftet sich an meine Fersen! Europa will sich drüben ein Stelldichein geben! . . . Herr Schleim, Europa mag in Europa zugrunde gehn! Europa wird in der neuen Welt auferstehen!

SCHLEIM: In Zukunft! Jetzt Realpolitik! Ich werde den Herrschaften mitteilen, daß Sie alle Fragen würdigen und beantworten werden. Sie mögen sich auf ein paar Tage gedulden.

*(Schleim geht hinaus. Man hört Gemurmel. Laute Stimmen. Schleim zurückkehrend, hinter ihm Menge.)*

SCHLEIM: Nicht meine Schuld! Die Herrschaften wollen den großen Mann aus der Nähe sehen.

*(Die Menge drängt sich bis zur Tür vor. Quodlibet gieriger Augen.)*

EIN WALLENDER OBERLEHRER VOLLBART: Unser großer Führer, unser hehrer Lichtbringer, unser Retter heil!

MENGE: Heil! Heil! Heil!

SCHLEIM *(zu Wotan)*: Zu Stuhl! Erhöht! Einige Worte! Dann Schluß! Brausend! Flammend! Wotanischer Furor!

WOTAN *(steigt auf den Stuhl)*: Freunde!

MENGE: Bravo! . . .

WOTAN: Keine Partei, kein Parlament, kein Programm, kein Kommunismus wird Europa retten! Wer den Mut hat zu erkennen, erkenne! Der Tapfere wird erkennen! Wahret eure heiligsten Güter! Wählet! Geburt oder Tod! Feiglinge bleibt in Europa! Helden auf! Mit mir! Nach Brasilien!

MENGE *(frenetischer Jubel)*: . . .

280

*(Schleim drängt sanft die Menge zurück. Schleim schließt die Tür.)*

WOTAN: Ah, welch ein Erfolg. Sphärenmusik! Sphärenmusik!

SCHLEIM: Jetzt Sekt! Mit oder ohne Weiber! Wie Sie wünschen!

WOTAN *(verzückt)*: Sphärenmusik! Sphärenmusik!

SCHLEIM: Herr Ober! Der Herr wünscht Musik! Exotische Kapelle! Es wird alles bezahlt!

*(Kellner bringt Sekt. Schenkt ein.*
*Man hört die Musik einer Jazzband spielen.)*

SCHLEIM: Auf daß wir Goldminen entdecken!

WOTAN: Entschuldigen Sie mich, Herr Schleim! Ich höre wahrhaftig Sphärenmusik. Hier drinnen spielen englische Kapellen. Und Sterne leuchten auf am Firmament . . . Pläne . . . Entwürfe . . . Ideen . . . Auch hier drinnen. Und der Urwald wächst. Und Leoparden gleiten durch die Dschungel. Herr Schleim, ich muß den Herzschlag der schweigenden Nacht hören. Ich fühle, wie ich begnadet bin. Wie ich berufen ward, der Welt das Heil zu bringen. Die Welt wird gelb und grün werden vor Neid!!!

*(Wotan stürzt hinaus.)*

*(Vorhang.)*

\*

Pause

*(In dieser Pause kann, damit das ergriffene Publikum seiner Rührung sich entschneuzt, ein Leierkasten traute Weisen und militärische Potpourris [Schlachtenmärsche, Fridericus Rex usw.] dudeln.)*

# Scherzo Furioso – Rondo
## Finale

Pompöses Privatbüro

*(Morgen. Wotan sitzt am Schreibtisch. Die elektrische Steh-*
*lampe brennt.)*

WOTAN: Bei Krause nachgefragt? Keine neuen Werke über
Auswanderungen? Soll unter B nachsehen. B – Brasilien. Oder
L – Land. Oder Z – Zukunftsland.

MARIECHEN: Gleich geh ich ... Die Kataloge der Maschinen-
fabrik fandest du?

WOTAN: Gefunden und verwertet! Genial verwertet!

MARIECHEN *(löscht die Lampe)*: Wieder die Nacht am
Schreibtisch.

WOTAN *(schroff)*: Lese ich Romane?

MARIECHEN: Nein, nein, nicht Romane. Ich weiß ja. Aber,
Wilhelmchen ... ein Glas Rotwein ... ein Hühnerflügelchen ...

WOTAN: Treue Gattin du!

*(Mariechen bringt Rotwein und Hühnerflügelchen. Wotan*
*umarmt Mariechen. Ißt.)*

WOTAN: Nun Maria! Kleingläubige du! Frau Direktor Marie
Wotan! Bald: Frau Plantagen-Rittergutsbesitzer!

MARIECHEN *(züchtig verschämt)*: Unser Kronprinz ...

WOTAN: Endlich unterwegs! Geliebtes Weibchen!

MARIECHEN: Wie heißen wir ihn, Süßer?

WOTAN: Brasileus soll sein Name sein.

MARIECHEN *(das Wort butternd)*: Bra ... si ... leus!

MARIECHEN: Als ob der Geist dich überkam! *(Wotan küßt*
*Mariechen.)* Bösling! Der teure Gehrock! Wie du ihn zer-
knüllst!

*(Es klingelt.)*

WOTAN: Meine Herren kommen.

MARIECHEN: Der treue Schleim.

WOTAN: Das Schicksal waltet. Immer finden große Männer ihren Schleim. *(lauschend.)* Ich höre immer Drosseln schlagen.

MARIECHEN: Du irrst dich. Die Hühner gackern.

*(Mariechen geht. Schleim kommt.)*

SCHLEIM: Prima zu wünschen.

WOTAN: Meinerseits, lieber Schleim.

SCHLEIM: Neues?

WOTAN: Telegramme. Gründung Ortsgruppe . . .

SCHLEIM: Schweiz?

WOTAN: Miesbach.

SCHLEIM: Schweiz?

WOTAN: Tirol.

SCHLEIM: Geschenkt! Geschenkt! Bei der Valuta!

WOTAN: Schweiz will nicht anbeißen.

SCHLEIM: Wir brauchen sie. Wir brauchen sie dringend! Valutaausgleich das Gebot der Stunde!

WOTAN: Auch meine Seele gehört der Schweiz! Tellgestalten! Knorrig! Abhold Luxus und welschen Tand! Apfelschützen! Drahten Sie unsere Statuten nach der Schweiz, sie muß anbeißen!

SCHLEIM: Wenn Sie diktieren wollen. Nur, meine ich, nicht religiös. Religion in Ehren. Religion fürs Volk. Bei guter Valuta tritt Religion in Hintergrund. Seien Sie Tell! Schießen Sie den Apfel vom Haupt! Anlegen! Feuer! Fertig!

WOTAN: Wohlan. *(Diktiert.)* Gründer Wilhelm Dietrich Wotan verbürgt sich für reinsten – schreiben Sie »reinsten«, nur superlativisch ballen die Großen dieser Zeit – sozialen Geist. Eingeladen alle, die flügellahm geworden im Pestsumpf der Zinsknechtschaft, im Pestsumpf des rötesten Materialismus.

SCHLEIM: Flügellahm.

WOTAN: Vieljähriges Studium des Gründers Wilhelm Dietrich Wotan schuf den großen Blick für alle geographischen, politischen, materiellen Belange. Resultate in Programmen niedergelegt. Urbarmachung. Besiedlung. Transport gesichert. Arbeitsvertrag die ideelle Bindung zwischen Gründer und Gemeinschaft. Soll ich Inhalt erläutern?

SCHLEIM: Sie werden sich hüten! Es gibt überall Leute, die lesen können. Schildern Sie die Vorteile, die Pracht, den Überfluß!

WOTAN: Also! Auf dem Transport: jeder Mann seine eigene Wäschekiste, Küchenkiste, Berufskiste, Reservekiste! In Brasilien jeder Mann sein eigenes Tropenhaus! Jeder Mann Anspruch auf freien Arzt, freie Schule, freie Hebamme. Auf südlichem Hochland an Amazonas Reservesiedlung. Garantie: Jeder Genossenschafter von zwei zu zwei Jahren Klimawechsel. Organisierter Schutz für Leben und Eigentum. Gründer als Pionier! Sein Wahlspruch: In Arbeit, Freud und Leid sind wir vereint. Punkt. Schluß.

SCHLEIM: Was für ein schöner Wahlspruch! Wann produziert, wenn ich fragen darf?

WOTAN: Letzte Nacht. Gestern früh entwarf ich den Plan für ein Tropenhaus eigener Konstruktion!

SCHLEIM: Ich bewundere Sie! Ich bewundere Sie!

WOTAN: Wolfblitz noch nicht da? Ich warte auf ihn.

SCHLEIM: Es will mir nicht gefallen.

WOTAN: Was?

SCHLEIM: Daß die brasilianische Regierung auf unser Telegramm nicht antwortet.

WOTAN: Noch immer keine Antwort! Glaubt man eine Weltmacht wie China behandeln zu können? Drahten Sie sofort dringend Protest! Drahten Sie viertelstündlich Protest! Drahten Sie alle fünf Minuten Protest! Mögen die göttlichen Firmamente vom flammenden Orkan empörter Proteste kochend! Sturm! Sturm läuten!

SCHLEIM: »Firmament?« Sie beten doch nicht zum lieben Gott?

WOTAN: Das verstehen Sie nicht, lieber Schleim. Sie kennen das kosmische Pli meines neuen Stils nicht.

SCHLEIM: Seit Erschaffung der Erde betet die Menschheit zum lieben Gott. Haben die Regierungen je darauf geantwortet?

WOTAN: Wenn Brasilien jetzt anwortet und Gold anbietet – ich lehne ab. Diplomatie wird mich nicht binden. Ich kann warten. Heute glaubt man mit einigen Tausend mich zu ködern. Lassen Sie den ersten europäischen Transport die silbernschimmernden Anker lichten – Millionen wird man uns bieten!

*(Von Wolfblitz tritt ein.)*

VON WOLFBLITZ: Ehre.

WOTAN: Ihnen zu spiralt sich meine Erwartung.

SCHLEIM: Kann man nicht verschieben? Ich brauchte Sie in delikatester Affäre. Fünf Minuten Ihr Ohr.

WOTAN: Nachher, nachher, lieber Schleim. Jeder Nerv meines Gehirns fiebert. Ich muß meine Konstruktion zu Papier gebracht wissen. Gleich danach!

*(Schleim geht.)*

WOTAN: Welche Einfälle, lieber von Wolfblitz, welche Einfälle! Genial! Genial! Erst gestern das Tropenhaus ...

VON WOLFBLITZ: Die Zeichnung brachte ich.

WOTAN: Zeigen Sie! Gut! Gut! Schreiben Sie drunter: Tropenholzhaus, Patent Wotan. Vergessen Sie nicht die schmückende Ornamentik. Erläuternde Hinweise. Schwarzes Itaube-Perda-Holz! Zu den Balken nehmen wir Arariba-Amarello. Die Schiebetüren werden der Clou. Die müssen Sie extra zeichnen! Schiebetüren als regulierbare Luftkanäle! Keiner macht mir das nach. Heute nachmittag zum Patentamt!

VON WOLFBLITZ: Herr Direktor sprachen von einem noch glänzenderen Einfall!

WOTAN: Ich entdeckte, daß alle Holzgatter der Erde die düsteren Urwaldriesen nicht angreifen. Ich konstruierte das Rekordholzgatter! Das Holzgatter für Urwaldriesen!

VON WOLFBLITZ: Ich verstumme.

WOTAN: Der ganze Weltholzhandel wird verstummen. Niemand kann mich übergehen. Ich bilde eine Gefahr für den europäischen Holzmarkt. Zu mir müssen die Holzjuden kommen. Auch Stinnes. Wir werden Lieferungsmonopol! Wir werden den Welthandel schmeißen! ...

VON WOLFBLITZ: Darf ich die Zeichnung anfertigen?

WOTAN: Schon gemacht!

VON WOLFBLITZ: Wie? Herr Direktor selbst?

WOTAN: Trauen Sie mir nicht die Kenntnisse eines Klippschülers zu?

VON WOLFBLITZ: Gehorsamst Entschuldigung. Dachte nur . . . Mathematische Formeln . . . Rechenfaktoren . . . Zahl Pi zum Beispiel. Wußten Sie die auswendig?

WOTAN: Zahl Pi? Schätze ich ab! Relativ! Alles relativ! Alles relativ!

VON WOLFBLITZ: Verstehe.

WOTAN: Nachmittag sprechen wir über meine Flottenpläne. Wir werden auf Straßenbau verzichten in Brasilien. Liebliche Flüsse plätschern, bewipfelt von blumigen Auen, in Hülle und Fülle durch die weiten, wilden Pampas. Wir bauen Flotten. Eine Binnenflotte für Brasilien. Eine Hochseeflotte für Europa. Wasser das billigste Beförderungsmittel. Wasser unsere Zukunft . . .

VON WOLFBLITZ *(begeistert)*: Herr Wotan Steuermann!

WOTAN *(geschmeichelt)*: Ich Steuermann.

VON WOLFBLITZ: Das Bild zeichne ich für unser Prospekt.

WOTAN: Und nun rufen Sie mir Herrn Schleim, Herr von Wolfblitz.

*(Von Wolfblitz geht. Schleim tritt ein.)*

WOTAN: Welches Gesicht! Schlechte Novitäten?

SCHLEIM: Schlechte Antiquitäten.

WOTAN: Erklären Sie mir.

SCHLEIM: Darf ich mit Ihnen reden wie mit einem Bruder?

WOTAN: Exportieren wir nicht Gemeinschaft?

SCHLEIM: Vor einer Woche kam dieser Brief an von der Gräfin Gallig.

WOTAN: Drängt sie auf Abfahrt?

SCHLEIM: Auf Einfahrt. Ich holte Auskünfte ein.

WOTAN: Wozu?

SCHLEIM: Um mich über ihre Einkünfte zu instruieren. Die Dame, nicht jung, aber besitzt für drei Millionen Goldmark Liegenschaften und bezieht eine Rente von hunderttausend Goldmark.

WOTAN: Die sie der Genossenschaft überlassen will?

SCHLEIM: Ihnen.

WOTAN: Wie mir?

SCHLEIM: Ihre Frau: Eine Seele von Frau, ein Herz von Frau, ein Engel von Frau. Aber: ein Bleigewicht!

WOTAN: Gräfin Gallig – meine Frau? *(Schüttelt den Kopf.)* Ich verstehe den Kontakt nicht.

SCHLEIM: Gräfin Gallig will Sie heiraten!

WOTAN: Darüber ließe sich reden, knüpften mich nicht Hymens Bande.

SCHLEIM: Hymen hin, Hymen her: unser Unternehmen stockt.

WOTAN *(Angstpathos)*: Wem sagen Sie das! Durchhalten! Keine zersetzende Flaumacherei! Langsam aber sicher!

SCHLEIM: Realpolitik! Es fehlt die Antwort aus Brasilien.

WOTAN: Ich ahne den Einfluß fremder Mächte.

SCHLEIM: Sie meinen?

WOTAN: Frankreich! Kein Zweifel! Frankreich intrigiert in Brasilien. Der Erbfeind fürchtet teutsche Ertüchtigung im Urwald. Denn was kann England daran liegen? Sagen Sie, was kann England daran liegen?

SCHLEIM: Wir brauchen Konnexionen. Ein altes Hoffräulein immer Verbindungen zu höchsten Kreisen.

WOTAN: Die mich nicht von meiner gesetzlichen Ehe entbinden.

SCHLEIM: Wenn Sie weiter keine Sorgen haben.

WOTAN: Treue Maria!

SCHLEIM: Ich achte Ihre Gefühle!

WOTAN *(schluchzt auf)*: Dreizehn Jahre keuschester Ehe! Ein Tisch! ein Bett!

SCHLEIM: Man wird ihr eine Rente aussetzen.

WOTAN: Sie sprechen, als ob ich meine Einwilligung gegeben.

SCHLEIM: Betrachten Sie mich als Ihr Gewissen. Als Ihr zweites Ich.

WOTAN: Wer sind Sie, Herr Schleim? Ich habe zu Ihnen Vertrauen gefaßt wie noch so leicht zu keinem Menschen in meinem Leben. Und ich fasse nicht leicht Vertrauen! Aber jetzt fürchte ich mich vor Ihnen ... Sie sind mein böser Geist.

SCHLEIM: Das sagen Sie mir!! ... Ich bitte um meine Entlassung.

WOTAN: Blicken Sie mir in die Augen, Schleim.

SCHLEIM: Bin ich noch ein Mensch? Ich bin ein Arbeitstier! Tag und Nacht reib ich mich auf für Sie! Für die Sache! ... Und das der Dank ...

WOTAN: Ich glaube Ihnen ... O Schleim, wohin treibt das Leben uns! Welchen Verrat an heiligsten Gütern müssen wir begehen, um unserm Ziel näher zu kommen. Es ist nicht schön, auf dieser Erde ein Mann der Tat zu sein.

SCHLEIM: Vertrauen Sie auf Gott.

WOTAN: Ein rechtes Wort zur rechten Zeit ... Aber ich sehe keine praktische Lösung.

SCHLEIM: Überlassen Sie die Praxis mir. Noch heute muß Frau Direktor das Haus verlassen.

WOTAN: Oh! Oh!

SCHLEIM: Hier dieses Buch lesen Sie! Wegweiser für eheliche Scheidungen. Ich habe das schon öfter arrangiert. Ich hab schon alles arrangiert.

*(Wotan greift danach. Liest. – Lange Pause.)*

WOTAN: Unmöglich! Unmöglich! Ich muß sie einmal wenigstens noch unter vier Augen sprechen!

SCHLEIM: Bin ich von Stein? Bin ich von Erz? Habe ich nicht ein Ethos? Empfinde ich Ihr Leid nicht nach? Einmal, warum nicht! Darf ich sie rufen?

WOTAN: Mein Gott, wie du willst. Wohlan denn!

*(Schleim geht.*

*Wotan greift nach der Broschüre. Mariechen tritt ein.*

*Wotan vergräbt erschreckt die Broschüre unter seinen Papieren.)*

MARIECHEN: Du riefest.

WOTAN: Maria, mein Weib!

MARIECHEN: Sprich nur, Wilhelm, sprich nur.

WOTAN: Maria, glaubst du an Gott?

MARIECHEN: Aber ja.

WOTAN: So weißt du, daß allein Gott berufen ward zu richten. Denk daran, Maria, denk stets daran. Immer. Hörst du?

MARIECHEN: Wie mich deine Worte ängstigen, Wotan.

WOTAN: Ich danke dir, Maria. *(Nach einer Pause, hastig.)* Die Bücher über Brasilien, die Maschinenkataloge, aus denen die Zeichnungen ... Du weißt ... unter welchem Namen liehest du sie? Ich bat, du erinnerst dich, nie, nie meinen Namen zu nennen. Tageswerk läßt das Schicksal von den kleinen Talenten verrichten. Ich habe das Recht, seine Ergebnisse zu benutzen. Aber die Menschheit würde es nicht verstehen ...

MARIECHEN: Ich tats getreulich.

WOTAN: Du Gute ... Auf den Namen Graf Montador?

MARIECHEN: Nicht auf den Namen ... Ich vergaß ihn. Ich lieh die Bücher auf den Namen »Bösling«.

WOTAN *(neckisch)*: Bösling! Bösling! – Ich mußte mich vergewissern. Die Beziehung zu Krause verlangt intensive Pflege. *(Lauschend.)* Das elende Hühnergegacker! Droh dem Hauswirt mit Kündigung!

MARIECHEN: Du irrst dich. Die Hühner sind eingesperrt. Jetzt schlagen wirklich Drosseln. *(Gezwungen schelmisch.)* Vielleicht hört sie ... unser Kronprinz ...

WOTAN *(peinlich berührt)*: Laß mich wieder allein, Maria, Und denk daran, denk immer daran: Gott allein unser Richter.

MARIECHEN *(geht, wendet sich um, will bleiben, geht wieder, zögert, geht hinaus)* ...

WOTAN *(an die Tür des Nebenzimmers)*: Fräulein, notieren Sie: »Bösling«. Zettel in geheime Kartothek!

*(Schleim tritt ein.)*

SCHLEIM: Ich darf der Frau Direktor explizieren?

WOTAN: Lassen Sie mich mit meinem Schöpfer ringen. *(Dreht sich um. Dann.)* Mein Schicksal erfülle sich.

*(Es klopft. Mariechen tritt ein.)*

SCHLEIM *(flüstert Wotan zu)*: Kein Du! Keine Zärtlichkeit!

MARIECHEN: Entschuldigt, wenn ich störe. Ach, Wilhelm, keine Ruh läßt es mir ... deine Worte vorhin ...

WOTAN *(schmerzliche Gebärde)*: ...

SCHLEIM: Verehrte Frau, Herr Direktor muß arbeiten. Herr Direktor ist an der Front. Im Schützengraben!

MARIECHEN: Entschuldigen Sie nur, Herr Schleim. Aber eine Frau merkt gleich, wenn ein Unglück den Liebsten bedroht. O Herr Schleim, wie mein Herz klopft! Nehmen Sies dem Eheweib nicht übel, ich muß! Wilhelm ... erkläre, sprich! Was fehlt dir? Keine Krankheit, die du meiner Pflege nicht anvertrauen kannst. Und wärs ... Bist du krank?

WOTAN *(nach großer Philipp-Geste, düster)*: Madame, Paragraphen zwingen mich, Sie so anzureden.

MARIECHEN *(fassungslos)*: Herr Schleim!!!

SCHLEIM: Gehen Sie in die Etappe, liebe Frau! Ich erkläre alles. Zu Ihrer vollsten Zufriedenheit.

*(Drängt Mariechen hinaus.)*

SCHLEIM: Nero in Person! Ich gratuliere, Herr Wotan!

*(Von Wolfblitz tritt ein.)*

VON WOLFBLITZ: Ein Reporter aus Amerika wünschte Herrn Direktor.

SCHLEIM: Zögern Sie hin! Türmen Sie Schwierigkeiten! Deuten Sie Konferenz mit hohen Persönlichkeiten an. Lassen Sie ihn mit Würde warten.

*(Von Wolfblitz geht.)*

SCHLEIM: Bereit?

WOTAN: Gewappnet.

SCHLEIM: Sie an den Schreibtisch. Ich nehme Diktat auf.

WOTAN: Gut. »Ich schätze ... ich schätze ...

*(Reporter und von Wolfblitz treten ein.)*

WOTAN: Haben Sie: ich schätze ... ich schätze ... Entgegenkommen der hohen brasilianischen Regierung, das sich im gewährten Kredit von einer Million Milreis äußert. Haben Sie »äußert«? – Von meinen Bedingungen aber kein Deut ...

*(Von Wolfblitz räuspert sich.)*

REPORTER: Very interesting. *(Notiert.)* ...

SCHLEIM: Sie wünschen?

VON WOLFBLITZ: Ein Herr, der größten amerikanischen Zeitungskonzern bedient, bittet um Ehre eines Interviews.

SCHLEIM: Der Herr möchte Fragen stellen.

REPORTER: Guten Tag, Herr. Für Ihr Unternehmen in Amerika gute Chance. Wie denken Sie über Amerika?

WOTAN: Ein glühender Verehrer bekennt sich zu ihm. Kamerado, du rührst kein Buch, du rührst einen Menschen an!

REPORTER: Oh, Sie kennen Walt Whitman?

WOTAN: Mein Herr, seit Jahren frequentiere ich jüngste Weltliteratur.

REPORTER: Very interesting. – Man könnte auf dem Geldmarkt Ihre Konkurrenz fürchten. Was sagen Sie dazu?

WOTAN: Der Geldmarkt ist für mich keine sittliche Macht, der ich Rechenschaft schulde. Gott schulde ich Verantwortung, sonst niemand! Sagen Sie das Amerika!

SCHLEIM *(leise zum Reporter)*: Beruhigen Sie Amerika. Der Urwald ward Herrn Wotan zu treuen Händen anvertraut. Mit Herrn Wotan beginnt die pazifistische Phase.

REPORTER: Very interesting. Wirklich kein Kommunismus, die Genossenschaft?

WOTAN: O mein Herr, nun lüftet sich mir die Maske Ihres Auftraggebers, Sie brauchen nicht zu reden. Ich kenne Morgans Art zu fragen. Glaubt Herr Morgan, ich werde mich vor ihm beugen? Ein Wotan beugt sich vor niemand in der Welt. Morgan soll sich entscheiden. Will er mir Kredit geben, mit mir kämpfen gegen die rote Schmach – gut. Aber er soll nicht glauben, daß ich ein Soldknecht werde im Dienste der Weltfinanz.

*(Wotan wendet sich ab.)*

SCHLEIM *(zum Reporter)*: Amerika möge beruhigt sein. Amerika möge sich überzeugen. Jedem Gelüste der Genossenschafter nach Kommunismus pariert der Arbeitsvertrag. Sie verstehen. Das Geschäftsgeheimnis verbietet uns Erläuterungen. Aber Amerika können Sie berichten, achtstündige Arbeitszeit würden wir nicht dulden. Selbstverwaltung . . . Demokratie . . . dafür haben wir taube Ohren. Wer nicht mitmacht drüben in Brasilien, fliegt. Lassen Sie uns erst drüben sein, Mister Senator, mehr sag ich nicht.

REPORTER: Aber wenn Vorstand der Genossenschaft nicht will?

SCHLEIM: Sind wir.

REPORTER: Oder Aufsichtsrat?

SCHLEIM: Sind wir ebenfalls.

REPORTER: I beg your pardon, Mister Wotan. Vielleicht Ihnen beleidigt. Wollen mir nicht erzählen Ihre Pläne?

WOTAN: Mein Herr, ich habe Europa aufgegeben. Die großen Lumpen sind Regierer in Europa. Die kleinen Lumpen sind Märtyrer. Darum entschloß ich mich, die Reinen, die Schlichten, die Unverdorbenen zu sammeln und sie trockenen Fußes zu führen über den Ozean ins gelobte Land. Mein Herr, ich werde die kleine Schar, die mit mir zeucht, vor dem europäischen Untergang retten. Ich werde sie herrlichen Zeiten entgegenführen! . . . Mein Herr, in meinem Kopf stauen sich Kräfte von ungeheurem Ausmaß. Gleich apokalyptischen Reitern überfallen mich Ideen, kosmischer Genialität erfüllt.

SCHLEIM: Herr Wotan hat ein Ethos.

REPORTER: Very interesting.

WOTAN: Brasilien . . . mein Herr. Was bedeutet Brasilien . . . Nun ja, das Schicksal zwingt mich, im Kleinen zu beginnen. Aber Brasilien kann doch nur eine Stufe für mich sein. Eine Stufe zur Totalität der Welt! . . . Ich bin kein Utopist, mein Herr. Das Leben hat mich von meinen Jugendträumen geheilt. Ich bin Realpolitiker. Das System, das ich in ehernem Pflichtgefühl im Chaos fahler Nächte ersann, ist Wissenschaft. Statistisch berechnet, logisch erweisbar, metaphysisch begründet. Ich werde die Erde quadratieren. Quadratur der Kugel, mein Herr, das Problem ist gelöst. Jedes Quadrat teile ich in Abschnitte, jeden Abschnitt in Parzellen. Professoren stellen die besonderen Belange jedes Erdquadrates fest, Apparate die Eignung jedes Individuums für diese Belange. Eine Zentrale leitet das Ganze: der Kopf! . . . Mein Herr, die Reformen im einzelnen darzustellen, erlaubt meine kostbare Zeit nicht. Aber das sei Ihnen gesagt: Mein Plan wird mir die Errichtung einer Armee, einer Flotte gestatten, die, ausgerüstet mit allen Errungenschaften moderner Technik, ein furchtbares Werkzeug in meiner Hand sein kann. Sagen Sie das Herrn Morgan! Herr Morgan möge das wohl bedenken!

REPORTER: O, o, I am überrascht . . .

SCHLEIM *(peinlich berührt, leise zum Reporter)*: Die Weltreform am Sankt Nimmerleinstag, Mister Senator. Man muß der Welt was vormachen. Herr Wotan studierte die amerikanischen Methoden. Ich bin der Manager. Herr Wotan vertritt nach außen. Glauben Sie, ich mach unsolide Sachen?!

REPORTER: Very interesting . . . Aber Genossenschaft antijüdisch? Keine gute Chance dafür in Amerika.

SCHLEIM: Ich bin orientiert. Die Konjunktur in Deutschland verlangt einen Schuß Antisemitismus. Sie als Amerikaner wissen, welche Opfer des Intellekts wir den Konjunkturen bringen müssen . . . Sind wir erst drüben – können meinetwegen Rabbiner bei uns missionarisieren.

REPORTER: Very interesting . . . Herr Wotan, darf ich noch eine Frage. Man erzählt, Sie haben in dürftigen Verhältnissen begonnen. Man sagt als Frisör.

WOTAN: Verleumdung! Schamlose Verleumdung! Weil einmal! einmal vor fünfzehn Jahren, Gottes dunkle Wege mich in Not führten, mich zwangen, niedere Dienste zu verrichten, verfolgt mich heute die Menschheit mit ihren Verdächtigungen. Wird mir dieser Irrweg als ein Makel anhaften über den Tod hinaus?!!

REPORTER: Im Gegenteil, Mister Wotan. Man wird drüben Sie bewundern. Man bewundert drüben immer den Rekord.

WOTAN: Ich werde die Welt nicht enttäuschen.

*(Reporter geht. Mit ihm von Wolfblitz.)*

SCHLEIM: Ihr Genie! Ihr Genie! Eine Dollargrube!

*(Ernst von Bussard-Baldrian – von von Wolfblitz vergeblich zurückgehalten – stürzt ins Zimmer.)*

ERNST VON BUSSARD-BALDRIAN: O Meister! Meister! Meister!

Traum meines Lebens! Paradiesische Erfüllung! Man will mich nicht vorlassen, aber ich muß! ich muß! ich muß!

WOTAN: Stellen Sie sich vor mich, Herr Schleim.

ERNST VON BUSSARD-BALDRIAN: Dreiundfünfzig Jahre geistiger Schau ... Tag und Nacht geistige Schau ... sanken dahin ... O Meister! Kaum wagte der ergebenst Unterzeichnete, Ernst von Bussard-Baldrian, königlicher Schauspieler a. D., mehr zu hoffen, da kommt die Botschaft von der Heilandsfahrt gen Brasilien ... Meister, ohne mich muß Ihr Werk zerstäuben, zerrinnen, zerschellen und zugrundegehen. Denn ich ... ich erfand in gesegneter Stunde vor dreiundfünfzig Jahren die Methode, den Urwald auszuroden. Das Ei des Kolumbus, Meister! Und doch! Einem alten Heldendarsteller werden Sie erlauben, sein Licht nicht unter den Scheffel zu stellen. Man brennt ihn ab, Meister, ab brennt man den Urwald! Wie, wird der ergebenst Unterzeichnete in einer Denkschrift noch kundgeben. Ein Wort, Meister! Erfüllung oder ewige Verdammnis! *(Zückt wider Wotan die Denkschrift.)*

WOTAN: Lieber Herr, reichen Sie Ihre Denkschrift meinem Büro ein.

ERNST VON BUSSARD-BALDRIAN: Meister!!! o ... o ... wortlos ... o Verzückung! ... o ... *(taumelt hinaus.)* ...

VON WOLFBLITZ: Herr Direktor fordern Prüfung? Erwägen Anstellung?

WOTAN: Ich denke nicht daran. Träumer! Utopist! Flunkert! Auf Flunkerer falle ich nicht herein. Die feinere Nase mußte deutlich den Phrasenklang wittern. Gegen Phrasen wehre ich mich empfindlicher als gegen Illusionen. Ich bin keine Illusion, meine Herren.

SCHLEIM: Die Denkschrift eine Woche liegen lassen und mit Dank zurück ...

WOTAN: Was an den Plänen des alten Burschen berechtigt ist, beschäftigt mich längst. Legen Sie die Denkschrift auf meinen Schreibtisch. Ich will mich überzeugen, was er von meinen Plänen gestohlen hat.

*(Das Telephon klingelt. Von Wolfblitz geht hinaus.)*

SCHLEIM: Herr von Wotan, Gräfin Gallig bittet Aufwartung beim Five o clock.

WOTAN: Drahten Sie: Ich könne nicht widerstehen – Mein Frack?

SCHLEIM: Aus London heute eingetroffen.

*(Schleim geht.)*

WOTAN *(vorm Spiegel, als spräche er zur Gräfin Gallig)*: . . . Edle Gräfin! Wenn auch nur ein Mann im schlichten Bürgersrock . . . der Adel des Geistes . . .

*(Von Wolfblitz tritt ein.)*

VON WOLFBLITZ: Erfreulichste Nachrichten!

WOTAN: Antwort aus Brasilien?

VON WOLFBLITZ: In München gestern abend Gründung Ortsgruppe der wotanischen Auswanderergenossenschaft. Bayern unsere Basis!

*(Von Wolfblitz geht. Schleim tritt ein. Telephon klingelt.)*

SCHLEIM: Ich gratuliere, Herr Direktor! Die evangelische Mission hat Sie zum Ehrenmitglied ernannt. Sie fordert allerdings vertraulich, daß Sie die katholische Mission nicht hinübernehmen.

VON WOLFBLITZ *(ruft hinein)*: Dringendes Gespräch Schweiz.

SCHLEIM *(pfiffig)*: Ich kenne den Domkapitular Ablaßmaier von der katholischen Mission. Vielleicht bietet er mehr.

WOTAN: Profanieren Sie nicht Rom!

SCHLEIM: Ihnen wieder ähnlich! Sie sind zu schade für diese Welt von Jobbern und Schiebern, Herr Wotan. Sie bedürfen eines Schutzes in dieser Welt von Niedrigkeit. Der beste Schutz: ein adliger Name. Vor adligen Namen hat das Geschmeiß Respekt!

WOTAN: Ich will mit dem Heiligen Vater keine Handelsschaft eingehen.

SCHLEIM: Die Sache verlangts! Die hohe Sache!

WOTAN: Ich habe der Sache schon das Opfer meines treuen Mariechens gebracht.

SCHLEIM: Dann denken Sie an die Gräfin! Die Frau hat ein Recht auf standesgemäße Heirat. Würden Sie es verantwor-

ten, wenn die gräfliche Familie um Ihretwillen die Frau ent-
erbt, verstößt? Vor Adel, auch wenn er katholisch ist, wird sie
sich beugen.

WOTAN: Allerdings, die edle Dame hat ein Recht . . .

SCHLEIM *(davoneilend)*: Und Dotationen fordere ich! Ge-
weihte Dotationen!

*(Wotan allein.)*

WOTAN *(vorm Spiegel)*: . . . von Wotan . . . Wilhelm Dietrich
Baron von Wotan . . . Wilhelm Dietrich Graf von Wotan und
seine erlauchte Gemahlin, hochgeborene Gräfin Gallig beeh-
ren sich . . .

*(Von Wolfblitz tritt ein.)*

VON WOLFBLITZ: Herr Direktor!

WOTAN: Antwort aus Brasilien?

VON WOLFBLITZ: Nein. Fernmündlich Zürich! Gründung erste Schweizer Ortsgruppe. Hoch auf Gründer.

WOTAN: Drahten Sie Dank. Unser Wahlspruch: In Arbeit,
Freud und Leid sind wir vereint. – Schleim wird sich freuen.
Endlich Valutaausgleich.

*(Schleim herein.)*

SCHLEIM: Ich kehre um! Ich renne! Ich fliege: Herr Wotan!
Herr von Wotan!

WOTAN: Antwort aus Brasilien?

SCHLEIM: Pfeifen wir auf Brasilien! Pfeifen wir auf Brasilien!
Unser Geschäft floriert in Europa! Die Kulturwelt sympathi-
siert mit uns! Was kann Polizei tun gegen Effektivmächte! Bei
Ihren Verbindungen! Sie kommt, kommt! Die Ehrendemon-
stration der evangelischen Mission kommt! Mit Musik! Mit
Militärmusik! Mit Kränzen! Mit Rosenkränzen! Mit Lorbeer-
kränzen! Mit der Gräfin Gallig! Halten Sie sich bereit, Herr
von Wotan! Sie müssen sprechen! Vom Balkon herab sprechen. Ich muß hinunter! Ich arrangiere! Ich hole Reporter! Ich
hole Filmkurbler! Ich kitzele die Volksseele! Man muß die
Demokratie achten!

*(Schleim hinaus.)*

VON WOLFBLITZ *(ruft hinein)*: Ich drahte nach der Schweiz . . .

WOTAN *(vorm Spiegel, übt Redegesten, als spräche er zur Masse)*: . . . Mein Volk! . . . Meine teuren Söhne! Meine geliebten Töchter! . . . Brave Untertanen!
*(Man hört aus der Ferne Musik immer näherkommender Kapelle; dann den schweren Takt marschierender Menschenmassen.)*
WOTAN *(plötzlich in Größenwahn ins Nebenzimmer schreiend, schneidig, abgehackt)*: Herr von Wolfblitz! Drahten Sie an brasilianische Regierung im Namen der Menschheit letzten Protest! Ultimatum: Ich verlange den Urwald! Ich verlange öffentliche Anerkennung! Ich verbiete Widerrede! Ich werde brasilianischer Regierung vor europäischer Öffentlichkeit Ehre absprechen! Ich werde die diplomatischen Beziehungen zu ihr abbrechen! Ich werde mich mit der Schweiz verbünden! Ich werde, gestützt auf meinen hohen Verbündeten, Brasilien *(und die Stimme schnappt über.)* den Krieg erklären!
*(Herein Gräfin Gallig.)*
WOTAN: Frau Gräfin . . .
GRÄFIN GALLIG: Großer Bruder . . . O mein Herz trog nicht! Gefahr? Gefahr? Ich höre: Krieg . . . Der rote, siebenhäuptige, zehnhörnige, siebenkronige Drache der Apokalypse . . . naht er? naht er?
WOTAN: Es ist nur wegen Brasilien. Es ist nur wegen des Erbfeindes. Es ist nur wegen der Beleidigung angestammten Adels. Es ist nur wegen des wotanischen Prestiges.
GRÄFIN GALLIG: Der Schlachtenlenker wird seinen eingeborenen Enkel nicht verlassen.
WOTAN: Werden auch Sie für mich beten, Schwester?
GRÄFIN GALLIG: Fühlen Sie mein Herz! . . . Ein Choral! Ein Psalm! Eine Psalmensymphonie!!
WOTAN: Traute Schwester . . .
GRÄFIN GALLIG: Liebholder Bruder . . .
WOTAN: Wie riechst du herrlich, kolossal herrlich, Taube in den Felsenklüften . . . O Gräfin . . .
*(Wotan schließt Gräfin Gallig in seine Arme. Gräfin Gallig zerfließt.)*

GRÄFIN GALLIG *(verzückt)*: O ich . . . Deine Antilope . . . grausamschöner Löwe . . . hast du mich auch wirklich lieb? . . . grausam . . .

*(Es geschieht etwas. Verlegenheitspause.)*

GRÄFIN GALLIG: . . . Dein Krieg . . .

WOTAN: Sei getrost, Liebe . . . der teutsche Gott lebt noch . . . für und für . . .

GRÄFIN GALLIG *(ekstatisch)*: Du wirst siegen!!

WOTAN: Und stünde die Welt auf wider mich – nicht eher das Schwert in die Scheide, als bis meiner Ehre Genugtuung ward! Und wenn die Welt zerschmettert am Boden liegt!

*(Kurze Pause.)*

GRÄFIN GALLIG: Leb wohl, du mein lieblicher Bräutigam . . . Ich gehöre zum Komitee.

WOTAN *(Augenaufschlag)*: Ich will büßen durch Kasteiung . . . Leb wohl . . . komm zu mir nach der Volkesfeier, du Lilie im Tal.

*(Gräfin Gallig schmilzt hinaus.)*

WOTAN *(vorm Spiegel)*: Eine Gräfin! Der Adel Europas huldigt dem neuen Cäsar. Ave Cäsar . . . Gott, mein Herz war rein von weltlichem Ehrgeiz bis nun. Du hast mich die Größe meiner Mission gelehrt, Du mein adliges Lieb. Zur Königin Brasiliens, zur Königin der Welt will ich Dich krönen! *(Musiktusch.)* Die Menschheit lechzt nach dem Diktator. Wohlan denn! Volk, Du findest mich bereit.

*(Die Menge hat sich genähert. Man hört Fetzen einer Rede. Tusch. Gesang: Ein feste Burg . . .)*

RUFE: Wotan! Wotan! Wotan!

*(Jäh Stille. Gemurmel.*

*Wotan gibt sich Haltung. Tritt auf den Balkon.*

*Plötzlich: Von unten einzelne)*

RUFE: Pfui! Pfui!

*(Dann)*

MENGE: Pfui! Pfui!

*(Wotan, erbleicht, tritt ins Zimmer zurück. Von Wolfblitz herein.)*

VON WOLFBLITZ: Erlauben, mein Abschied!

*(Klappt Hacken zusammen. Kehrtwendung. Abmarschiert.)*

WOTAN *(sprachlos, glotzt)*: . . .

SCHLEIM *(stürzt herein)*: Schwindel! Betrug! Gehn Sie mir weg, verkrachter Frisör! Hab ich geahnt, so Gott mir helf!

WOTAN: Die brasilianische Regierung genehmigt nicht?

SCHLEIM: Sturz in Hölle! Sie warnt! Vor zehn Minuten Telegramm! Das brasilianische Konsulat warnt vor Ihrem Schwindelunternehmen! Die Polizei warnt! Die ganze Stadt ist unterrichtet! Die Menge ist unterrichtet! Die Volksseele kocht! Gleich wird die Polizei kommen und Ihre Bude schließen! Schämen Sie sich, Wotan, einen Vater von sieben Kindern mit in den Sumpf zu patschen! Pfui! . . . Nach unserm Vertrag bekomm ich Gehalt für ein Jahr. Ich nehms mir. Mein rechtmäßig Hab und Gut. *(Entnimmt dem Geldschrank Geld.)* Ich quittier. Hier die Quittung. Ich heft sie ein. Datum hab ich vordatiert. Und was ich sagen wollt. Ein Telegramm aus der Schweiz. Ihr Agent mit der Kasse durchgebrannt. Nicht alle heißen Schleim!

*(Das Geschrei draußen stärker, erregter.)*

SCHLEIM: Sie stürmen! Sie stürmen, Vater im Himmel, sie stürmen!

*(Schleim hinaus.)*

WOTAN *(starr)*: . . . O . . . Urwald . . . O . . . Erde . . .

*(Man hört Drohrufe. Einzelne Pfiffe. Ein Stein fliegt ins Zimmer.)*

WOTAN *(außer sich)*: Kanaille! Undankbare Kanaille!

*(Mariechen in fliegender Hast hinein.)*

MARIECHEN: Wilhelmchen!

WOTAN *(weinerlich)*: Sie gönnens mir nicht, Mariechen! Sie gönnens mir nicht. Neidhunde! Schele Neidhunde! *(Rasend)*: Hunde! Hunde! Hunde! . . .

*(Krampf löst sich in Schluchzen. Wotan hockt sich auf einen Stuhl. Von draußen: Pfiffe und Flüche.)*

MARIECHEN *(setzt sich zu Wotan. Nimmt seine Hände. Nach der Weise von Ammen)*: Hulle. Hulle. Hulle. Hullehullehulle . . .

WOTAN *(aufheulend)*: Undankbares Verrätervolk! Geopfert hab ich mich für dieses Volk! Geopfert! Geopfert! *(Mit großer Geste.)* So zeuge denn mein Kadaver!

MARIECHEN: Hullehullehulle ... Hullehullehulle ...

WOTAN *(tiefer in sich zusammensinkend. Klägliches Kinderweinen)*: ...

*(Steine fliegen ins Zimmer. Schritte trappen die Treppe herauf.)*

WOTAN *(in wimmernder Angst)*: Mariechen ... dort ... unterm Tisch ...

*(Mariechen nickt. Hilft ihm unterm Tisch sich zu verkriechen. Setzt sich breit, eine alte Henne, vor den Tisch. Polizist tritt ein.)*

POLIZIST: Herr Wilhelm Dietrich Wotan, stellenloser Frisör, im Namen des Gesetzes ... *(wendet sich um, ruft nach draußen.)* Ruhe! Vollkommene Ruhe! Ich bin die Justiz! Ich breche jeden Widerstand! Herr Wotan untersteht von nun an mir! Ich dulde keine Beleidigungen! Ich verbiete Mißhandlungen! Herr Wotan ist der Behörde als ein Bürger von staatserhaltender Gesinnung bekannt ... Herr Wotan, Ihr Betrieb wird kraft polizeilicher Verordnung für geschlossen erklärt. Strafrechtlich nicht verantwortlich, werden Sie zu Ihrer eigenen Sicherheit für einige Tage in Schutzhaft genommen.

WOTAN *(lugt unterm Tisch hervor)*: ...

POLIZIST: Sie die Frau?

MARIECHEN: Mein Mann ...

WOTAN *(noch unterm Tisch, fällt ein)*: Sie geloben Schutz?

POLIZIST: Der starke Arm des Staates heiligt selbst die Person des Mörders bis zum Richtbeil ... Aber Sie haben vom Gesetz nichts zu fürchten, Herr Wotan. Kommen Sie ruhig ans Licht.

WOTAN *(atmet auf, kriecht unterm Tisch hervor)*: Ich überliefere mich freiwillig *(emphatisch.)* Nicht sollen mich Judenzer feigen Fliehens zeihen! Am Tage dräuender Erkenntnis wird das verhetzte Volk die Augen aufsperren! Man wird bereuen!

POLIZIST *(beschwichtigend)*: In zwei, drei Tagen sind Sie frei.

WOTAN: Mein Richter heißt die Weltgeschichte, Herr Schutzmann!

POLIZIST: Beruhigen Sie sich doch. Ihnen geschieht ja nichts.

MARIECHEN: Ich verlasse dich nicht, Wilhelm! Mit dir zieh ich ins Gefängnis!

POLIZIST: Keine Aufregung, Frau Wotan, Ihr Mann kommt nicht vor Gericht. Hunger wird er auch nicht leiden. Sie können ihm bis zur Freilassung die besten Bissen Ihrer Küche bringen.

WOTAN *(von sich gerührt)*: Ich werde leiden. Ein Märtyrer wird für seine Idee leiden. Auch Jesus von Nazareth litt. Auch Bismarck litt. Wann je hat die Menschheit ihren Retter verstanden?!

MARIECHEN: Niemals, Wilhelm, niemals!!

WOTAN: Aber ich! Ich werde Europa nachweisen, daß es den Führer seiner Schicksalsstunde an die niederen Mächte verriet.

MARIECHEN: Wo, Wilhelm? Ach, keiner wird auf dich hören. Du kennst die schlechten Menschen ... *(Schluchzend.)* Wotan, die Vergangenheit ...

WOTAN: Droht: Halbmast. Die Gegenwart knallt: Rechtfertigung!

MARIECHEN: Wie anfangen, Wilhelm?

WOTAN: Ich werde im Zuchthaus ... auf der Galeere ... im Exil ... ein Buch schreiben.

POLIZIST: »Zuchthaus« ... »Galeere« ... »Exil« ... Aber Herr Wotan ... *(Gibts auf.)*

MARIECHEN: Ein Buch?

WOTAN *(gibt seinem durch das Versteck ramponierten, hängenden Schnurrbart wieder die Es-ist-erreicht-Fasson)*: Meine ... Memoiren, Mariechen.

MARIECHEN *(das Wort butternd)*: Me–mo–iren ... Vielleicht hilft dir Herr Schleim ...

POLIZIST: Meine Pflicht gebietet Aufbruch.

WOTAN *(zieht Mantel an)*: Meine Memoiren werden gelesen

werden, Herr Schutzmann! In drei Ausgaben. Für Fürsten. Für Reiche. Fürs Volk. Auf allen Kontinenten wird man sie lesen! Ja, auf den Sternen wird man sie lesen! Denn Amerika interessiert sich dafür, Herr Schutzmann! Morgan in eigener Person! Erwarten Sie keinen neuen Maulwurfshügel auf der europäischen Unzuchtscholle, Herr Schutzmann. Ich sage Ihnen: Der kleinste Negerstamm am Kongo wird Übersetzungen im heimischen Dialekt drucken lassen. »Der Dolchstoß kurz vorm Ziel, Memoiren von Wilhelm Dietrich Wotan.«
. . . Klingt der Titel nicht schön, Mariechen?

MARIECHEN *(bewundernd)*: Auf was du alles kommst!

WOTAN: Der Titel natürlich handgemalt.

MARIECHEN: Nein, Wilhelm!

WOTAN: Die Fürsten-Ausgabe auf echt Japan.

MARIECHEN *(selig)*: In Goldschnitt!

POLIZIST: Fertig, Herr Wotan?

WOTAN *(setzt Hut auf)*: Dieses Buch: letzte Mahnung an Europa! Dieses Buch: Rettung Europas vorm Untergang! . . . Ich habe eine Mission! Europa kann nicht untergehen, solange Wotans leben!!!

*(Während alle drei im traditionellen leichten Parademarsch ins Zeitlose abmarschieren schließt sich die Bühne.)*

# Gedichte der Gefangenen

*Ein Sonettenkreis*

Kamerad,
in jeder Stadt, in
jedem Dorf begleitet dich
ein Gefängnis

Den
namenlosen Toten
deutscher Revolution

★

Wer die Pfade bereitet,
stirbt an der Schwelle.
Doch es neigt sich vor ihm in Ehrfurcht
der Tod.

An die Freude.
Was ist ein Jahr und was ist eine Stunde,
Im Acker Zeit, der brach zu unsern Füßen liegt.

»Es kann nichts entsetzlicher sein, als daß die Handlungen eines Menschen unter dem Willen eines andern stehen sollen.«

Kant, Fragmente VIII.

»Trotzdem sie nur von Gesetzen reden: auch das Gesetz ist nicht frei von Menschlichkeit. Das Gesetz ist für uns Menschen nicht dazu gemacht, andern Menschen durch Ekel oder Schmerz das Leben zu nehmen.«

Kleist.

Geschrieben in den Gefängnissen München (Militärarrestanstalt Leonrodstraße; Polizeigefängnis; Neudeck; Stadelheim), Würzburg, Eichstätt, Neuburg, Niederschönenfeld.
1918-1921

## Schlaflose Nacht

Metallne Schritte in die Nächte fallen,
Die Posten buckeln durch die Höfe ohne Rast.
Oh, jeder Schlag ist Herzschlag ungeheurer Last,
Die uns bedrängt mit immer scharfen Krallen.

Wir lauschen schlaflos in das starre Hallen,
Ein schwarzes Schweigen wächst im schwarzen Glast,
Deß toter Atem fröstelnd uns umfaßt,
Zermartert Blicke an die Eisengitter prallen.

Warum, mein Bruder, feindlich durch die Höfe schreiten?
Uns alle band ein Schicksal an den gleichen Pfahl,
Uns alle eint der Kreaturen tausendjährge Qual,

Uns alle wirbelt dunkler Zwang durch die Gezeiten.
Oh, Fluch gesetzter Grenzen! Menschen hassen ohne Wahl!
Du, Bruder Tod, wirst uns vereint geleiten.


## Durchsuchung und Fesselung

(Dem Andenken des erschoßnen Kameraden
Dorfmeister, München)

Den nackten Leib brutalen Blicken preisgegeben,
Betastet uns ein schamlos Greifen feiler Hände,
In Fratzenbündel splittern graue Wände,
Die wie Gepfeil gen unsre Herzen streben.

Pflockt Arm und Fuß in rostige Kette,
Brennt Narben ein den magren Händen,
Ihr könnt, Ihr könnt den Leib nicht schänden,
Wir stehen frei an der verfehmten Stätte!

So standen vor uns all die Namenlosen,
Rebellen wider des Jahrhunderts Tyrannei,
Auf Sklavenschiffen meuternde Matrosen –

Der Promethiden ewig trotziger Schrei!
So standen sie an Mauern der Geweihten.
So starben sie am Rande der verheißnen Zeiten.


## Wälder

Ihr Wälder fern an Horizonten schwingend,
Vom abendlichen Hauche eingehüllt,
Wie meine Sehnsucht friedlich euch erfüllt,
Minuten Schmerz der Haft bezwingend.

Ich presse meine Stirne an die Eisensäulen,
Die Hände rütteln ihre Unrast wund,
Ich bin viel ärmer als ein armer Hund,
Ich bin des angeschoßnen Tieres hilflos Heulen.

Ihr Buchenwälder, Dome der Bedrückten,
Ihr Kiefern, Melodie der Heimat, tröstet Leid,
Wie wobet ihr geheimnisvoll um den beglückten

Knaben der fernen Landschaft wundersames Kleid . . .
Wann werde ich, umarmt vom tiefen Rauschen,
Den hohen Psalmen eurer Seele lauschen?

## Spaziergang der Sträflinge

(Dem Andenken des erschoßnen Kameraden
Wohlmuth, München)

Sie schleppen ihre Zellen mit in stumpfen Blicken
Und stolpern, lichtentwöhnte Pilger, im Quadrat,
Proleten, die im Steinverließ ersticken,
Proleten, die ein Paragraph zertrat.

Im Eck die Wärter träg und tückisch lauern.
Von Sträuchern, halb verkümmert, rinnt ein trübes Licht
Und kriecht empor am Panzer starrer Mauern,
Betastet schlaffe Körper und zerbricht.

Vorm Tore starb der Stadt Gewimmel.
»Am Unrathaufen wird im Frühling Grünes sprießen . . .«
Denkt Einer, endet mühsam die gewohnte Runde,

Verweilt und blinzelt matt zum Himmel:
Er öffnet sich wie bläulich rote Wunde,
Die brennt und brennt und will sich nimmer schließen.

## Begegnung in der Zelle

Die Dinge, die erst feindlich zu dir schauen,
Als wären sie in Späherdienst gezwängte Schergen,
Sie laden dich zu Fahrten ein gleich guten Fergen,
Und hegen dich wie schwesterliche Frauen.

Es nähern sich dir all die kargen Dinge:
Die schmale Pritsche kommt, die blauen Wasserkrüge,
Der Schemel flüstert, daß er gern dich trüge,
Die Wintermücken wiegen sich wie kleine Schmetterlinge.

Und auch das Gitterfenster kommt, das du verloren,
Mit Augen, die sich an den schwarzen Stäben stachen,
Anstarrtest, während deine Arme hilflos brachen,

Und Köpfe der Erschoßnen wuchsen aus versperrten Toren.
Das Gitterfenster ruft: Nun, Lieber, schaue, schaue,
Wie ich aus Wolken dir ein Paradies erbaue.


## Lied der Einsamkeit

Sie wölbt um meine Seele Kathedralen,
Sie schäumt um mich wie brandend Meer,
Der Gosse sperrt sie sich wie eine Wehr,
Und wie ein Wald beschützt sie meine Qualen.

In ihr fühl' ich die Süße abendlicher Stille,
Auf leeren Stunden blüht sie maienliches Feld,
Ihr Schoß gebiert das Wunder der geahnten Welt,
Ein stählern Schwert steilt sich metallner Wille.

Sie schmiegt sich meinem Leib wie schlanker Frauen Hände,
In meine Sehnsucht perlt sie aller Märchen Pracht,
Ein sanftes Schwingen wird sie hingeträumter Nacht . . .

Doch ihre Morgen lodern Brände,
Sie sprengen Tore schwerer Alltagszelle,
Einstürzen Räume, aufwächst eisige Helle.


## Gefangene Mädchen

Wie kleine arme Dirnen an belebten Straßenecken
Sich schüchtern fast und wieder roh bewegen,
Im Schatten der Laternen sich erst dreister regen
Und den zerfransten Rock kokett verstecken . . .

Wie Waisenkinder, die geführt auf Promenaden,
Je zwei und zwei in allzu kurzen grauen
Verschoßnen Kleidern sehr verschämt zu Boden schauen
Und Stiche fühlen in den nackten Waden . . .

So schlürfen sie umstellt von hagren Wärterinnen,
Die warmen Hüften wiegend auf asphaltnen Kreisen,
Sie streichen heimlich mit Gebärden, leisen,

Das härne Kleid, als strichen sie plissiertes Linnen,
Und wie sich in gewölbten Händen Brüste runden,
Befällt sie Grauen ob der Last der leeren Stunden . . .


## Fabrikschornsteine am Vormorgen

(Dem Andenken des erschoßnen Kameraden
Lohmar, München)

Sie stemmen ihre schwarze Wucht in Dämmerhelle,
Gepanzert recken sie sich drohendsteil,
Sie spalten zarte Nebel wie getriebner Keil,
Daß jeder warme Hauch um sie zerschelle.

Aus ihren Mäulern kriechen schwarze Schlangen
In blasse Fernen, die ein Silberschleier hüllt.
Sie künden lautlos: »Wir sind Burg und Schild!
Die Gluten winden sich, in uns gefangen.«

Der Morgen kündet sich mit violettem Lachen,
Den Himmel füllt ein tiefes Blau,
Da gleichen sie verfrornen Posten, überwachen,

Und werden spitz und kahl und grau,
Und stehen hilflos da und wie verloren
Im lichten Äther, den ein Gott geboren.

# Die Mauer der Erschossenen

*Pietá*

Stadelheim 1919

Wie aus dem Leib des heiligen Sebastian,
Dem tausend Pfeile tausend Wunden schlugen,
So Wunden brachen aus Gestein und Fugen,
Seit in den Sand ihr Blut verlöschend rann.

Vor Schrei und Aufschrei krümmte sich die Wand,
Vor Weibern, die mit angeschoßnen Knien »Herzschuß!«
    flehten,
Vor Männern, die getroffen sich wie Kreisel drehten,
Vor Knaben, die um Gnade weinten mit zerbrochner Hand.

Da solches Morden raste durch die Tage,
Da Erde wurde zu bespienem Schoß,
Da trunkenes Gelächter kollerte von Bajonetten,

Da Gott sich blendete und arm ward, nackt und bloß,
Sah man die schmerzensreiche Wand in großer Klage
Die toten Menschenleiber an ihr steinern Herze betten.


# Der Gefangene und der Tod

(Meinem lieben Zellennachbarn Valtin Hartig)

*Der Gefangene spricht:*
Ich denke deinen Namen, Tod, und um mich bricht
Der Zellenbau in Trümmer, Fundamente liegen bloß,
Aus Pfosten reißen sich die schweren Eisengitter los
Und krümmen sich im maskenlosen starren Licht.

314

In meiner Seele gellt ein Schrei. Ein Zittern wirft verschüch-
    terte Gebärde
Ins Blut, darin das Leben pochend schwingt –
Und wie die Kreißende um sich und um ihr Junges ringt,
So ringt mein Blut verzweifelt um den Quell der Erde.

Oh, daß ich fliehen könnte! Denn dir hilflos hingegeben,
Heißt hilflos sich zerstören. Wer sich aufgibt,
Wählt dich zum Freund. Ich aber will das Leben!

Ich will das Leben so, daß mich das Leben liebt
Und seinen Rhythmus durch mich strömt, mich Welterfüllten,
Deß trunkne Erdenlust nicht tausend Jahre stillten.

                    *Der Tod spricht:*
Da du das Leben willst, warum Erbleichen,
Wenn meine Melodie in deiner Seele tönt?
Wer mich erträgt, der atmet wie versöhnt,
Sein Herz kann nicht mehr greller Klang erreichen.

Ist tot der Baum im Herbst der Abendweiten?
Ist tot die Blume, deren Blüte fallend sich erfüllt?
Ist tot der schwarze Stein, der glutne Kräfte hüllt?
Ist tot die Erde über Gräbern menschlicher Gezeiten?

Oh, sie belogen dich! Auch ich bin Leben,
Ein Märchen sprachen sie: der Tod sei in der Welt.
Ich bin das Ewige im Spiel der Formen, die Vollendung
    weben,

Dem Einen nahe, das den Sinn in Händen hält.
Ich bin der Wanderer, der überwand die tiefsten Wunden,
Und wer mich fand, der hat den Schoß der Welt gefunden.

## Pfade zur Welt

Wir leben fremd den lauten Dingen,
Die um die Menge fiebernd kreisen,
Wir wandern in den stilleren Geleisen
Und lauschen dem Verborgnen, dem Geringen.

Wir sind dem letzten Regentropfen hingegeben,
Den Farbentupfer rundgeschliffner Kieselsteine,
Ein guter Blick des Wächters auslöscht das Gemeine,
Wir fühlen noch im rohen Worte brüderliches Leben.

Ein Grashalm offenbart des Kosmos reiche Fülle,
Die welke Blume rührt uns wie ein krankes Kind,
Der bunte Kot der Vögel ist nur eine Hülle

Des namenlosen Alls, dem wir verwoben sind.
Ein Wind weht menschlich Lachen aus der Ferne,
Und uns berauscht die hymnische Musik der Sterne.


## Schwangeres Mädchen auf dem Gefängnishof

Du schreitest wunderbar im Glast der mittaglichen Stunde,
Um deine Brüste rauscht der reife Wind,
Ein Lichtbach über deinen Nacken rinnt!
Oh, Hyazinthen blühen süß auf deinem Munde!

Du bist ein Wunderkelch der gnadenreichen
Empfängnis liebestrunkner Nacht,
Du bist von Lerchenliedern überdacht,
Und deine Last ist köstlich ohnegleichen.

Wer wird die Hand dir halten am verheißnen Tag,
Da Mutterwehen wimmern zitternde Spiralen?
Ich seh dein Auge, das vom rohen Wort erschrak,

Ich seh hinwelken deine Hüften in den fahlen
Jahren der Gefangenschaft. Ich seh die Wärterin, die ohne
  Scham
Das heimatlose Kind von deinen vollen Brüsten nahm.


## Dämmerung

### (Romain Rolland dankbar)

Am frühen Abend lischt das Leuchten deiner Zelle,
Von grauen Wänden gleiten schlanke Schatten,
Wer trotzig schrie, wird träumerisch ermatten,
Die braune Stille schwingt wie eine milde Welle.

Und oft erfüllt den engen Raum opalne Helle,
Gestalten deines Herzens locken dich zu heitrem Reigen,
Da wird ein Tanz im schweren Mantel Schweigen,
Da wird ein bunter Klang im dämmernden Gefälle.

Dein Atem ist ein Ruf, ein einziger Ruf!
Die Wächter schlürfen durch die Gänge, scheele Gäste.
Du bist so reich und lüdst sie ein zum Feste,

Das dir Genosse Abend schuf.
Doch grämlich drücken sie ans Guckloch trockne Schläfe . . .
Es ist kein Ruf, der ihre Herzen träfe.


## Verweilen um Mitternacht

Um Mitternacht erwachst du. Glocken fallen
Wie Stürme an die Schwelle deines Traums.
Unendlich schwingt das Leben im Gefäß des Raums,
Ob allen Sternen muß sein Herzschlag hallen.

Es steigen an die Klänge, die sich ründen.
Die alte Stadt fühlt hilflos die gewordne Zeit,
Sie beugt sich tief: sie ist bereit,
In Schoß der Quelle einzumünden.

Hinschwingt ein letzter Klang in ferne Sphären.
Der Wandernde verweilt und lauscht:
Nur tiefer Stille wird Gebären,

Wer in der Erde wurzelt, rauscht.
Aus Stunden formt sich Antlitz gen die Zeiten
Und schwebt im Licht der Ewigkeiten.

## Nächte

Die Nächte bergen stilles Weinen,
Es pocht wie schüchtern Kindertritt an deine Wand,
Du lauschst erschreckt: Will jemand deine Hand?
Und weißt: Du reichst sie nur den Steinen.

Die Nächte bergen Trotz und Stöhnen,
Und wilde Sucht nach einer Frau,
Die Not des Blutes bleicht dich grau,
Aus Träumen blecken Fratzen, die dich höhnen.

Die Nächte bergen niegesungne Lieder,
In Nachttau blühn sie, samtne Schmetterlinge,
Sie küssen die verborgnen Dinge,

Du willst sie haschen und sie sind verweht,
Kein Weg ist, der zu ihnen geht.
Nie hörst du ihre Melodien wieder.

# November

Wie tote ausgebrannte Augen sind die schwarzen Fenster-
    höhlen
Im Dämmerabend der verhangenen Novembertage,
Wie Flüche wider Gott, hilflose Klage
Wider die Zwingherrn der verruchten Höhlen.

Die Städte sind sehr fern, darin die Menschen leben.
Ein Knäuel würgt die Kehle dir, ein Grauen
Betastet deine Glieder. Wer wird Freiheit schauen?
Wann endlich wird sich dieses müde Sklavenvolk erheben?

Oh, niemand löscht die Stunden der Gefängnishöfe, die in
    wirren
Träumen uns gleich Fieberlarven schrecken, antlitzlosen,
Wir sind verdammt von Anbeginn, wir müssen wie Leprosen,

Unstete, durch die Jahre unsrer Jugend irren.
Was ist das Leben uns? Ein formlos farbenleer Verfließen . . .
Und gnädig sind *die* Nächte, die wie Särge uns umschließen.


# Ein Gefangener reicht dem Tod die Hand

Erst hörte man den Schrei der armen Kreatur.
Dann poltern Flüche durch die aufgescheuchten Gänge,
Sirenen singen die Alarmgesänge,
In allen Zellen tickt die Totenuhr.

Was trieb dich, Freund, dem Tod die Hand zu reichen?
Das Wimmern der Gepeitschten? Die geschluchzten Hunger-
    klagen?
Die Jahre, die wie Leichenratten unsern Leib zernagen?
Die ruhelosen Schritte, die zu unsern Häuptern schleichen?

Trieb dich der stumme Hohn der leidverfilzten Wände,
Der wie ein Nachtmahr unsre Brust bedrückt?
Wir wissen's nicht. Wir wissen nur, daß Menschenhände

Einander wehe tun. Daß keine Hilfebrücke überbrückt
Die Ströme Ich und Du. Daß wir den Weg verlieren
Im Dunkel dieses Hauses. Daß wir frieren.


## Besucher

Die Augen sind vom Haßschrei der Gefängnismauern
Verstört gleich Tauben, die ein Marder überfiel,
Und die verschüchtert flattern ohne Ziel,
Erblindet vor den Zähnen, die in Blutdurst lauern.

Dann Mitleid scheu erblüht wie blauer Klang der Harfen,
Die Herzen klammern sich an des Gefangnen Hand –
Oh, viele bittre Nächte weinten wie verbannt,
Seit Waffenknechte den Empörer ins Gefängnis warfen.

Der aber wuchs aus Last erstarrter Zellen,
Und seine Seele ward entrückt dem Rhythmus kleinen Lebens,
Er lebt nach innen, lebt an Gottes Quellen –

Und der Besucher friert und fühlt, er kam vergebens.
Ein Pilger, der den Weg zum Freund verloren . . .
Und tiefer noch vereinsamt, weint er vor geschloßnen Toren.


## Gemeinsame Haft

Sie sind gepfercht in einen schmalen Käfiggang,
Gleich Tieren, die an Gitterstäben wund sich biegen,
Und die von Heimweh krank am Boden liegen
Und fast erschrecken vor der eignen Stimme Klang.

Sie dorren hin und träge wird ihr Blut,
Nur böser Giftstrom bricht aus ihrem Munde,
Der sucht und ätzt des Nachbarn offne Wunde –
Die eingesperrten Menschen sind nicht gut.

Die eingesperrten Menschen sind gleich Kranken,
Sie wurden taub und stumm und blind,
Sie hassen sich, weil sie so ärmlich einsam sind.

Weil sie im Chaos ihres Ichs versanken,
Weil grobe Nähe auch des Freundes Antlitz roh und häßlich
    macht,
Weil jeder über jeden zu Gerichte sitzt und hämisch lacht.


### Entlassene Sträflinge

#### 1918

##### (Meiner Mutter)

Sie träumen, Trunkne, durch vertraute Gassen,
Gefäß, darin ein Lichtmeer brandet,
In tausend Farben schäumt, im Asphalt strandet –
Form kann die Fülle noch nicht fassen.

Wie Auferstandne tasten sie mit durstgen Blicken
Nach Blätterknospen, die im Frühlingsatem schwellen . . .
Sie streifen von sich modrig Kleid verwester Zellen
Und wachsen flammend auf in irdischem Entzücken.

Doch Stadt erschreckt sie jäh wie fremdgespenstig Land . . .
Dann wieder sind sie tief in sich verklungen . . .
Unendlich fern die Zeit, da sie gebannt

In grauen Sarg, und hohle Wände Totenlied gesungen.

Zerbrechlich lächeln sie, als ob sie irgendwo Erloschnes
    fänden,
Und streichen fremdes Kind mit scheuen, unbeholfnen
    Händen.


## Unser Weg

Die Klöster sind verdorrt und haben ihren Sinn verloren,
Sirenen der Fabriken überschrillten Vesperklang,
Und der Millionen trotziger Befreiungssang
Verstummt nicht mehr vor klösterlichen Toren.

Wo sind die Mönche, die den Pochenden zur Antwort geben:
»Erlösung ist Askese weltenferner Stille . . .« –
*Ein* Hungerschrei, *ein* diamantner Wille
Wird an die Tore branden: »*Gebt uns Leben!*«

Wir foltern nicht die Leiber auf gezähnten Schragen,
Wir haben andern Weg zur Welt gefunden,
Uns sind nicht stammelndes Gebet die Stunden,

Das Reich des Friedens wollen wir zur Erde tragen,
Den Unterdrückten aller Länder Freiheit bringen –
*Wir müssen um das Sakrament der Erde ringen!*

# Das Schwalbenbuch

*Gewachsen 1922 · Geschrieben 1923*
*Festungsgefängnis*
*Niederschönenfeld*

In meiner Zelle
nisteten im Jahre 1922
zwei Schwalben

Ein Freund starb in der Nacht.
Allein.
Die Gitter hielten Totenwacht.

Bald kommt der Herbst.

Es brennt, es brennt ein tiefes Weh.

Verlassenheit.


O dumpfer Sang unendlicher Monotonie!
O ewiges Einerlei farblos zerrinnender Tage!
Immer
Wird ein Tag sein
Wie der letzte,
Wie der nächste,
Immer.

Zeit ist ein grauer Nebel. Der setzte sich in die Poren Deiner
    unendlichen Sehnsucht.

Das Stückchen blauer Himmel ist gespießt von rostigen Eisen-
    stäben,
Die aus dem Gitterloch Deiner Zelle aufbrachen,
Auf Dich zuwanderten
Zu
Wanderten
Zu
Wanderten . . .
Erst wehrtest Du Dich,
Aber die Gitterstäbe waren stärker als Du.
Nun wachsen Sie in Deinen Augen,
Und wohin Du blickst,
Überall
Überall siehst Du Gitterstäbe.

Noch das Kind, das im fernen, ach so fernen lupinenblühen-
den Feld spielt,
Ist gezwängt in die Gitterstäbe Deiner Augen.
Oh –

Deine Nächte, Deine Traumnächte verzweifelte Harleki-
naden.

Deine Nägel kratzen am Sargdeckel tauber Verlassenheit.

Nirgends blüht das Wunder.

Musik ist

Wälder sind

Frauen sind

Es blüht irgendwo die Geberde eines sanft
sich biegenden Nackens
Es wartet irgendwo eine Hand, die sehr
zärtlich ist und voll süßester Wärme

Nirgends . . . blüht . . . das . . . Wunder.

Kalt wurde das Buch in meiner Hand,
So kalt, so kalt.
Die schwarzen Lettern schwarze Berge, die zu wandern be-
gannen im Geäder meines Herzens.
Die raschelnden Blätter Schneefelder am Nordpol endloser
Ohnmacht.

Ich friere.
Die Welt gerinnt.
Es muß schön sein einzuschlafen jetzt,
Kristall zu werden im zeitlosen Eismeer des Schweigens.
Genosse Tod.
Genosse, Genosse ...


Zirizi Zirizi Zirizi
Zizizi
Urrr


Daß man, nahe der dunklen Schwelle,
Solche Melodie vernimmt, so irdischen Jubels, so irdischer
   Klage trunken ...
Träume, meine Seele, träume,
Lerne träumen den Traum der Ewigkeit.
Zirizi Zirizi Zirizi
Zizizi
Urrr


Fort fort, Genosse Tod, fort fort,
Ein andermal, später, viel später.


Über mir ... über mir,
Auf dem Holzrahmen des halbgeöffneten Gitterfensters,
   das in meine Zelle sich neigt in erstarrter
   Steife, so als ob es sich betrunken hätte
   und im Torkeln gebannt ward von einem
   hypnotischen Blick,
Sitzt
Ein
Schwalbenpärchen.
Sitzt,
Wiegt sich! wiegt sich!
Tanzt! tanzt! tanzt!

Weichet zurück Ihr schwarzen Berge! schmelzet Ihr Schnee-
    felder!
Sonne Sonne, zerglühe sie! zerglühe sie!

Mütterliche!

Welche Landschaft wächst aus den verstaubten melancholi-
    schen Zellenecken?
Tropische Felder, Farbenrausch sich entfaltender Orchideen!
Regina Noctis! –

Und darüber . . . darüber
Mein Schwalbenpaar.


Das Wunder ist da!
Das Wunder!
Das Wunder!

Tanze meine atmende Brust,
Tanzet Ihr wunden geketteten Augen,
Tanzet! Tanzet!
Nur im Tanze brecht Ihr die Fessel,
Nur im Tanze umrauscht Ihr die Sterne,
Nur im Tanze ruht Ihr im Göttlichen,
Tanzet! Tanzet!

Im Tanze träumt das heilige Lied der Welt.


Von den Ufern des Senegal, vom See Omandaba
Kommt Ihr, meine Schwalben,
Von Afrikas heiliger Landschaft.
Was trieb Euch zum kalten April des kalten Deutschland?
Auf den griechischen Inseln habt Ihr gerastet,
Sangen nicht heitere Kinder Euch heiteren Gruß?

Warum nicht bautet Ihr Tempel in des Archipelagos
Ehrwürdigen Locken?

Zu welchem Schicksal kamet Ihr?

O unser Frühling
Ist nicht mehr Hölderlins Frühling,
Deutschlands Frühling ward wie sein Winter,
Frostig und trübe
Und bar der wärmenden
Liebe.

Den Dichtern gleichet Ihr, meine Schwalben.

Leidend am Menschen, lieben sie ihn mit nie erlöschender
Inbrunst,
Sie, die den Sternen, den Steinen, den Stürmen tiefer verbrü-
    dert sind als jeglicher Menschheit.

Den Dichtern gleichet Ihr, meine Schwalben.


Wo soll ich Euch eine Stätte bereiten, Vögel der Freiheit?
Ich bin ein Gefangener, und mein Wille ist nicht mein Wille.
Sing ich ein Lied der Freiheit, meldet der Wächter:
Der Gefangene sang ein revolutionäres Lied.
Das dulden die Paragraphen nicht.
Mächtige Herren sind die Paragraphen, die die Menschen
    über sich setzten, weil sie den Sinn verloren. Ruten tragen
    sie in Händen. Die Menschen sagen: Ruten der Gerechtig-
    keit.
Dieses Hauses Ruten heißen: Einzelhaft ... Bettentzug ...
    Kostentzug ... Hofverbot ... Schreibverbot ... Sprech-
    verbot ... Singverbot ... Leseverbot ... Lichtverbot ...
    Zwangsjacke.

329

Ihr, meine Schwalben, wißt nichts von Gerechtigkeit und nichts von Ungerechtigkeit. Darum wißt Ihr auch nichts von Paragraphen und von Ruten . . .

Wie soll ich Euch ein Brettchen holen?
Wohl ist das Haus, das mir die Menschen als Wohnung wiesen, bajonettbehütet und stacheldrahtumwehrt. Wohl hallen Tag und Nacht die Höfe von des Wächters ruhelosen Schritten. Aber die Rutenträger sagen, ein Stückchen Holz sei gefährlich.
Gefährlich der Ordnung und Ruhe und Sicherheit des Hauses.

Hilfreicher Freund!
Ein Stückchen Pappe halfest du mir über die Zellentür fugen.

O bleibt Gefährten mir, Schwalben!


Die lockende Bucht umflattern
Ängstlich die Schwalben.
Eine berührt sie.
Das Männchen!
Schon kenn ichs
Am länger sich pfeilenden
Schwanz, am roten
Spitzigen Brustmal.
Jäh erschrickt es.
Fliegt davon.
Das Weibchen schrill schreiend
Mit ihm.

Ahntet Ihr,
Wohin ich Euch locken wollte?

Ach wer sollte freiwillig
Einkehren in eine
Gefangenenzelle?

Sechs Schritt hin
Sechs Schritt her

Ohne Sinn

Ohne Sinn


Die Schwalben sind zurückgekehrt.

Sie bleiben! Sie bleiben!

Nach Osten blickt meine Zelle.

Nach Osten!


O Europa, wie arm Du bist!
Die Tiere Deiner Häuser sind wie Deine Menschen,
Geduckt und häßlich, verkrüppelt und verschnitten.
O ihre traurigen Augen!
Wo Du sie krönst, krönst Du Rekorde.
Wie Du Deiner Menschen Rekorde krönst –
*Und nicht ihr Leben! Und nicht ihr Leben!*

Wann wachsen sie ihr Leben?
Wann?
Sie übergeben es einem Götzen, der eine Uniformmütze trägt,
    der ordnet es, katalogisiert es, befiehlt Pflichten, schreibt
    Geburtsscheine, Militärscheine, Trauscheine, Sterbeschei-
    ne, setzt ein Kreuz hinter ihre abgespulten Namen, trägt
    den vollgeschriebenen Registerband in die Registratur, So
    muß es sein, So dienst Du Gott, In Ewigkeit, Amen.

*Brecht auf Ihr Völker des Orients und verkündet die seligen
    Hymnen Eurer Gebenedeiten Muße!!!*

Ein Tier aber lebt in Euren Häusern, Ihr Menschen Europas,
    das ließ sich nicht zähmen und züchten,
Das ließ sich nicht fangen von Eurer süßlichen Lockung und
Eurer herrischen Drohung,
Das blieb
Frei!
Frei!
Frei!

Kommt zu mir dem zwiefach Gefangenen:
    Gefangener eingekerkert von Gefangenen . . .

In dieser Nacht
Schlief das Schwalbenpärchen in meiner Zelle.


Baumeister gotischer Kathedrale,
Zügle den Stolz!
Quadern brauchtest Du und kunstvoll gemeißelte Steine,
Pfeiler, Pilaster, Rosetten und farbige Scheiben,
Mörtel war Dir
Das Elend der Menge, das billig sich feilbot,
Weihtest Dein Werk
Dem Jenseits,
Dem Tode.

Siehe die Schwalben:

Aus Schmutz, aus Schlamm, aus Halmen, aus Haaren der
    Pferde
Bauen sie fromm ihr edel gewölbtes Nest,
Weihens
Der Erde,
Dem Leben.

Am Morgen, wenn der Wächter kommt,
Schreck ich zusammen.
Entdeckt er das Nest,
Reißt ers mit harter Geberde zu Boden.

O im vorigen Sommer der Kriegszug auf junges Getier!
Gegen Dachrinnen, Firste marschierte man Sturm.
Als ich zum Hof ging,
Ging ich über ein Schlachtfeld.

Hilflos kreisend die klagenden Mütter.

Paragraph X: Es widerspricht dem Strafvollzug, Vögel zu dulden im Hause der Buße.

Menschen . . . Menschen


Ich sah Schmetterlinge spielen
Im sonneflirrenden Mittag.

Wo aber,
Wenn die Sonne sinkt,
Wenn Nachtstürme
Über die Erde rauschen
Mit schwarzem Gefieder,
Wo, lieblichste Kinder der göttlichen Mutter,
Schlafet Ihr dann?

Ich glaube,
Es öffnen sich Euch
Die Kelche der Blumen,
Ich glaube,
Es wiegt Euch zur Ruhe
Der Blütenklang im Dom der Kastanien.

Im Nest,
Gebettet in weiße daunige Federn,
Liegen
Fünf braungesprenkelte Eier.

Fünf festliche Tempel keimenden Lebens.


Die Menschenmütter,
Ach sie sind nicht mehr
Festliche Tempel keimenden Lebens.

In meiner Mutter Hände
Kerben sich Runzeln.
Als sie mich trug,
War ihr Blut
Beschattet von täglicher Not.
Träumend
Wuchs ich
Im Dunkel des wärmenden Schoßes . . .
Meine Milch Schwermut.
Mein Herzschlag Trauer.

Das Lied in Moll
Wahre der Mensch
Im hymnischen Chor der Welt.


Weißt Du, wie eine Schwalbe fliegt?

Ich sah
Im Kriege Gefangene wandern
Durch klagende Täler zerschossener Dörfer.
Den Reihen der Gaffenden
Entkrümmte sich
Ein Weib.

Hände gekrampft lösten sich,
Stiegen steil in Äther schwärzlichen Himmels,
Stiegen! Stiegen!
Schwebten!
Jauchzten!
Und einer Stimme seraphischer Jubel:
André!!!


Aber es war nicht wie der Flug einer Schwalbe.


Ich sah
Im Gefängnis gefesselte Menschen
Schlafend . . .
Träumend . . .
O Antlitz sternenstrahlend!
Gefesselte Menschen
Träumend!
Du seliger Sieger Traum!!!


Aber es war nicht wie der Flug einer Schwalbe.
Der Schwalbe Flug – wie Unnennbares nennen?
Der Schwalbe Flug – wie Unbildbares bilden?
Lebte ein Gott,
Sein Zorn:
Der Schwalbe schnellendes Pfeilen,
Sein Lächeln:
Der Schwalbe innigweises Spiel,
Seine Liebe:
Der Schwalbe trunknes Sichverschenken.


Europa preist seine Äroplane,
Ich aber, ich Nummer 44,
Will mit den schweigenden Akkorden meines Herzens
Den Flug der Schwalbe preisen.

Wer preist mit mir den Flug der Schwalbe?
Alle lade ich ein!
Wer kommt?

Ein ältliches Mädchen.
Ein buckliges Kind.
Ein Narr.

O lächerliche Trinität menschlicher Güte!

Wir preisen! Amen.
Wir singen! Amen.
Wir beten an! Amen.

Wir preisen den Flug der Schwalbe,
Aber so heißt ihres Fluges Offenbarung:

Das Tier ist heiliger als der Mensch. Amen.
Die Blume heiliger als das Tier. Amen.
Erde heiliger als die Blume. Amen
Aber am heiligsten der Stein. Sela. Sela. Sela.


Morgens putzt sich das Schwalbenmännchen
Mit feiner Grazie
Sein bläulich blitzendes Gefieder.
Immer ist die Schwälbin unzufrieden,
Schilt ihn, zankt ihn, plappert, poltert
Ein scheckiges Kauderwelsch.
Würdig beendet das Männchen
Seine Morgenfrisur,
Antwortet kaum den keifenden Lauten.
Dann – heidi!
Fliegts in die tauigen Himmel.
Aber nicht lange,
Sitzts auf dem Fensterrahmen,

Zwitschert der brütenden Gattin
Ein fröhliches Morgenkonzert.
Zirizi, Zirizi,
Zizizi,
Urrr.


Ich stehe am nächtlichen Gitterfenster.

Träumend zwitschert die Schwälbin.
Geweckt vom liebenden Ruf
Regt sich leise das Schwalbenmännchen.

Ich bin nicht allein.

Auch Mond und Sterne sind mir Gefährten
Und die schimmernden schweigenden Felder.


Menschen wie arm Eure Feste!
Jazztänze schrill von verruchter Zeit!
Eure Lebensangst
Ankurbelt die Autos der Selbstflucht,
Illuminiert
Die Seele
Mit Lampions elektrischer Gier
Und wähnt:
Sie sei geborgen.

Aber sie ist nicht geborgen

All Euer Lärm, Euer Gekreisch, Euer Gekrächz,
   Euer Freudeplakatieren, Lustigsindwir:
   Hahaha –
Übertönt nicht
Das leise kratzende

Nagen
Der drei heimlichen Ratten
Leere . . . Furcht . . . Verlassenheit

Aber schon schaue ich Dich,
Gewandelte Jugend der Revolution.

Deine Tat: Zeugung.
Deine Stille: Empfängnis.
Dein Fest: Geburt.

Opfernd
Im todnahen Kampfe heroischer Fahne,
Schreitend
Im reifenden Felde träumenden Frühlings,
Jauchzend
Im bindenden Tanze gelöster Leiber,
Ahnend
Im magischen Schweigen gestirnter Nacht.

Schon schaue ich Dich,
Gewandelte Jugend der Revolution.


Ihr meine brüderlichen, Ihr meine tapferen Schwalben!
Auf dem Hofe steh ich.
In morgenlichen Lüften segelt, spreitend die mächtigen
    Flügel mit Würde, ein Sperber.
Ich höre gelle Schreie spielender Schwalben.
Von allen Seiten antworten Rufe.
Scharen von Schwalben fliegen herbei.
Wer gab das Angriffssignal?
In gepfeilter Wucht stürzen sie auf den königlichen Vogel,
Der in seinen Fängen einen jungen Sperling krallt.
Ihr meine brüderlichen, Ihr meine tapferen Schwalben!
Doch welch ungleicher Kampf!

Gelassen, mit bewegterem Flügelschlag, wehrt der Angegriffene.

Kaum achtet er der winzigen Verfolger.

Armer Sperling!

Immer wieder greifen die Schwalben den Räuber an.

Bedrängen ihn mit feuriger Leidenschaft.

Schon werden seine Flügelschläge hastiger, unbeherrschter . . .

Die Schwachen haben den Starken besiegt!!

Zornigen Schreis, bezwungen von verbündeter Kraft öffnet der Sperber die kerkernden Fänge.

Zitternd entflattert der betäubte Spatz.

In seligen Flügen feiern die Schwalben den Sieg der Gemeinschaft.


Wann endlich, Tiere, bündet Ihr Euch

Zum Bunde wider die Menschheit?

Ich, ein Mensch,

Rufe Euch auf!

Euch Nachtigallen, geblendet mit glühender Nadel,

Euch Hammel, gewürgt in Kasematten vergaster Übungsschiffe,

Euch Esel, sanfteste Tiere, zusammenbrechend unter Peitschenhieben,

Euch Strauße, zuckenden Atems gerupft und fühlenden Herzens,

Euch Pferde, sonnenlos werkend in verpesteten Schächten,

Euch Bären, dressiert auf glühender Eisenmatte,

Euch Löwen, gezähmt im Zirkus von stählerner Knute,

Euch Alle . . . Euch Alle

Rufe ich auf!

Erwachet!

Rächen wollen wir

Die Opfer des Menschen:

Tiere für Gaumenkitzel atmend gefoltert,

Tiere für Modelaunen lachend geschunden,
Tiere berauschten Arenen eitel geopfert,
Tiere in Kriegen sinnlos zerfetzt ...

Ich will mich an Eure Spitze stellen,
Ich, ein Renegat der Menschheit,
Will Euch führen gegen den einen Feind
*Mensch*.

Tiere der Wüste: Brüllet Alarm!
Tiere des Dschungels: Heulet Sturm!

Keine Unterscheidung lassen wir gelten.
Weiße und Schwarze, Gelbe und Braune,
Alle alle Erdschänder! Muttermörder! Sternenräuber!


Auf dem gebuckelten Nestrand
Sitzt die Schwälbin.
Schaut mit ernsten, erwartenden Augen
(Wie wenig kennen die Menschen
Eure Augen, Tiere!)
Auf die heilige Stätte der Wandlung.
Ab und zu
Klopft sie mit knackendem Schnabel
An kalkumpanzerte Welten
Trächtigen Lebens.
Lauschend verweilt sie

Unsäglich zärtlicher Laut!
Eilig fliegt das Männchen herbei,
Aufgeregt, geschäftig, betriebsam
Umkreist es plaudernd das Nest.
Gleich in schelmischer Freude
Wehrt die Schwälbin
Dem forschenden Flug.

Endlich hält sie inne.
Sehr sanft wird ihr Blick,
Sehr weich und gelöst
Ihre Geberde.

Und das Schwalbenmännchen
Erschaut
Sich,
Sich in fünf winzigen
Blinden, atmenden
Gesichten.

Laßt mich teilnehmen
An Eurer Beglückung,
Gefährten.
Pate will ich den fünfen sein,
Mitsorgender, helfender Schützer.

Ich gratuliere! Ich gratuliere!


Schwälbchen, der Morgen, der Morgen ist da!
Nachts hat Mutter Euch Märchen gezwitschert,
Jetzt sucht sie Brot zum Schnäbleinstopfen,
Schwälbchen, der Morgen, der Morgen ist da.

Schwälbchen, der Morgen, der Morgen ist da!
Sonne pocht an und will Euch begrüßen,
Öffnet die braunen Guckäugelein,
Schwälbchen, der Morgen, der Morgen ist da.

Schwälbchen, der Morgen, der Morgen ist da!
Bald seid Ihr groß, dann werdet Ihr fliegen
Fort übers Meer zu den Negerlein,
Schwälbchen, der Morgen, der Morgen ist da.

Graue seidene Härchen
Wachsen in komischen Büscheln
Aus rosigen Leibern.
Aufgespießt auf einem dünnen
Überlangen Hals
Der Kopf ...
Reißt eins das gelbe Schnäbelchen auf,
Bleckt
Ein lächerlich wütender Rachen.

Immer bleibt das Nest sauber.
Liegt drin ein weißes Würstchen
Mit schwarzem geringeltem Schwänzchen,
Wirds von den Eltern gepackt
Und hinausgetragen.

Eifrig füttern sie
Das junge Getier.
Erst wird das Futter
Im Kropf erweicht,
Mit Speichel zart bereitet,
Dann in die hungrigen Mäuler gestopft.
Hat der Vater
Das Junge zur Rechten gefüttert,
Füttert die Mutter
Das Junge zur Linken.
Geheimes Gesetz
Waltet.


Wie ein Kind, das am Bilde sich freut, am Spiele
Holderer Wesen,
Sah ich Dir zu.
Nun seh ich ein wissender Mensch.

Was trägst Du,

Gewürgt vom krallenden Schnabel,
Den hungrigen Jungen herbei?
Ein Tierchen gleich Dir,
Deine kleine Schwester Fliege.
Verkettet auch Du der Urschuld des Lebens!
Weh uns!
Was lebt, mordet.

Ich will Dich lieben mit tieferer Liebe,
Da ich weiß, was Schicksal Dich tun heißt.

Es ist ein Fluch der Erde,
Nirgends
Atmet das Lebendige
In göttlicher Unschuld.
Und noch das Tote
Muß töten.


Ei, Schwälbchen,
Was Du nicht kannst!

Zaghaft und mutig doch
Steigt eins
Auf die Borden des Nestes,
Hebt zierlich sein Schwänzchen ...
Klacks!
Hats sein Werk vollbracht,
Putzt sich
Den kleinen Popo
Mit gesträubten Flügeln,
Und eilig, erhobenen Kopfes,
Stolz wie ein Russenzar
Kriechts in sein Nest zurück.

Sah schreiten ein Mädchen
Im Weizenfeld.
Leuchtet ihr rotes Tuch,
Rotes Tuch, rotes Tuch
Oder ihr Herz

Sang fern eine Drossel
Im Fliederbusch.
Klang wie ein Liebeslied,
Liebeslied, Liebeslied
Oder auch Spott

Ein Sommer noch,
Zwei Sommer noch,
Trallalala, Trallalala


Drohte Gefahr, klagen würde die Schwälbin
Mit schrillem Pfeifen
Den Winden ihre dumpfe Angst.
Vom Fenster zum Nest, vom Nest zum Fenster
Fliegt sie gelassen
Im Neste hocken,
Eins sich kauernd ans andere,
Die Jungen.
Über den Nestrand
Lugen die Köpfe,
Beugen sich vor, ducken zurück, wiegen sich rhythmisch
Im Takte mütterlichen Flugs.
Streichen der Schwälbin Flügel
Das wärmende Nest,
Recken sie schreiende Schnäbel,
Zärtlicher Wartung gewöhnt.
Aber gleich in ernstem Besinnen
Verstummen sie,

Und in kindlichen Augen wird wach
Ein seltsames Leuchten.

Lockende Laute zwitschert die Schwälbin,
Verweilend.

O köstliches Wunder!
Krabbelt ein Junges hervor,
Spreitet die winzigen Flügel . . .
Erhebt sich . . .
Fliegt,
Fliegt
Schwankend und dennoch voll Anmut,
Leiht seiner Angst
Die zierliche Geste edler Gesittung,
Setzt sich, klopfenden Herzens,
Neben die glückliche Mutter.

Mit Lob und leckeren Bissen
Verwöhnen die Eltern
Das mutige Junge.

Die im Neste
Erheben Geschimpf und Geschelt.

Auf den nahen Dachfirst fliegt das tapfere Junge.
Neugierig beguckts die Welt.
Beguckt zum erstenmal die Welt.
Freunde, ich sehe mit ihm zum erstenmal die Welt.
Da sitzt mein Schwälbchen. Über sich die leuchtende,
Wärmende Sonne, unter sich die blühende, atmende Erde.
Die Blumen, die Bäume, die Dachziegel,
Die fernen Wälder, die Telegraphendrähte,
Alle alle beugten grüßend
Die schweigenden Häupter.

Es rauschen die reifenden Ähren
Auch mir dem Gefangenen.
Es wölbt sich des Sommers blauender Himmel
Auch diesem gestorbenen Hof.

Ich atme
Im Mittag süßer Beglückung.

Erde! Geliebte!


Vom mutigen Jungen lernen die Geschwister.
Wie es mit schöner Geduld ihnen hilft!

Und noch ein paar Tage später tummeln sich
Draußen Alte und Junge.

In heiteren Spielen lernen die Jungen des Fluges
Festliche Kunst . . .

Abends kehrten sie nicht mehr heim.


Lausche ich Euch, Schwalben,
Lächle ich meines werkenden Tuns.

Der Mensch Mitte des Weltalls?
Warum nicht die Schwalbe!
Erhebet doch, erhebet doch
Die Schwalbe
Auf den Thron des siebenten Tages.

Um des Menschen willen
Habt Ihr Menschen gemordet,
Um der Schwalbe willen,

Vielleicht, daß Ihr den Menschen findet.
Und mehr als den Menschen.

Lausche ich Euch, Schwalben,
Lächle ich meines werkenden Tuns.
Lächle auch Du, Freund.


Und wieder richten die Schwalben das Nest.

Und wieder Tage werbender Liebe, trunkener Erfüllung.

Und wieder ward mir friedliche Beglückung.


Aber draußen kämpfen die Brüder . . .


Vier Junge, blind noch, zittern im Nest.
Immer seltener kehren die Eltern heim.
Not! Not!
Keine Nahrung für die Jungen in der Erloschenheit
Nebliger Tage.
Not! Not!
Am Abend schmiegen sich nackte Leiberchen
An die mütterliche Brust, so hilflos vertrauend,
Als schmiegten sich Sterbende ans Herz
Inbrünstig geträumter Gottheit.
Die Schwälbin weinte.

Mensch, sahest Du je ein Tier weinen?


Frost kam über Nacht
In einem Leichenmantel.

Am Morgen bin ich aufgewacht.

Das Nest war leer . . .
Mein Herz war leer . . .

O liebe kleine Schwälbchen


Die Schwalbeneltern trauern um ihre Jungen.
In einer sehr wehen Nähe kauern sie auf dem Draht, der sich
    über meinen Tisch spannt.
Eines schenkt dem andern die Wärme seines Blutes.
Anders trauert Ihr, meine Schwalben, als Menschen trauern.
Eure Klage: ein frierendes Erschauern vor dem Hauche der
    Unendlichkeit.
Mit Euch trauert der dämmernde Abend.
Mit Euch trauern die Dinge meiner Zelle.


Erhabenes Schweigen


Nicht trage
In Nächten der Verfinsterung
Sehnsucht
Nach Menschen.
Fürchte das Wort, das erwürgt!

Wahrlich,
Erst wen Du nennst,
Stirbt Deiner Seele ganz.


Schon wehen herbstliche Stürme
Über die schwäbischen Felder,
Taumeln in Lüften
Heimatlose Blätter.
Aus sumpfigen Moosen der Donau
Steigen die Nebel,

Brauend
Den fahlen Mantel
Unendlicher Totenklage.

Zum Winterflug
Sammeln sich die Schwalben.

Zur Winterstille
Sammelt sich mein Herz.


Ein letztes Mal noch höre ich der Schwalben Lied:

Unter Myriaden Häusern werden wir im Frühling
    dieses graue Hafthaus finden
Unter Myriaden Zellen werden wir im Frühling
    Deine Zelle finden


Nun habt Ihr mich verlassen, liebste Gefährten Ihr
    meiner Haft.
Wie war die Zelle warm von Eurer flirrenden Melodie, vom
    Atem Eurer Körperchen, von den tönenden Ellipsen Eures
    stürzenden Fluges.
Ihr kosmischen Gefährten meines Sommers,
Geliebteste Ihr,
Fernste,
Nächste,
In demütiger Dankbarkeit
Denke ich Eurer schenkenden Liebe.


Tierchen nennen die Menschen Euch,
Und es schwingt ein Überhebliches in ihrer Stimme, wenn sie
    Tierchen sagen.
O über ihre Torheit!

Ich habe gelernt andächtig zu werden vor Eurem unnennba-
ren Tiersein.


Bevor nicht die Menschen wiederfinden den Grund ihrer Tier-
heit,
Bevor sie nicht sind
Sind
Wird ihr Kampf nur wert sein
Neuen Kampfes,
Und noch ihre heiligste Wandlung
Wird wert sein neuer Wandlung.

# Bibliographische Notiz

*Zum Text:* Die Druckfehler aller wiedergegebenen Texte wurden durch Vergleich mit späteren Auflagen korrigiert. Ein Sonderproblem bietet »Das Schwalbenbuch«, dessen Erstausgabe folgende Bemerkung beiliegt:

»Die Korrekturen zum ›Schwalbenbuch‹ sind vom Verfasser nur unvollständig geprüft worden. Die Niederschönenfeldsche Festungsverwaltung hat die hier gedruckte Fassung beschlagnahmt, ›da sie eine Reihe von Stellen enthält, deren Verbreitung dem Strafvollzug Nachteile bereiten würde‹.«

Folgende Stellen wurden durch Vergleich mit dem Nachdruck 1924 (vgl. Spalek Nr. 54 und 55) korrigiert: S. 337, Z. 22 geborgen nicht ; S. 338, Z. 10 heroischer Fahnen ; Z. 11 *vor* Schreitend *Absatz* ; S. 342, Z. 27 daß am Bilde ; S. 343 Z. 10 der Erde ; S. 334, Z. 20 Ward der Mensch (in der Neuen, durchgesehenen Auflage 1927).

## Die Wandlung

*Erstdruck und Satzvorlage:* Die Wandlung. Das Ringen eines Menschen von Ernst Toller. 1.-5. Tausend. Gustav Kiepenheuer Verlag. Potsdam 1919. Erschienen in der Reihe: Der dramatische Wille. Dritter Band.

Der fortlaufende Druck des Dramentextes wird auf dem Staubumschlag gerechtfertigt: »Das ungeheure Welterleben unserer Generation schafft sich im Drama seine Sprache für Schicksal und Wollen. Das Drama ist der geistige Ausdruck unserer Zeit. Der heutige Mensch liest das Drama, wie man gestern noch die Erzählung las, als fesselndes, einfaches Buch. ›Der dramatische Wille‹ macht zum ersten Male das Drama durch fortlaufenden Druck lesbar wie einen Roman.« (Vgl. dazu Bertolt Brechts frühe Rezension ›Dramatisches Papier und anderes‹. Gesammelte Werke. werkausgabe edition suhrkamp 15. S. 34f.)

Zu der geringfügig abweichenden *zweiten Fassung* vgl. John M. Spalek. Ernst Toller and His Critics. A Bibliography. Charlottesville 1968 Nr. 69.

*Uraufführung* am 30. September 1919 in der Tribüne, Berlin. Regie: Karlheinz Martin.


## Masse Mensch

*Erstdruck und Satzvorlage:* Masse Mensch. Ein Stück aus der sozialen Revolution des 20. Jahrhunderts von Ernst Toller. 1.-3. Tausend. Gustav Kiepenheuer Verlag. Potsdam 1921.

Der Titel bezeichnet eine Antithese und wurde erst später zu dem Begriff »die Masse Mensch« verballhornt. Im Untertitel meint »Stück«, wie es die englische Übersetzung von Vera Mendel belegt, eher »fragment« als »play«.

Zu der geringfügig abweichenden *zweiten Fassung* (4.-6. Tausend, 1922), der dann alle weiteren Drucke zu Lebzeiten Tollers folgen, vgl. Spalek Nr. 40; ihr ist folgendes »Vorwort zur zweiten Auflage« vorangestellt:

## Brief an einen schöpferischen Mittler

Es gibt Kritiker, die bemängeln, daß Sie, obschon die Traumbilder Traumantlitz trugen, den »realen Bildern« visionäres Antlitz gaben und so die Grenzen zwischen Realität und Traum milderten. Sie haben, ich möchte es Ihnen eigens sagen, in meinem Sinn gehandelt. Diese »realen Bilder« sind keine naturalistischen »Milieuszenen«, die Gestalten sind (bis auf die Gestalt Sonjas) nicht individualbetont. *Was kann in einem Drama wie »Masse-Mensch« real sein? Nur der seelische, der geistige Atem.*

Als Politiker handle ich, als ob die Menschen als einzelne, als Gruppen, als Funktionsträger, als Machtexponenten, als Wirtschaftsexponenten, als ob irgend welche Sachverhältnisse reale Gegebenheiten wären. Als Künstler schaue ich diese »realen Gegebenheiten« in ihrer großen Fragwürdigkeit. (»Es ist noch eine Frage, ob wir persönlich existieren.«)

Ich sehe auf einem Gefängnishof Sträflinge in eintönigem Rhythmus Holz sägen. Menschen, denke ich bewegt. Der mag ein Arbeiter sein, der ein Bauer, der vielleicht ein Notariatsgehilfe ... Ich sehe die Stube, in der der Arbeiter lebte, sehe seine kleinen Eigentümlichkeiten, die besonderen Gesten, mit denen er ein Streichholz wegwerfen, eine Frau umarmen, das Fabriktor abends durchschreiten mag. Ich sehe ebenso deutlich den breitrückigen Bauern dort, den kleinen schmalbrüstigen Notariatsgehilfen. Dann ... jäh ... sind das gar keine Menschen X und Y und Z mehr, sondern schauerliche Marionetten, von ahnungsvoll erfühltem Zwang schicksalhaft getrieben.

Zwei Frauen gingen einmal vor meinem Zellenfenster, an dessen Eisenstäben ich hing, vorbei. Scheinbar zwei alte Jungfern. Beide trugen kurz geschnittene, weiße Haare, beide trugen Kleider von gleicher Form, gleicher Farbe und gleichem Schnitt, beide trugen einen grauen Regenschirm mit weißen Tupfen, beide wackelten mit dem Kopf.

Nicht eine Augenblicksspanne schaute ich »reale Menschen«, die im »realen Neuburg«, in der schmalen Gerichtsgasse spazieren gingen. Ein Totentanz zweier alter Jungfern, einer alten Jungfer und ihres Spiegeltodes, glotzte mich an.

---

Das Drama »Masse-Mensch« ist eine visionäre Schau, die in zweieinhalb Tagen förmlich aus mir »brach«. Die beiden Nächte, die ich durch den Zwang der Haft in dunkler Zelle im »Bett« verbringen mußte, waren Abgründe der Qual, ich war wie gepeitscht von Gesichten, von dämonischen Gesichten, von in grotesken Sprüngen sich überpurzelnden Gesichten. Morgens setzte ich mich, vor innerem Fieber frierend, an den Tisch und hörte nicht eher auf, bis meine Finger klamm, zitternd den Dienst versagten. Niemand durfte in meine Zelle, ich lehnte die Reinigung ab, ich wandte mich in hemmungslosem Zorn gegen Kameraden, die mich etwas fragen, die mir in irgend etwas helfen wollten.

Ein Jahr währte die müh-*selige* Arbeit des Neuformens und Feilens.

Ich stehe dem Drama »Masse-Mensch« heute kritisch gegenüber, ich habe die Bedingtheit der Form erkannt, die herrührt von einer trotz allem! inneren Gehemmtheit jener Tage, einer menschlichen Scham, die künstlerischer Formung persönlichen Erlebens, nackter Konfession, scheu auswich, und die doch nicht den Willen zu reiner künstlerischer Objektivation aufbringen konnte. Das Ungeheure der Revolutionstage war nicht seelisches *Bild* der Revolutionstage geworden, es war irgendwie noch schmerzendes, qualvolles »Seelen*element*«, Seelen-»*Chaos*«.

Ich bin verwundert über die Verständnislosigkeit der Kritik. Die Ursache mag (und das ist am wahrscheinlichsten) ein Mangel der Gestal-

tung sein. Vielleicht ist aber auch Mitursache die Erscheinung, daß
für den »bürgerlichen« Kritiker »Zeitungswort«, »Leitartikelphrase«
usw. bedeutet, was für unsereinen, der dem proletarischen Volk nahe
lebt, um seine geistige, seine seelische Welt weiß, *der aus der seeli-*
*schen und geistigen Welt des proletarischen Volks heraus schafft,*
Ausdruck erschütterndster, aufwühlendster, den ganzen Menschen
erfassender ideelicher Kämpfe bedeutet.

Es ist schon so: was in der sozialen Welt und deren künstlerischem
Bild »dem Bürger« Streit um dürre Worte scheint, ist dem Proletarier
tragischer Zwiespalt, bedrängender Ansturm. Was dem »Bürger« als
Erkenntnis »tief«, »bedeutend«, als Ausdruck bewegtester geistiger
Kämpfe erscheint, läßt den Proletarier gänzlich »un-angerührt«. –
Daß auch proletarische Kunst im Menschlichen münden muß, daß sie
im Tiefsten allumfassend sein muß – wie das Leben, wie der Tod,
brauche ich nicht zu betonen. Es gibt eine proletarische Kunst nur
insofern, als für den Gestaltenden die Mannigfaltigkeiten proletarischen Seelenlebens Wege zur Formung des Ewig-Menschlichen sind.

*Festung Niederschönenfeld,* Oktober 1921

*Ernst Toller*

*Uraufführung* am 15. November 1920 im Stadttheater Nürnberg in
   einer »geschlossenen Gewerkschaftsaufführung«. Regie: Friedrich
   Neubauer. Berliner Erstaufführung: 29. September 1921, Volksbühne. Regie: Jürgen Fehling; an ihn ist das Vorwort der zweiten
   Fassung gerichtet.


## Die Maschinenstürmer

*Erstdruck und Satzvorlage:* Die Maschinenstürmer. Ein Drama aus
   der Zeit der Ludditenbewegung in England in fünf Akten und
   einem Vorspiel von Ernst Toller. E. P. Tal & Co. Verlag. Leipzig,
   Wien, Zürich 1922. Erschienen in der Reihe: Die zwölf Bücher.
   Herausgegeben von Carl Seelig, Zürich. Erste Reihe. In tausend
   numerierten Exemplaren auf Japan-Dokumentenpapier gedruckt.
Zu der stark abweichenden *zweiten Fassung* (5.-10. Tausend, 1922)
   vgl. Spalek Nr. 34.
*Uraufführung* am 30. Juni 1922 (wenige Tage nach der Ermordung
   von Reichsaußenminister Walther Rathenau, 24. Juni 1922) im
   Großen Schauspielhaus Berlin. Regie: Karlheinz Martin.

## Der deutsche Hinkemann

*Erstdruck und Satzvorlage:* Ernst Toller. Der Deutsche Hinkemann. Eine Tragödie in drei Akten. Gustav Kiepenheuer Verlag. Potsdam 1923. (Copyright 1922).

Den Titel ›Der Deutsche Hinkemann‹ hat Toller als Allegorisierung gerügt, er ließ daher seinen ursprünglichen Titel ›Der deutsche Hinkemann‹ noch für einen ersten Nachdruck der ersten Fassung in ›Hinkemann‹ ändern.

Zu den teilweise stark *abweichenden Fassungen* vgl. Spalek Nr. 24 bis 28. Zur Druckgeschichte vgl. Ernst Toller. Hinkemann. Eine Tragödie. Herausgegeben von Wolfgang Frühwald. Stuttgart 1971. S. 57 ff.

*Uraufführung* am 19. September 1923 im Alten Theater Leipzig. Regie: Alwin Kronacher. Die ›Hinkemann‹-Skandale beginnen mit der Aufführung am 17. Januar 1924 (am Vorabend des Reichsgründungstages) im Staatstheater Dresden (also in dem von der Reichsexekution erfaßten Sachsen). Regie: Paul Wiecke.

## Der entfesselte Wotan

*Erstdruck und Satzvorlage:* Der entfesselte Wotan. Eine Komödie von Ernst Toller. Gustav Kiepenheuer Verlag. Potsdam 1923.

*Uraufführung* (in russischer Übersetzung) am 16. November 1924 im Bolschoi dramatischeskij teatr Moskau. Regie: K. P. Chochlow. Erste Aufführung in deutscher Sprache am 29. Januar 1925 im Deutschen Theater, Kleine Bühne, Prag. Regie: Karl Demetz. Erste Aufführung in Deutschland am 23. Februar 1926 in der Tribüne Berlin. Regie: Jürgen Fehling.

## Gedichte der Gefangenen

*Erstdruck und Satzvorlage:* Gedichte der Gefangenen. Ein Sonettenkreis von Ernst Toller (Nr. 44). Kurt Wolff Verlag. München 1921. Erschienen in der: Bücherei ›Der jüngste Tag‹ Band 84.

44 war Tollers Gefangenennummer in der Festungshaftanstalt Niederschönenfeld. Zu Tollers Beziehungen zu dem Verleger Kurt Wolff vgl. Kurt Wolff. Briefwechsel eines Verlegers 1911-1963.

Herausgegeben von Bernhard Zeller und Ellen Otten. Frankfurt am Main 1966. S. 321-331.

Zur *zweiten Auflage* der Gedichte vgl. Spalek Nr. 20; ihr ist folgende Widmung vorangestellt:

## Zur zweiten Auflage

Dämmerung, gütige Schwester der Gefangenen, wie ist
Deine Stille erfüllt von schwingender Melodie
Auf der schmalen Pritsche liege ich und lausche
Ich höre Euer Herz klopfen, Brüder
Dort ... und dort ... und dort ...
Eingekerkert in den Gefängnissen aller Kontinente
In Altanta und Nîmes, in Keckemet und Barcelona, in Kalkutta und
   Mailand
Brüder mir: Kämpfer Rebellen Revolutionäre – ich grüße Euch.
Eine Welt wollen sie Euch weigern. Eure Welt aber lebt in Eurem
   Willen.
Und Euch grüße ich, Brüder in den Kerkern Afrikas, Asiens, Austra-
   liens: schwarze, gelbe, braune Schützer ehrwürdiger Landschaften,
   unterdrückt und geschändet von Europens Zivilisation.
Euch Brüder, in Zuchthäusern und Hafthäusern der Erde
Die Ihr
In der Heimat Not wuchset
Im Hause Unrecht frontet
Im Bett Vergessen schliefet
Die Ihr zu Dieben und Einbrechern, zu Totschlägern und Mördern
   wurdet wurdet wurdet – Brüder jetzt eines Schicksals, ich grüße
   Euch.
Und dieses denke ich:
Wer kann von sich sagen, er sei nicht gefangen, ob gleich kein Gitter-
   loch ihm den Himmel raubt, und keine Mauer ihm die Erde stiehlt?
Ich höre Euer Herz klopfen
Dort ... und dort ... und dort ...
O wäre mir gegeben zu lauschen mit der großen zeitlosen Liebe des
   geträumten Gottes
Ich hörte
Den einen Herzschlag
Aller menschlichen Geschlechter

Aller Sterne aller Tiere aller Wälder aller Blumen aller Steine
Ich hörte
Den einen Herzschlag
Alles
Lebendigen

Stark verändert hat Toller seine »Gedichte der Gefangenen« als »Lieder der Gefangenen« in den Lyrikband »Vormorgen« (Potsdam 1924. S. 37-62) aufgenommen; vgl. Spalek Nr. 21.

### Das Schwalbenbuch

*Erstdruck und Satzvorlage:* Das Schwalbenbuch von Ernst Toller. Gustav Kiepenheuer Verlag. Potsdam 1924.
Zu den teilweise stark *abweichenden Fassungen* vgl. Spalek Nr. 54 bis 58. Das 16.-20. Tausend, 1924 enthält erstmals den Epilog, der nachfolgend nach der »Neuen, durchgesehenen Auflage 1927. 20. bis 25. Tausend«, S. 55-58 wiedergegeben wird:

### Epilog

Einen Sommer lang lebten Schwalben in eines Gefangenen Zelle. Es war Gnade für ihn. Was sie ihm schenkten, davon suchte er zu stammeln. Der Festungsverwaltung gefiel nicht, was er schrieb. Wer kann die strengen Forderungen einer Festungsverwaltung ergründen! Genug, es gefiel ihr nicht. Sie befahl, daß der Gefangene seine Zelle, die dem Osten ihr vergittertes Fenster zukehrte, verlasse, und wies ihm fürsorglich und mit väterlichem Bedacht eine andre an, die von Norden ihr kümmerliches Licht empfing und keiner Schwalbe Heim werden konnte.

Im nächsten Frühling, im Monat April, kamen die Schwalben wieder. Kamen von irgendwo, aus Urwaldlandschaft und Sonnentraum, in das Geviert kahler, nordischer Zelle. Sie fanden einen neuen Insassen und waren bereit, auch diesem zu sein, was sie dem früheren gewesen.

Kam eines Tages das Buch ins Haus, das der erste geformt und über die Mauer, unerreichbar für die Fanghand der Wächter, geworfen hatte. Einige Stunden später polterten Aufseher in die Zelle, rissen

»befehlsgemäß« das fast vollendete Nest mit gleichgültig roher Gebärde herunter.

Wie erschraken die Schwalben, als sie ihre kleine Wohnung nicht mehr sahen! Mit ihren Schnäbeln zogen sie suchend den Halbkreis des Nestgrundes, flatterten ängstlich umher, lugten in alle Winkel der Zelle, fanden nichts.

Schon am nächsten Tag begannen sie wieder zu bauen.

Und wieder zerstörten die Wächter das Nest.

Der Gefangene, Maurer in einem bayrischen Dorfe, schrieb am 18. Mai 1924 diesen Brief:

Herrn Festungsvorstand!

Ich bitte Herrn Festungsvorstand, den so schwer geprüften, geduldigen und überaus nützlichen und fleißigen Tierchen ihr so hart und schwer erkämpftes Nestchen belassen zu wollen. Ich erkläre, daß dieselben mich nicht im geringsten stören und auch nichts beschädigen. Erwähnen möchte ich noch, daß in verschiedenen Gefängnissen Schwalbennester sich befinden und dieselben bei schwerer Strafe nicht zerstört werden dürfen.

Hochachtungsvoll

Ruppert Enzinger aus Kolbermoor.

Am 21. Mai gab der Festungsvorstand Hoffmann den lakonischen Bescheid: »Schwalben sollen im Stall bauen. Da ist Platz genug.«

Das Nest, das inzwischen sich rundete, verfiel dem Spruch. Dem Gefangenen aber wurde eine Zelle gen Norden gewiesen, die andre verschloß man.

Verwirrt, leidenschaftlich erregt, fingen die Schwalben gleichzeitig in drei Zellen zu bauen an. Halb waren die Nester geschichtet, doch Wächter entdeckten sie, und das Grausame geschah.

In sechs Zellen baute das Paar. Wer kann wissen, was sie trieb! Vielleicht Hoffnung, daß die Menschen ihnen *ein* Nest gewährten aus Einsicht und ein wenig Güte.

Die sechs Nester wurden weggefegt.

Ich weiß nicht, wievielmal Aufbau und Zerstörung einander folgten.

Sieben Wochen dauerte der Kampf schon, heldenhafter, ruhmreicher

Kampf bayrischer Rechtsbeschützer wider den Geist tierischer Auflehnung. Ein paar Tage bauten die Schwalben nicht mehr, sie hatten verzichtet.

Leise sprach es sich von Gefangenem zu Gefangenem: »Sie haben im Waschraum zwischen den Abflußröhren eine Stelle gefunden, wo keiner sie entdecken kann, nicht der Späheblick des Wächters, der von draußen die Gitter abtastet, nicht der Späheblick des Wächters, der von drinnen Verbotenem nachspürt.« Selten lebte reinere Freude im Zellengang. So waren die Schwalben doch Sieger geblieben im Kampf mit menschlicher Bosheit. Jeder Gefangene fühlte sich Sieger mit ihnen.

Doch die lauschenden Wächter ... An einem Morgen starrte der Waschraum leblos und leer.

Nicht mehr bauten die Schwalben. Abends flogen sie in eine Zelle, nächtigten dort, eng aneinander geschmiegt, auf dem Leitungsdraht, flogen in der Frühe davon. Bald kam das Schwalbenmännchen allein. Die Schwälbin war gestorben, wohl weil die Menschen ihr wehrten, fruchtschwere Eier zu bergen.

# Dokumente

Die nachfolgend ausgewählten Texte Tollers versuchen, einen Einblick in das Selbstverständnis des Autors zu geben.

## 1.
## Bemerkungen zu meinem Drama
## »Die Wandlung«

[In: Der Freihafen. Blätter der Hamburger Kammerspiele II. 1919. S. 145 f.; vgl. Spalek Nr. 401.]

»Diese Arbeit entstand in ihrer ersten Niederschrift 1917, im dritten Jahr des Erdgemetzels. Die endgültige Form wurde in der Haft des Militärgefängnisses im Februar und März 1918 vollendet.« –
Irgendwo las ich: »Dies Stück mutet nach München wie eine Erklärung, wie eine Rechtfertigung an, und das verstimmt.«
»Verstimmt« es die Zuhälter des Krieges, so ist schon manches gewonnen!
Wenn politisches Flugblatt Wegweiser, geboren aus Not der äußeren Wirklichkeit, Gewissensnot, Fülle der inneren Kraft bedeutet, so mag »Die Wandlung« getrost als »Flugblatt« gelten.
*1917 war das Drama für mich Flugblatt.* Ich las Szenen daraus vor im Kreise junger Menschen in Heidelberg und wollte sie *aufwühlen* (»aufhetzen« gegen den Krieg!), ich fuhr nach der Ausweisung aus Heidelberg nach Berlin und las hier wieder das Stück. Immer mit der Absicht, Dumpfe aufzurütteln, Widerstrebende zum Marschieren zu bewegen, Tastenden den Weg zu zeigen ... und sie alle zu gewinnen für revolutionäre sachliche Kleinarbeit. In Eisners Zusammenkünften vor dem Januar-Streik 1918 verteilte ich Zettel, auf denen gewisse Szenen der »Wandlung« gedruckt standen, in Streikversammlungen las ich in meinen Reden Fetzen daraus vor.
Also Tendenzdrama? Tendenzdrama liegt im Bezirk des bürgerlichen Reformismus, (Motto: Seid wohltätig und verachtet nicht die Huren, die *auch* Menschen sind!)
Ein politisches Drama? Vielleicht ein brüchiger Schritt dazu.
Aus der Unbedingtheit revolutionären *Müssens* (Synthese aus seeli-

schem Trieb und Zwang der Vernunft) wird das politische Drama
geboren, das nicht bewußt umpflügen und aufbauen *will,* sondern
umpflügen und aufbauen *wird,* das den geistigen Inhalt menschlichen
Gemeinschaftslebens erneuern, verweste Formen zerstören *wird.*
Voraussetzung des politischen Dichters (der stets irgendwie religiöser
Dichter ist): ein Mensch, der sich verantwortlich fühlt für sich und für
jeden Bruder menschheitlicher Gemeinschaft. Noch einmal: der sich
verantwortlich fühlt.

Festungsgefängnis Eichstätt, Oktober 1919

## 2.
## Die Maschinenstürmer
## Einleitung

[Einführung in den Vorabdruck von Szene IV, 1 des Dramas »Die
Maschinenstürmer«. In: Die Glocke VII. Nr. 43. 16. Januar 1922.
S. 1196; vgl. Spalek Nr. 305 und 495.]

Aus der Geschichte der sozialen Kämpfe kennt der Leser die Ludditenbewegung in England. »Ludditen« oder »Luddisten« hießen die
englischen Maschinenstürmer nach dem ersten der Männer, der in der
Maschine den Feind der Arbeiter sah und sie zerschlug. Ned Lud war
sein Name. Er lebte bei Nottingham. Über seine Persönlichkeit ist
historisch wenig bekannt. Marx, Engels, die Webbs, Beer u. a. haben
die ökonomischen und politischen Ursachen der Ludditen-Rebellion
behandelt, auch auf die sozialpsychischen Quellen hingewiesen.
Das Drama »Die Maschinenstürmer« ist ein Versuch der dramati-
schen Gestaltung dieser Kämpfe, das Drama einer Klasse, wenn auch
kein Klassenkunstdrama im Sinn der deutschen Nachahmer des Pro-
letkults, da Kunst immer im Menschlichen *mündet* – und gerade
darum wahrhaft revolutionär ist. —
Auf Wunsch des Herausgebers veröffentliche ich eine Szene aus dem
im Druck befindlichen Werk. *Ure* ist in der Geschichte der »Großka-
pitalist«, dessen Reden häufig von Marx und Engels zitiert werden,
*Jimmy Cobbett* (sein wirklicher Name war William Cobbett) ein Führer aus den späteren Chartistenkämpfen.

## 3

[»Hinkemann wurde von Toller als »proletarische Tragödie« konzipiert. Ein Szenenvorabdruck in »Volksbühne. Zeitschrift für soziale Kunstpflege« (II Nr. 3. Januar/Februar 1922) ist überschrieben: »Die Hinkemanns. Eine proletarische Tragödie in 3 Aufzügen«. Die dem Untertitel dort beigefügte Anmerkung wurde später selbständig im »Vorwärts« (Nr. 200. Abend-Ausgabe. 28. April 1922) abgedruckt; in der »Volksbühne« lautet diese Anmerkung, welche die letzten Zeilen aus dem »Brief an einen schöpferischen Mittler« wiederholt:]

Anmerkung zur proletarischen Kunst:
Die proletarische Kunst *mündet* im Menschlichen, ist im tiefsten allumfassend – wie das Leben, wie der Tod.
Es gibt eine proletarische Kunst nur insofern, als für den Gestaltenden die Mannigfaltigkeiten proletarischen Seelenlebens Wege zur Formung des Ewig-Menschlichen sind.

Ernst Toller.

[Dem Vorabdruck in der »Volksbühne« (II. Akt, 1. Szene) ist folgende Bemerkung vorangestellt:]

## Vorwort

Dir widme ich dieses Drama, namenloser Prolet. Dir, namenloser Held der Menschlichkeit, von dem kein Ruhmesbuch meldet, keine Revolutionsgeschichte, kein Parteilexikon. Nur irgendein Polizeibericht im Winkel der Presse weiß von Dir unter der leidenschaftslosen Rubrik: »Unfälle und Selbstmorde« zu sagen. Eugen Hinkemann ist Dein Symbol. Immer littest Du, in jeder Gesellschaft, in jedem Staat und wirst, von dunklem Schicksal gezeichnet, selbst leiden müssen, wenn in hellerer Zeit die sozialistische Gemeinschaft erkämpft und gewachsen ist. Immer wirst Du zertreten, irgendwo, in einer alltäglichen Stube, an einem alltäglichen Weg. Immer. Von den Herren, die Dich und Deine Not nicht kennen und Dich erdrücken.

(Und so Du in Deutschland lebst, wirst Du<br>verdürsten und verhungern, lieblos verhöhnt, lieblos verlacht.)

Festung Niederschönenfeld, 1921. E. T.

# 4.

## Dichter über ihre neuen Werke
## Ernst Toller: Der entfesselte Wotan

[In: Die Szene XVI. Nr. 1. Januar 1926. S. 26f.; vgl. Spalek Nr. 413.]

In Stunden (Tagen, Monaten, Jahren) des Schaffens am Werk umfaßt der Autor die Fülle der Probleme und Wesenheiten, er umfaßt Grundlinien ebenso stark wie Abzweigungen, Bilder so stark wie Nuancen, Zentrales so stark wie Peripheres.

Später, im Zustand der Betrachtung, tritt er an das Werk heran wie ein Unbeteiligter: er entdeckt immer nur die Dinge, die ihn gerade in der Zeit des Betrachtens bedrängen, hält einmal Wesentliches für unwesentlich, dann wieder Unwesentliches für wesentlich.

Erklärungen, die ein Autor über sein Werk gibt, sind immer ungenügend.

Das will aber nicht heißen, daß Erklärungen, die ein Kritiker über Werke gibt, genügen. Meistens tun sie es nicht. Der Autor sieht in schiefen Proportionen, aber die Dinge, die in Proportionen gesetzt werden, existieren. Die meisten Kritiker schreiben über im Werk nicht existente Dinge. Mir ist es meist so gegangen, daß ich mich über gute Kritiken nicht recht freuen konnte, weil, was sie lobten, nicht Eigentliches im Drama traf, daß ich mich über schlechte Kritiken nicht recht ärgern konnte, weil, was sie zerfetzten, das Drama nicht enthielt.

Die Fabel des Entfesselten Wotan hat einer meiner Kameraden im Festungsgefängnis Niederschönenfeld *gelebt*.

Einst Frisör, dann Flugzeugerbauer, später revolutionärer Truppenführer, kam er in der Festung auf den phantastischen Plan, eine Auswanderer-Genossenschaft zu gründen. Zuerst stand das Motto fest: »In Freud und Leid sind wir vereint«. Dann entwarf er Statuten und Programme. (Mottos und Programme sind bei uns immer das Wichtigste.) Schließlich fand er einen Maschinen-Katalog, und schon hatte er ein Holzgatterwerk für Brasilien . . . erfunden. Daß inzwischen in seinem Kopf der Plan sich zur Realität gewandelt hatte, versteht sich.

Da er so glücklich war, eine Schwester in Amerika zu besitzen, die ihm (in der Zeit der Inflation) jeden Monat einen Dollar schickte, den er in seinem Werk (für Zeichenpapier, Pausbogen, Lebensmittel und

Zigaretten) investierte, fand sich bald ein Zellennachbar, der dem Werk seine Arbeitskraft lieh.

Der Genossenschaftsdirektor (so fühlte er sich) knüpfte Verbindungen »mit der Schweiz« an und entwickelte fabelhafte Pläne. Aber ach, durch irgendwelchen Zufall war das Auswandereramt im Reichsministerium auf seine Arbeit aufmerksam geworden. Es teilte ihm mit, wenn er, einmal in Freiheit, wagen sollte, Auswanderer zu werben, müsse man ihn gerichtlich belangen.

»Da steckt die bayerische Regierung dahinter«, rief der Verkannte aus, »sie gönnt es mir nicht«.

Inzwischen interessierte er sich für neue Pläne, und der Genossenschaftsplan dämmerte.

Daß er in seinem Kopf wieder lebendig wurde, ist Schuld des Verfassers. Der schrieb die Komödie »Der entfesselte Wotan«. Bei irgendeiner Gelegenheit bekam jener das Stück in die Hände, las ein paar Seiten, schmiß das Buch in die Ecke, hielt mir die Faust unter die Nase: »Kerl, Du willst mich lächerlich machen vor der deutschen öffentlichen Meinung.« (Aber merkwürdigerweise stand der Satz schon im fertigen Werk.)

Ging in seine Zelle, holte seine alten Pläne hervor und änderte sie. Auf die erste Seite kam das bayerische Wappen und ein neues bayerisches Motto.

Wochen später tänzelte er pfiffig vergnüglich auf mich zu: »Jetzt gewinne ich auch die bayerische Regierung, ich ziehe die Sache bayerisch auf!« (Aber auch das stand schon in anderer Form in der Komödie.)

Und wieder Wochen später fragte er mich, ob das Stück mit ihm in der Hauptrolle wohl bald gespielt werde.

Aber das Buch (für Psychologen etwas eminent Wichtiges) hat er nie zu Ende gelesen.

Man wird in der Öffentlichkeit wahrscheinlich die ironische Behandlung der Figuren sehen (nicht die Selbstironie in der Sprache), Beiwerk stärker als Gehalt, Allegorien statt Gestalten.

Aber die Gestalt des Wotan, obwohl in der teutschen Atmosphäre sich blähend, ist eine universale, zum mindesten eine europäisch-amerikanische.

Das ist in der neuen Zeit aus Don Quichotte geworden: nicht mehr kräftig genug, um seinen Traum gläubig zu leben, und wiederum kein robuster Schieber, der kontinuierlich das, was er tut, durchschaut.

Mischung von Idealist und Jämmerling. Eine Figur, die uns heiter macht.

Doch es gibt zwei Arten von Heiterkeit: die aus Unwissen und die trotz Wissen. Bei der zweiten Art ist immer ein Stück Wahnsinn dabei.

Ernst Toller
Gesammelte Werke

## Gliederung der Ausgabe